1ª EDIÇÃO
Junho de 2021 | 7 mil exemplares

EDIÇÃO, PREPARAÇÃO E NOTAS
Leonardo Möller

REVISÃO
Naísa Santos
Michele Dunda

CAPA, PROJETO GRÁFICO E DIAGRAMAÇÃO
Victor Ribeiro

FOTO DO AUTOR
Kleber Bassa

IMPRESSÃO
EGB

CASA DOS ESPÍRITOS
Rua dos Aimorés, 3018, sala 904
Belo Horizonte | MG | 30140-073 | Brasil
Tel.: +55 (31) 3304 8300
editora@casadosespiritos.com.br
www.casadosespiritos.com.br

DES DOBRA MENTO ASTRAL

TEORIA E PRÁTICA

Dados Internacionais de Catalogação na Publicação (CIP)
(Câmara Brasileira do Livro, SP, Brasil)

Pinheiro, Robson
Desdobramento astral: teoria e prática (obra integral) / Robson Pinheiro.
– 1. ed. – Belo Horizonte, MG : Casa dos Espíritos Editora, 2021.

ISBN: 978-85-99818-70-1

1. Consciência 2. Corpo astral 3. Espiritismo 4. Espíritos 5. Espiritualidade
6. Mediunidade 7. Perispírito 8. Projeção astral I. Título.

21-30451 CDD-133.95

Índices para catálogo sistemático:
1. Experiências fora do corpo : Fenômenos paranormais 133.95
2. Projeção astral : Fenômenos paranormais 133.95

O Acordo Ortográfico da Língua Portuguesa, ratificado em 2008, foi respeitado nesta obra.

DESDOBRAMENTO ASTRAL

TEORIA E PRÁTICA

Um livro autoral de

ROBSON PINHEIRO

A LUCIANA GUILHERME,

cujo toque está neste livro como em muitos outros,

e em incontáveis aspectos da minha vida.

E aconteceu que, tornando eu para Jerusalém, quando orava no templo, fui arrebatado para fora de mim.

— Atos dos Apóstolos 22:17

SUMÁRIO

XVIII

XIX

XX

UM ATO DE PLENA VOLIÇÃO

APRESENTAÇÃO

por Leonardo Möller, editor

O texto que se lê a seguir é fruto de cerca de quarenta anos de dedicação a exercícios e experiências psíquicas com grande ênfase no desdobramento astral, fenômeno conhecido como *projeção da consciência* em muitos círculos. O codificador do espiritismo, Allan Kardec (1804–1869), denominava-o de *sonambulismo*,[1] designação cunhada em meados do século XIX, a qual caiu em desuso por causar indesejável confusão com o quadro psicopatológico que acomete pessoas "que se levantam dormindo, caminham, falam e realizam algumas atividades durante o sono e geralmente não se recordam disso quando despertam".[2]

Robson Pinheiro discorre sobre o assunto em tom deliberadamente autoral, reportando-se às vivências pessoais, de caráter tanto paranormal quanto mediúnico. Isso porque, se por um lado a faculda-

1. Cf. "Sonambulismo". In: KARDEC, Allan. *O livro dos espíritos*. Tradução de Evandro Noleto Bezerra. 2. ed. Rio de Janeiro: FEB, 2011. p. 306-311, itens 425-438.

2. "Sonambulismo". In: DICIONÁRIO Houaiss da Língua Portuguesa. São Paulo: Objetiva, 2009.

de do desdobramento é eminentemente anímica, por outro, em seu caso particular, o treinamento e as atividades desenvolvidas sempre foram conduzidos por inteligências extrafísicas — ou espíritos tão somente, para quem prefere essa nomenclatura. Portanto, o termo *prática* constante do subtítulo desta obra pode ser compreendido de duas maneiras: seja se considerando os exercícios e os treinos propostos, seja como referência às experiências do autor, que elucidam, esclarecem e ilustram a teoria, analisada ao longo de décadas de estudo consagrado ao tema, segundo o recorte feito por Robson a partir de suas preferências e suas interpretações da bibliografia eleita.

Além desse aspecto, cabe notar que o estilo informal que caracteriza a obra deve-se ao fato de que o texto é fruto de transcrição de um curso de ensino à distância ministrado pelo autor entre 2013 e 2014, um dos grandes êxitos entre as diversas formações por ele conduzidas e disponíveis atualmente na internet. Ao se editar o texto, tanto quanto possível, fez-se a opção de manter o traço de oralidade inerente à obra, decorrente da forma como se deu originalmente o conteúdo. Foi uma surpresa agradável perceber que o ar descontraído pode favorecer a aprendizagem, aportando leveza a um tema, por vezes, deveras abstrato e, em parte, talvez por isso, árido.

Uma edição eletrônica parcial desta obra foi publicada pela Casa dos Espíritos em outubro de 2019, oferecida como bônus exclusivo do *Master em apometria* — curso de formação, inteiramente *on-line*, com Robson Pinheiro, este editor e convidados. Tal versão reduzida consistiu nos quatro capítulos iniciais, somados ao notável preâmbulo; este, cuja importância é tamanha, acabou por receber o título do curso que originou este livro, ministrado anos atrás. Versando sobre o fenômeno psíquico do desdobramento e suas implicações, apresentando métodos para desenvolver e aprimorar tal prática mediante a observância de determinados parâmetros e objetivos, esse curso recebeu o título inusitado de *Volição plena*. Ressaltava-se, assim, o ato de vontade e de decisão que está no cerne da aprendizagem a respeito do fenômeno que é objeto de estudo do autor.

BELO HORIZONTE, NOVEMBRO DE 2020

DECISÃO E AUTOBOICOTE

PREÂMBULO

O objetivo deste livro é propor um apanhado de conhecimentos e vivências minhas sobre o método de projeção da consciência ou desdobramento astral, já que há mais de trinta anos tenho atuado ao lado dos guardiões em tarefas de desdobramento, das quais guardo relativa memória. Venho aqui, sem muitas pretensões, trazer o que tenho aprendido durante esses trabalhos de parceria entre duas dimensões.

No entanto, esta introdução não faz parte do conteúdo do livro propriamente dito. É um preâmbulo, que eu acredito ser necessário para que você possa entender o método e até mesmo a evolução, as aquisições e as conquistas que terá neste processo que ora lhe apresento.

Neste preâmbulo, vou falar sobre boicote e autossabotagem no caminho em busca da espiritualidade, embora esse tema seja aplicado em todas as instâncias da vida, nos âmbitos profissional, emocional e social, entre outros. De maneira específica, é necessário que possamos raciocinar, refletir um pouco sobre os sistemas de autossabotagem, que são mecanismos inconscientes que utilizamos no dia a dia. Condicionamo-nos a certas atitudes, desenvolvendo determinadas formas de comportamento, de expressão e de ação que acabam sabotando nossa vitória. Essa vitória, repito, pode ser nos aspectos emocional, profissional, religioso, espiritual, qualquer que seja.

Trago este preâmbulo a fim de que você possa pensar um pouco se realmente tem dado o máximo de si ou se não tem conseguido satisfação em seu empreendimento, principalmente quanto às técnicas de projeção astral. Em outras palavras, indago se o insucesso é devido à sua atitude ou ao método em si.

É muito comum transferirmos para o outro a culpa, para os espíritos, o mentor, Deus, o amigo, o livro, que não estão certos, ou o trabalho, que não é suficiente... Agora, quero fazer uma viagem no sentido interno, no sentido inverso, de você voltar para dentro de si e fazer uma reflexão. Nós só logramos êxito em objetivos íntimos e espirituais quando nos conscientizamos desses sistemas que desenvolvemos de autoboicote, de autossabotagem em diversas áreas da vida.

Às vezes, vamos trabalhar num lugar e não dá certo, de repente alguma coisa acontece e pedimos demissão ou somos demitidos. Precisamos nos perguntar: "Será que ocorreu algo externo mesmo ou será que tive alguma atitude, será que venho repetindo atitudes e situações que predispõem outras pessoas contra mim? Será que não preciso refazer e atualizar minha forma de ver as coisas?". Quando tratamos de espiritualidade, é importante esclarecer: no contato com o assunto, tanto quanto no contato humano, transpessoal e interpessoal, é preciso avaliar sempre a nossa postura, porque estamos habituados a determinadas posturas e efeitos, porém, esquecemos que o mundo evolui, que o mundo passa, que as pessoas mudam e que lidamos com seres humanos diferentes entre si. Os comportamentos humanos não são padronizados. Portanto, se eu não amadurecer quanto à minha forma de lidar com o outro e com a espiritualidade, corro sério risco de fazer um boicote à minha tentativa, ao meu sucesso pessoal.

Gosto muito da seguinte frase do espírito Alex Zarthú: "Quanto maior é a expectativa, maior a decepção". Portanto, vamos zerar nossas expectativas e nos reconhecer como aprendizes, porque aí evitamos decepções. Se porventura começarmos a curtir a caminhada neste método de projeção astral, podemos esperar o quê? Vamos estudar juntos! Indicarei livros e exercícios respiratórios que favorecerão a circulação de energia vital no seu organismo, tanto no duplo etérico quanto no perispírito, além de exercícios de determinação. Contudo, se você não vivenciar essa etapa, não adianta tentar desdobrar, com a pretensão de fazer isso e aquilo, pois ficará vivendo no futuro. Então, curta cada etapa do nosso programa, sorva a experiência!

Vamos estudar, rever os temas repetidas vezes. Você vai analisar se está se enquadrando e fazendo aquilo que é possível fazer, porque o grande segredo não é que eu vá trazer alguma coisa tão diferente do que muita gente traz por aí, de forma nenhuma; existem vários métodos excelentes. Há pessoas extraordinárias que ministram cursos nessa área. E há quem diga: "Não funcionou comigo". Mas será que o aluno sorveu cada etapa ou tão somente viveu antecipadamente o futuro? Você espera que algo incrível lhe aconteça? Pois o bom da viagem não é o fim; é a caminhada.

Inicialmente, precisamos pensar nas miragens

que criamos, nas ilusões, nos medos e nos prováveis e possíveis castigos. Miragens porque estabelecemos muito planejamento que não tem base. Por exemplo: fui ministrar um estudo sobre viagem astral a um grupo de pessoas e, antes, comecei a lhes perguntar sobre o que queriam fazer, o que pretendiam, até para eu saber como abordar o conteúdo. Uma delas disse: “Eu quero sair do corpo e dar chute, brigar, lutar e fazer isso e aquilo com os guardiões contra os espíritos das trevas”. Logo redargui: “Você já conseguiu fazer isso dentro de você? Lutar contra seus fantasmas, contra seus monstros internos?”. E a resposta foi: “Não! Eu quero sair do corpo e fazer isso”. Então lhe expliquei: “Desculpe, mas você não vai conseguir, porque não se enfrentou ainda...”.

Portanto, é uma miragem, uma ilusão que criamos de que em trinta dias estaremos ali desdobrados, agindo com os guardiões da humanidade. Para melhor ilustrar o que quero dizer com esse exemplo, vou compartilhar uma experiência de grande valor para mim.

Em 1979, ocorreu um fato muito importante, que foi o grande marco em minha vida, um divisor de águas. Eu era evangélico em Governador Valadares, cidade no leste de Minas Gerais, e meu grande objetivo de vida era ser pastor missionário. Pastor missionário é diferente daquele pastor que toma conta de paróquias, que fica dentro de igrejas. O missionário é aquele que viaja o mundo falando do Evangelho. Esse era meu anseio, minha miragem naquela época. Criei a ideia de que eu queria ir para a África, falar com os povos africanos, sair pelo mundo, ir até a Austrália... Tinha alguns objetivos bem mirabolantes. Então, comecei a fazer um curso de teologia extracurricular. Estudei escatologia e hermenêutica bíblica, e isso, hoje, muito me auxilia quando apresento meus estudos, pois adoto uma visão dos escritos espíritas, das coisas psicografadas, à luz do cristianismo, de forma mais ampla. Portanto, aprendi bastante coisa.

Findo o curso extracurricular, chegou a hora de procurar ser admitido na faculdade de Teologia, afinal, eu já estava prestes a completar 18 anos de idade. Para tanto, era necessário me submeter a um exame, uma prova oral diante de um colegiado de 28 pastores. Eles escolheriam um único versículo da Bíblia, sobre o qual eu deveria discorrer ao longo de duas horas a duas horas e meia. O versículo seria revelado naquele momento e, à luz da pequena passagem, caberia a mim demonstrar tudo o que havia estudado até então. Ser aprovado no teste era essencial para ingressar na escola de formação de pastores que a igreja mantinha no estado do Espírito Santo. Eu namorava uma menina, a Luzia; eu era apaixonado por ela, e nosso plano era nos casarmos e nos matricularmos na escola. Ela seria maestrina de coral; estudaria música e regência, enquanto eu me prepararia para ser missionário.

Só que exatamente no dia em que o teste foi marcado, num sábado do mês de outubro de 1979, dois espíritos apareceram a mim dentro da igreja. Eu já era familiarizado com essa visão há certo tempo, pois vez ou outra se mostravam, depois com mais frequência, porém nunca haviam me dirigido a palavra. A questão era que, segundo aprendi na igreja evangélica, não existia meio-termo: ou era de Deus ou era do diabo, e eu havia decidido que aqueles espíritos eram do demônio, conforme o pastor havia me falado. Na hora em que o coral começou a cantar e que se avizinhava o momento de desenvolver o tema, eu estava sentado no púlpito, na companhia dos pastores, quando os dois espíritos apareceram para mim em plena igreja.

Foi um choque muito grande essa situação, principalmente pelo fato de que era o meu momento perfeito, era o momento pelo qual tanto eu havia esperado; toda a minha ansiedade se concentrava ali, quando eu deveria receber o beneplácito dos pastores para ingressar no colégio e estudar teologia ainda mais a fundo. Naturalmente que eu, sozinho — minha mãe nem sabia disso —, queria empreender esse projeto todo, e, naquele momento, os espíritos apareceram.

Os dois trajavam roupas diferentes. Um trazia um turbante encimando a cabeça, e o outro estava vestido de branco com uma máscara semelhante à de médico. O de turbante se dirigiu a mim e falou:

— Meu irmão, nós vamos falar através de você hoje.

Não sei se consegue aquilatar o impacto que isso representa para alguém que é evangélico, que acredita somente no Espírito Santo ou no demônio, não tem meio-termo. Ou seja, dois espíritos aparecem, um deles lhe dirige a palavra na hora em que você vai fazer uma pregação e informa não que falarão *com* você, mas *através* de você. Eu me apavorei e pedi o socorro do pastor da minha paróquia, que estava ao lado:

— Pastor, o diabo está aqui dentro da igreja.

O pastor redarguiu:

— Mas o diabo não pode entrar aqui, meu filho. Porque aqui é a igreja de Deus.

— Então o senhor avisa a ele, porque os dois estão ali em pé, e eles não sabem que aqui é a igreja de Deus. Eles estão aqui dentro! E pior ainda: um deles disse que vai falar através de mim.

— Mas isso é impossível, porque você já foi batizado, já foi lavado no sangue de Jesus e batizado no Espírito Santo! O diabo não tem força sobre quem já se batizou com o Espírito Santo.

— Então, pelo amor de Deus, fala com esse demônio aí, porque ele não está sabendo disso. Ele avisou que vai falar através de mim.

Mentalmente, comecei a orar e voltei a escutar a voz do suposto diabo fora de mim. Nunca ouvi a voz dentro da minha cabeça; era como se outra pessoa qualquer estivesse mesmo pronunciando as palavras.

Ele repetiu, então:

— Nós vamos falar através de você.

Em meio àquilo tudo, o coral cantando, eu alertei o pastor outra vez:

— O diabo está aqui, pastor!

Ele me perguntou:

— Como é o diabo, meu filho? Como, afinal, ele se apresenta?

— Um está todo de branco com uma máscara no rosto... — como me faltava conhecimento, eu não sabia descrever a roupagem fluídica dos espíritos.

— Ele está escondendo as garras para você não o descobrir, porque a Bíblia diz que o demônio vem vestido de anjo de Deus.

— E o outro traz um tanto de pano na cabeça.

— É porque tenta esconder os chifres, meu filho! Ele quer te deixar louco, fazer alguma coisa para você abandonar o plano de Jesus.

E o espírito tornou a afirmar:

— Nós vamos falar através de você.

Nesse momento, eu virei para ele e disse:

— Em nome de Jesus, você não fala!

E ele me respondeu:

— Em nome de Jesus, nós já estamos falando. Olhe para trás.

Quando olhei, meu corpo estava de pé, no púlpito, e eu estava fora do corpo, próximo ao teto da igreja, desdobrado — ou *arrebatado*, segundo a linguagem bíblica —, conversando com um dos espíritos. O outro, como mais tarde saberia, era Joseph Gleber, que se manifestava através de mim, num sotaque carregado, bem arrastado de alemão. Vi aquilo por alguns segundos, meu corpo lá, independente de mim, e fiquei naquela situação. Minha mente, então, entrou numa espécie de colapso e mergulhei num estado mais profundo, do qual não guardo recordações, pois apaguei completamente. Quando voltei do transe, cerca de uma hora e meia depois, eles haviam pegado um giz e escrito no chão da igreja, no púlpito, o que acredito ter sido minha primeira psicografia, ocorrida assim, de maneira espontânea, legítima e fora de todo o meu planejamento:

"Meu irmão, termina aqui, hoje, o seu estágio nesta religião. Aconselhamos que estude os livros de um estranho senhor chamado Allan Kardec".

Escreveram abaixo *O livro dos espíritos*, *O livro*

dos médiuns, *O Evangelho segundo o espiritismo*, o título de outros livros de Kardec e, ainda, o endereço de uma casa espírita que eu deveria procurar. Eu me apavorei, porque aquilo jogou toda a minha miragem, a minha ilusão por terra. Todo o planejamento que idealizei para minha vida espiritual foi por água abaixo naquela tarde. Naturalmente, fui expulso da igreja, já que "o diabo tinha me assumido, o diabo tinha falado através de mim". Voltei para minha casa a pé, chorando muito, desolado com a situação, num misto de raiva, de ódio, de desespero e aquela sensação de "o que fazer agora?", porque aquele era o dia em que eu selaria meu futuro, a fim de sair pelo mundo como missionário do Senhor.

Todo mundo acha que tem uma missão a cumprir. Eu achei que tinha também, mas minha ideia tinha ido por água abaixo. Os tais espíritos, na primeira vez que decidiram se dirigir a mim, tiraram-me o chão. Cheguei em casa às lágrimas, indignado, inconformado e completamente sem rumo. Encontrei minha mãe à porta de casa; ela olhava para mim e, por meio da sua mediunidade, já sabia o que tinha se passado. Ela riu, como se não fosse nada grave, e falou assim comigo:

— Eu tinha certeza de que você não foi feito para isso, meu filho! Seu trabalho é no mundo, e não aí, na igreja; você não tem nada a ver com isso.

Essa experiência que compartilho foi a primeira grande decepção na minha vida espiritual, pois eu criei a imagem de que me tornaria um missionário, segundo um padrão estabelecido por mim. Desse modo, eu queria que Deus, que o universo conspirasse a meu favor, desde que as coisas se dessem do meu jeito. Quando cheguei em casa, minha mãe falou: "Eu sabia que isso não era para você"; somente muitos anos depois é que compreendi o que realmente ela quis dizer. Na hora, respondi:

— Mãe, pelo amor de Deus, eu fui expulso da igreja! O sangue de Jesus tem poder!

Tornou ela:

— Ah, meu filho, mas você lhe sugou tanto o sangue que ele ficou anêmico e, então, não foi possível para ele te segurar na igreja. Sinto muito...

Minha mãe brincava muito com isso. Sempre tivemos o hábito de tratar Jesus com a maior naturalidade, como se fosse um amigo que estivesse a nosso lado, e não como aquela consciência suprema distante. Para nós, era como alguém com quem nos relacionávamos.

Logo depois, no mesmo dia, os espíritos propuseram para mim o trabalho com a mediunidade. Fiquei mais apavorado ainda. Eu não sabia exatamente o que eles queriam dizer. Além do mais, eu deveria estudar muito, mas muito mesmo. Assim, as decepções foram acontecendo, de tal modo que tive que rever minha ideia a respeito do caminho da espiritualidade. Reelaborar. Foi o primeiro momento severo de desconstrução para mim e representou algo muito intenso em minha vida. Às vezes, criamos uma miragem, uma ilusão e, principalmente quando lidamos com a questão do desdobramento, da viagem astral, alimentamos várias ilusões: “Vou sair, ver espíritos, fazer isso e aquilo, ajudar as pessoas”. A questão é: será que você está bem consigo mesmo o suficiente para poder ajudar o outro?

Quem costuma viajar de avião deve se lembrar de que, quando a aeronave está taxiando, prestes a decolar, veicula-se uma mensagem explicando que, em qualquer situação difícil, de despressurização da cabine, máscaras cairão à sua frente. Orienta-se: “Coloque a máscara primeiro em você para, depois, ajudar quem está a seu lado, mesmo que seja uma criança". Veja que isso encerra uma sabedoria muito grande, porque, se quer ajudar o mundo, mas sem se ajudar, não é sensato! Isto é, a ideia pode ser ilusória, pode ser uma miragem.

Antes de tudo, devo me ajudar, empreender a viagem para dentro de mim, fazer uma série de transformações. Portanto, os exercícios que passo neste livro têm a ver primeiro consigo mesmo, para que comece a despolarizar uma série de energias em si antes de iniciar o trabalho propriamente dito. Funciona, porque já funcionou com bastante gente, com muitos que experimentaram e seguiram o passo a passo — mas não com quem tentou uma ou duas vezes e logo esqueceu, deixou para lá. Então, é fundamental livrar-se deste medo de: "e se eu tentar, o que será que vai acontecer comigo? E se eu tiver sucesso?". Só de colocar o "se" você já está se boicotando.

Quando iniciamos qualquer atividade pensando "será que vai dá certo?", já damos força ao inimigo. Refiro-me ao inimigo interno, ou seja, você se coloca contra si próprio. Ou você começa o empreendimento convicto do seu êxito e determinado a fazê-lo dar certo ou é melhor nem mesmo começar esse empreendimento.

Muita gente cogita: "Eu posso morrer durante a tentativa? Será? Naquele momento que dá aquele sufoco no desdobramento, eu posso morrer?". Bem-vindo ao mundo dos mortais! Você vai morrer, assim como eu e os demais bilhões de seres humanos que habitam a Terra. Nesse caso, não somos diferentes. Em algum momento você vai, mas não nessa tentativa.

Sobre esse tema, costumo dizer que o desdobramento é um teste para a morte — que eu possa ser entendido da melhor maneira possível... Quero dizer que todos os fenômenos que se dão no momento da morte ocorrem, em menor escala, durante o desdobramento. Portanto, é preciso adotar uma atitude de erradicar esse medo. E o único meio de vencê-lo é estudar, aprofundar-se no conhecimento e experimentar, cada dia mais; não há outro jeito, não existe fórmula mágica que o anule. Não adiantam comandos de apometria ou o que quer que seja para eliminar o seu medo: varinha de condão, passe especial, nada. É experimentando, é estudando.

Você pode perder o controle? Pode. Afinal, você já perdeu o controle em vários momentos da vida... Mas, aqui, vamos tentar o contrário. Não é perder o controle; são técnicas para controlar a situação — isto é, caso a pessoa queira. Porque há muita gente, vocês hão de convir, que está conosco simplesmente por curiosidade; há também quem faça esse método apenas para ganhar conhecimento, entre outras razões. Apenas um grupo minúsculo está, de fato, preparado para as tentativas e para o sucesso, não é?

Uma coisa é certa: vão falar mal de você. Dirão que quer aparecer, que cursa o método de projeção astral com Robson Pinheiro porque... Simplesmente, deixe que falem. Há uma frase de um grande amigo meu, um amigo baiano, grande orador e escritor espírita, Djalma Argollo, que é a seguinte: "Jamais se justifique. Os amigos não precisam, os inimigos não acreditam e os idiotas não entendem". Você não precisa se justificar com ninguém. Tenha certeza, faça a sua parte, tente sem fazer alarde, tranquilo, e não se boicote.

O primeiro desafio na sua programação mental — pois vamos fazer uma programação mental visando ao desdobramento, ao trabalho com os espíritos superiores, no intuito de atingir a meta — é ter um desdobramento consciente. Não digo *consciente* no sentido de se lembrar, mas de se envolver com consciência e discernimento. Esse é nosso desafio! A primeira coisa que se deve ter em mente é que a própria pessoa é a causa do seu fracasso, e é preciso assumir sua responsabilidade por tudo que lhe diz respeito. Em vez disso, o que a gente faz muitas vezes? Se deu certo é porque eu fiz direito; se deu errado, a culpa é do outro, a culpa é do método, a culpa é do médium, a culpa é do dirigente, a culpa é porque chegou alguém lá em casa e, assim, eu não pude fazer meus exercícios.

Quero compartilhar algo que faço na minha vida, no meu dia a dia. Obedeço a uma diretriz de psicografar todos os dias e ponto final... não tem jeito. Fiz o compromisso com os espíritos, é assim há trinta anos e há trinta anos é desse jeito. Chega alguém à minha casa, eu digo: "Seja bem-vindo". O máximo que faço no caso da psicografia, que é maleável, é combinar com os espíritos: "Olha, hoje eu tenho visita, então o que vocês me sugerem de horário para eu não atrapalhar essa visita?". São poucas as pessoas que vão à minha casa, e sempre marco um horário em que eu esteja disponível.

Mesmo quando vou à Espanha, por exemplo, e permaneço por um tempo, a trabalho — lá é costumeiro dormirem madrugada adentro e começarem o dia mais tarde —, às 6h em ponto, estou na sala sozinho, psicografando, na grande maioria dos dias. Numa das vezes, terminado o trabalho, passeei por uma semana no País Basco e, mesmo durante o passeio, todos os dias, às 6h da manhã eu estava psicografando. "Mas você está de férias!" Sinto muito, estou no trabalho espiritual e não há férias para isso. Falava isto com meu editor, que me acompanhava: "Apenas você está em férias". Posso até passear em alguns momentos, desde que esses momentos não interfiram na tarefa que tenho a realizar.

A gente começa a se boicotar. Tem isso pra fazer, chegou família, aconteceu aquilo... Sinto muito, você pode se programar se quiser. Se seu objetivo é só estudar, ter um conhecimento a mais, tudo bem. Porém, se pretende ser um trabalhador, um agente da justiça ou da misericórdia divinas, seja qual for — e explicarei a diferença entre ambos noutro momento

—, é preciso estabelecer regras claras para sua vida.

Determinação e regularidade são essenciais para que dê certo. Então, se chega alguém da minha família lá em casa: "Sinto muito, não posso receber você", digo quando interfonam da portaria. Não mexo no celular, nessas horas. Aliás, também não gosto de atender ao telefone à hora do almoço; pode ser Jesus, Deus que está materializando, minha mãe que vem, eu simplesmente digo: "Vá embora! Esse horário é meu; é o meu único horário". Tenho dois momentos somente meus em minha vida, e não permito que ninguém me atrapalhe. Isso estabeleci como regra. O primeiro é a hora da alimentação, e o segundo é a hora do banho. O resto é um ir e vir de espíritos e pessoas... "Aqui não! Aqui é meu horário! Respeite-me!" Não atendo mesmo ao celular nessas horas, e olha que sou dependente de tecnologia... Então, convém estabelecer certas regras para que não nos boicotemos e fiquemos procurando culpados porque não tivemos tempo, culpados porque não deu certo.

A maioria das pessoas pensa que não deu certo porque alguém interferiu, mas pergunto: será que você não tem permitido interferência demais em sua vida? Para trabalhar com os representantes de Miguel[1] — o representante máximo da justiça divina na Terra — e os guardiões superiores, é crucial aprender a colocar limites nos outros. Colocar limites não é ser grosseiro, é simplesmente estabelecer regras. Aliás, não é preciso ser grosseiro; pode-se falar com muita tranquilidade: "Olha, tenho um compromisso, então, neste dia e nesta hora, não quero visitas na minha casa".

Às vezes, algum dirigente da Sociedade Espírita Everilda Batista me diz: "Queremos conversar com você"; respondo: "Tudo bem, mas às 22h quero que você vá embora, porque às 22h01 quero minha casa desocupada. Preciso tomar meu banho, preparar-me, porque às 23h30 vou me deitar e desdobrar". Todos já sabem disso; já falei com meus amigos, tanto que, quando começo a olhar para o relógio, perguntam: "Já tá na hora, né, Robson?". Apenas respondo: "Exatamente! Meus amigos chegam logo, e não posso ter visita porque tenho compromisso de desdobramento em todas as noites, e eles são mais importantes que

1. Cf. Dn 10:21, 12:1; Jd 1:9; Ap 12:7.

vocês. Sinto muito, é questão de prioridades mesmo". Eles já compreendem.

Se a coisa for feita de maneira transparente, posso falar sem ser rude, fazer a pessoa entender de maneira tranquila, compreendendo que o outro tem sua própria necessidade, que precisa vir até mim, quer conversar comigo. Digo: "Olha, tudo bem, posso lhe dedicar um tempo", igual falo, às vezes, no consultório. Se uma pessoa me ligar e eu atender, corro o risco de ela disparar com mil assuntos. Então, falo assim: "Olha, tenho agora exatamente um minuto de atenção para você, porque depois vou desligar. Ou posso conceder uma hora depois, em tal horário. Que é preferível para você? Uma hora? Então, tchau!", desligo e pronto. Não estou sendo grosseiro, mas dando a única opção que há. Estabeleço minhas regras, porém, com polidez. O outro não precisa ficar chateado, indisposto ou com raiva. No entanto, posso fazê-lo entender certas coisas devagar, considerando a realidade dele, aí evito me boicotar.

Muitos se colocam como coitados e não acreditam em si mesmos, não querem se esforçar, não agem com disciplina nem com intenção e vontade de que a coisa dê certo. Estamos tão habituados com uma vida espiritual relaxada: "Vou ao centro espírita ou à tenda de umbanda, tomo um passe, falo com o pai-velho, leio um livro de vez em quando...". Entretanto, poucas pessoas estão determinadas a estudar com afinco, a experimentar de modo regular. Quero que reflita, porque, neste nosso momento, em que estaremos juntos por vários capítulos, antes de você reclamar, pense se você tem se dedicado com vontade, com disciplina e com organização.

Há um dizer do espírito Joseph Gleber que ele repete para mim e desejo compartilhar com vocês, porque talvez seja uma realidade pertinente exclusivamente a mim, porém, pode ser útil a algum de vocês também. Ele afirma que, sem organização e sem disciplina, não existe chancela dos espíritos superiores. Isto é: ou marco um compromisso diário e naquele horário com os espíritos ou, sinto muito, eles não estão à minha disposição para fazer as coisas na hora em que eu estiver a fim ou na hora em que eu puder. Não é assim que funciona nada sério e construtivo na vida. É o contrário: eles que nos chamaram para o trabalho, apresentaram a ideia; assim que aceito tal ideia, devo me adequar a um planejamento, a uma organização. Muita gente não faz isso e acaba se boicotando.

Além de buscarmos um desdobramento consciente, que é o primeiro passo, vamos aprender nosso segundo desafio para programar uma tarefa extrafísica ou um projeto de ordem espiritual, que é notar como você tem promovido o próprio fracasso. Trata-se de entender que não é o método que não funciona, não é porque não deu certo o jeito lá da sua casa espírita, não é porque o estilo de outro orador, de outro expositor não vingou. Você deve assumir sua realidade: "Tudo — minha felicidade, atingir ou não a meta — depende de mim". É simples assim. Depois, é preciso perceber como você tem promovido esse fracasso e procurar se desligar de julgamentos e emoções, porque temos esta mania: "Oh, coitado de mim investir meu tempo. Fiz isso e fiz aquilo...". Não venha se sentir um coitadinho, não! "Eu errei mesmo, não me dediquei. Na hora de fazer o exercício, não fiz, fiquei com preguiça, dormi, não me empenhei, não coloquei no papel." Um ritmo anotado, isso é organização.

Organização quer dizer você colocar as ideias por tópicos. Disciplina é sua atitude em fazer cada tópico daquele na hora exata em que deve ser feito. Convém reconhecer que não fazemos tanta coisa assim. Muito não dá certo porque não nos organizamos nem somos disciplinados e queremos que as coisas aconteçam mesmo assim. Isso eu quero que fique bem claro. Por isso estou aqui, com este preâmbulo, que não faz parte de nosso curso, digamos assim, mas é um pacote extra para reflexão.

É forçoso admitir que, à medida que a pessoa se conhece melhor, ela também identifica os próprios vícios. Quanto mais você fizer uma autoanálise, mais perceberá quais mecanismos costuma usar para seu sucesso e, às vezes, as desculpas de que lança mão para justificar o fracasso. Quero que reflita muito sobre isto: o que tem feito, de que modo tem se boicotado e por que meios frustra seu sucesso espiritual?

Após essas reflexões, temos o terceiro desafio para você se programar mental e emocionalmente, seja para o desdobramento, a viagem astral, seja para qualquer área da sua vida — já que este é apenas um preâmbulo, o que discuto aqui pode ser aplicado nos aspectos profissional, emocional, entre outros. E no que consiste esse desafio? Perder a ilusão de que desta vez vai dar certo a experiência. Perca a ilusão!

"Se você não fizer as coisas diferentes, os resultados não serão diferentes. Isso é uma lei da vida." O espírito Pai João de Aruanda repete essa afirmativa volta e meia, e eu gosto muito dela, porque se aplica a tudo. "Fracassei; tentei e não consegui." Não conseguiu como? Dedicou-se como deveria? Fez uma planilha de trabalho, dizendo: em quais dias da semana estarei disponível para as tentativas de fazer viagem astral, em qual hora estarei disponível para os espíritos virem me ajudar? Muita gente tende a pensar que os espíritos virão a qualquer hora em que se rezar para eles... Não! Ao menos os espíritos sérios não estão à toa; eles têm muito a fazer. Cabe a nós firmar um compromisso de dia e hora bem claro com eles. Isso é essencial, senão não funciona.

Você acha que... "Ah, mas não deu certo com o método que usei de fulano de tal, do outro orador tal, agora vai dar porque é do Robson". Que nada! Não se iluda! Não dará certo se você não fizer de maneira diferente, se não colocar nessa planilha algo a ser feito:

"Olha, estarei disponível às terças e às quintas" — por exemplo. "Pode ser em qualquer dia, a partir das 2h da manhã, que é o horário em que sei que ninguém me interromperá; estarei disponível para que os espíritos possam me magnetizar e desprender meu corpo perispiritual do físico, para eu começar meus ensaios de desdobramento." Você fez isso? Duvido! Tentou em qualquer dia, em qualquer horário, a esmo, e não deu certo. Então, perca a ilusão. O método não funciona se você não fizer de maneira diferente do que vem fazendo.

Para as coisas e os resultados serem diferentes, o processo tem que ser feito de forma diferente. Sem disciplina e método, não tem como. Disciplina é o compromisso de tentar e de fazer independentemente dos resultados alcançados à primeira vista: "Estarei deitado à disposição". Por exemplo: tenho um horário diário de psicografia com o espírito Ângelo Inácio, às 6h da manhã. Hoje, meu corpo já funciona automaticamente; não preciso de despertador. Faltando dez minutos para as 6h eu acordo, lavo o rosto, escovo os dentes e sento. Se o Ângelo não puder vir devido a alguma tarefa, ao menos eu estou ali cumprindo minha parte. Se não vingar, não será por descompromisso meu, mas por outro motivo qualquer; não permito que o trabalho dê errado por ineficiência em aspectos que estão a meu alcance, nisso não me perdoo. Pode não dar certo porque parou em outras mãos, em outras instâncias — ou até porque esbarrou em alguma incompetência grave que eu tenha. Mas, se está sob meu controle, digo apenas: "Ângelo, estou aqui conforme o planejado".

Ocorre que, em determinadas ocasiões, os espíritos se veem em tarefas de emergência. Por exemplo, esses dias eu tinha horário marcado com Joseph Gleber às 23h30, horário que ele marcou comigo. Tudo ótimo; às 23h30 eu estava lá. Até 0h30 ele escreveria. Porém, ele não pôde; só veio um pensamento: "Estou neste momento envolvido numa questão muito grave que se passa no Leste Europeu". Fiquei ali até 0h30. Peguei um livro e li, um livro do próprio Joseph. Eu estava lá, de plantão. Quem sabe ele terminasse antes e viesse... Como era dentro do horário estipulado, ali permaneci.

Os espíritos não querem que você esteja 100% do tempo envolvido com questões espirituais, senão você enlouquecerá. Se você pretende se envolver em tempo integral com espíritos, o método ideal é morrer de vez, voltar para o mundo espiritual, porque, assim, você virará espírito e verá espíritos o tempo inteiro. Estamos aqui para viver a vida de relação, envolver-nos com a sociedade, progredir e, também, utilizar algum momento para esse intercâmbio. Talvez se assuste comigo, mas é meu jeito de falar, e não vou mudar porque alguma pessoa se ressente, não. Os espíritos não o querem o tempo inteiro; eles querem que você esteja por inteiro naquele tempo que programou lhes dedicar. Se for meia hora, tem que estar 100% naquela meia hora. Falo assim: "Olha, eu posso estar no trabalho só uma vez no mês, Joseph, mas, nessa vez no mês, por meia hora, eu estarei inteiramente aqui". E isso é suficiente, mas você deve estar ali por completo.

Entende o porquê da programação, por que os espíritos falam que, sem organização e disciplina, não existe chancela dos espíritos superiores? Em qualquer instância da espiritualidade, você não vê nenhum médium de psicografia, autor de um trabalho de vulto, e que se exponha, que não tenha disciplina. Por exemplo, conheço um médium que psicografa às 4h da manhã absolutamente todos os dias. É o horário dele. Ele afirma: "Robson, é o único horário em que ninguém interfere". Ele sai de casa e vai para o centro espírita; das 4 até as 7h da manhã, ele se dedica à psicografia. Às 7h, faz sua higiene, troca de roupa e vai trabalhar. Ele faz isso há trinta anos. "Por que o outro consegue e eu não?" Será que você faz o mesmo processo? Será? Não precisa ser exatamente nesses horários, mas será que você se impõe essa organização, essa disciplina?

Para que se possa começar um trabalho na área espiritual, é preciso responder a algumas perguntas. "Eu não vou fazer por fazer, então, por que desejo aprendê-lo?" Em outras palavras, eis a primeira pergunta que você precisa responder: *O quê?* Isto é: o que significa, o que constitui esse método de projeção astral? O que exatamente você pretende com esse método? Essa resposta tem de ser apurada, cabe a você refletir e anotar as conclusões; isso é organização. Desenhe um quadrado e dê um nome a seu projeto: desdobramento astral. Liste algo, faça um método escrito para você. "O que representa isso para mim?" Você está disposto a se esforçar o suficiente para atingir tal objetivo?

A segunda pergunta que você precisa se responder é: *Como?* "Como eu atingirei esse objetivo, essa meta? Como eu me dedicarei? Uma vez por semana, duas vezes por semana? Em que horário me dedicarei? Com qual intensidade estarei ali? Estarei 100% naquele momento em que eu me comprometer? Qual hora reservarei para estudar?" Isso porque uma ocasião é a do experimento, outra é a do estudo, do aprofundamento. Com o estudo, como já disse, você supera o medo, vence as barreiras e derruba todo impedimento. *O que* e *como*?

A terceira questão é: "Para que eu quero desdobrar? *Para quê?*" Veja bem que você já tem as perguntas *o que*, *como* e *para quê*... O *para que* significa: "Qual é meu objetivo de vida com isso? Meu objetivo é ajudar os espíritos, é fazer um trabalho com finalidade humanitária, é ajudar minha família, é ajudar meu centro espírita, é me ajudar? O que eu pretendo exatamente com isso?".

Aí vem outra pergunta que é muitíssimo importante: *Quanto?* Não se refere ao financeiro apenas.

Quanto de esforço, quanto de empreendimento? "Quanto de tempo estou disposto a investir? Quanto estou disposto a empregar de mim, a dar de mim para que essa metodologia funcione? Quanto estou decidido a experimentar? Quanto de vontade realmente empregarei? De quanta determinação disponho para evitar que intrusões impróprias me impeçam de me dedicar ao planejamento?" Reveja comigo: O quê? Como? Para quê? Quanto?

Chega-se, então, ao último questionamento: *Quem?* Quem se beneficiará com isso? Quem exatamente? "Primeiramente, serei eu? Será alguém?" Pergunto ainda mais: "Será que, ao responder a todas essas indagações — o que, como, para que, quanto e quem —, estou disposto mesmo a trabalhar?". Isso é muito importante que você fixe em sua memória, que você esclareça. "Estou disposto a atuar de acordo com a habilidade que foi programada para mim antes de reencarnar ou eu quero que as coisas se deem do meu jeito?" Isso porque queremos que o universo conspire a nosso favor. Todo mundo quer; eu quero, você quer. Porém, há alguns abobalhados que não; eles se boicotam de tal maneira que nem Deus e Jesus conseguem resolver a vida deles.

Mas a questão é: "Quero desdobrar para quê?". A importância dessa pergunta ficará mais clara depois, quando eu falar a respeito do desdobramento de cada corpo espiritual. "Quero desdobrar para ver espírito, ouvir espírito ou estou disposto a trabalhar minha habilidade independentemente do que os espíritos demandarem, colocando-me como instrumento?"

Ao fazer minhas preces — quando elas são longas, duram 30 segundos, pois detesto ficar rezando demais —, minha oração é direcionada ao trabalho em geral. Deito à noite e digo: "Senhor, tu sabes, então, não preciso falar, né? Tchau, vou dormir". Brinco muito com isso, mas costumo falar: "Eu me coloco como instrumento das forças do bem e da luz. Vocês determinam o que vou fazer, por favor? Não quero que as coisas sejam do meu jeito; se estou aqui para doar energia, estou pronto para doar; se estou aqui para desdobrar, para mim é melhor que não me recorde de nada, assim vou trabalhar tranquilo amanhã; se acharem que devo lembrar de algo, ótimo também — vocês têm a sabedoria para isso". Então, é você se perguntar o que está disposto a fazer, o que deseja: "Quero trabalhar de qualquer jeito, do modo como acho que devo, ou quero aprender um método que me capacite a ser o melhor instrumento possível na mão dos espíritos, a fim de que eles determinem o que farei?". Isso convém pensarmos, porque senão nos boicotamos.

Uma das formas de autossabotagem mais comuns é a postura mental que impede o sucesso. A primeira de todas as sabotagens é adiar. Adiamos tudo, deixamos para tentar em outro momento. Você marca um horário, por exemplo: toda terça-feira, às 2h da manhã, estará disponível. Quando chega a hora, você não está; está na balada, está batendo papo com as pessoas, vendo TV... sempre inventando um jeito de adiar a situação. Adiamos, e eu costumo indagar: "Será que não estamos adiando há muito tempo nossa responsabilidade?". Se assumo esta tarefa, de desenvolver este método — note que minha proposta não é simplesmente fazer uma viagem astral e sair do corpo, não é só isso —, o objetivo principal é conscientizar, dar-lhes elementos para reflexão, para estudos e para serem o melhor instrumento possível, a fim de que os espíritos, os guardiões superiores os possam utilizar.

Adiar significa assumir sua impotência de fazer a transformação em sua vida aqui e agora. Adiar os resultados, adiar os compromissos, adiar a execução de uma tarefa equivale a admitir que se é impotente. Muita gente adia tanto, adia tanto que adia até para outra vida, para outra encarnação aquilo que deveria fazer já.

Além de adiarmos, exercemos outro mecanismo de autoboicote: complicamos. Primeiro, é adiar; depois, complicar. A maior parte das coisas da vida pode ser resolvida com um *sim* ou um *não*. Em vez de resolvermos, colocamos um *talvez* no meio. Alguém lhe pede para fazer uma coisa e, por causa do medo de magoar essa pessoa, você não fala *não*, só que ela fica com expectativa. Você sabe que não dará conta e, pouco depois, acaba se tornando a pessoa enrolada, a pessoa que promete e não cumpre. É melhor ser claro: "Olha, Fulano, eu gostaria de te ajudar, mas não sou capaz; tenho determinado compromisso ou preciso descansar". Ou falar exatamente isto: "Não, não farei; não gostaria de fazer, não tem a ver comigo".

Não sabemos falar *sim* e *não* na hora adequada, complicamos demais a situação e, depois, nossa imagem fica comprometida. Isso ocorre com os espíritos também. Eles não ficarão tentando com você indefinidamente; eles tentam uma vez, duas, três... tchau e bênção! Você fica sozinho, entra outro espírito de menor categoria, um espiritozinho qualquer, vagabundo igual a nós mesmos... A questão não é ter compromisso com espírito, mas com os espíritos superiores, porque, de espírito vagabundo, a Terra tem 75% deles, de espíritos descomprometidos. Menos de 10% da população espiritual tem real compromisso com o bem. É uma parcela muito pequena, e não pense que você está no meio desses, não; nem você nem eu. Estamos como aprendizes ainda. Então, comprometer-se com eles significa algo muito maior, algo sagrado. Allan Kardec tem um texto, de que gosto muito, no qual afirma: "A mediunidade é uma coisa santa, que deve ser praticada santamente, religiosamente",[2] isto é, como um compromisso sagrado.

Logo, nós nos comprometemos: "Ah, eu vou fazer neste dia". E, no dia, você não está preparado e

2. KARDEC, Allan. *O Evangelho segundo o espiritismo*. Tradução de Evandro Noleto Bezerra. Rio de Janeiro: FEB, 2011. p. 452, cap. 26, item 10.

fala: "Daqui a pouco eu faço", mas outra vez não se prepara. Os espíritos superiores, usando uma linguagem bem coloquial, também "ficam de saco cheio" quando prometemos demais; eles simplesmente o abandonam, não perdem tempo, pois já sabem que você não cumprirá a promessa. Portanto, não adianta tentar o método se não está disposto a cumprir determinadas regras — e as regras não fui eu, Robson Pinheiro, que fiz; infelizmente, foi alguém contra quem eu nada posso fazer, que é Deus. Então, ou nos adaptamos às regras ou ficaremos lutando contra o tempo; essa é a realidade nua e crua. Não adianta eu me revoltar porque não é do meu jeito que funciona; simplesmente não saio do corpo na hora em que eu quero, à revelia.

Gosto muito de um texto de Chico Xavier, de quando ele ainda morava na cidade de Pedro Leopoldo, na região metropolitana de Belo Horizonte. Um dia, ele estava próximo ao açude da cidade e Emmanuel lhe apareceu pela primeira vez, dizendo certas palavras que até hoje ressoam no ouvido de todos os médiuns que têm compromisso. Perguntou Chico ao espírito:

"— O senhor acha que estou em condições de aceitar o compromisso?

— Perfeitamente, desde que respeite os três pontos básicos para o serviço.

Diante do silêncio do desconhecido, Chico perguntou:

— Qual o primeiro ponto?

A resposta veio seca:

— Disciplina.

— E o segundo?

— Disciplina.

— E o terceiro?

— Disciplina, é claro."[3]

Pessoalmente, adotei essa conduta para a minha vida, de maneira interessante. Às vezes, viajo com meu editor e ele fala: "Pelo amor de Deus, permita-se ao menos hoje sem psicografar!". Respondo: "Mas atrapalha? A hora em que eu psicografo você está dormindo!". Ele dorme até tarde; eu me levanto às 6h. Tenho tempo de psicografar até as

3. MAIOR, Marcel Souto. *As vidas de Chico Xavier*. 2. ed. São Paulo: Planeta, 2005. p. 44.

9h tranquilamente. Meu compromisso é inadiável.

O máximo que faço é, se tem alguém em casa, por mais sono que eu tenha, faço uma prece e digo:

— Olha, tenho pessoas em casa, a quem tenho que dar atenção. Assim, posso mudar o horário para me dedicar quando essas pessoas estiverem dormindo?

Aí eles me perguntam:

— Mas você vai aguentar ficar mais tempo sem dormir?

— Isso é outro problema, isso é meu compromisso. O de vocês é escrever através de mim. Vocês cumprem essa parte? Da minha parte eu dou conta. Tomo ginseng, guaraná em pó, qualquer coisa, mas ficarei acordado. Quero saber se vocês cumprirão o que lhes cabe.

É disciplina, não tem jeito de a coisa funcionar de modo diferente. Se quero resultados diferentes, tenho que agir de maneira diferente. Fique atento a isso, porque às vezes nós complicamos a caminhada. Nós mesmos complicamos o compromisso espiritual e, depois, reclamamos dos resultados. Isso é autossabotagem; não raro, nós nos boicotamos a vida inteira e, então, passamos a vida inteira a reclamar. O tempo todo procuramos desculpas. Quem quer alguma coisa, diz Teresa de Calcutá, vai e faz, em vez de ficar planejando indefinidamente ou prometendo coisa que é incapaz de fazer.

Quando se começa uma obra igual à de Irmã Dulce, na Bahia, que pegava um carrinho de mão, de pedreiro, e saía de casa em casa pedindo tijolo... sabe como ela fez para cuidar dos primeiros pobres e ter seu primeiro hospital? Foi num galinheiro, o galinheiro do convento da ordem de que participava. Pediu à irmã de caridade para tirar os pobres da rua e abrigá-los no convento.

— Aqui não pode. Aqui é impossível! Como vou acomodar esse tanto de gente?

— Cede-me o galinheiro pelo menos?

— E minhas galinhas?

— Eu dou um jeito.

— Como colocar pobre junto com galinhas?

— Eu dou uma limpeza lá, coloco os pobres para limpar, faço tudo, mas eu tenho que atendê-los em algum lugar.

A madre superiora, então, aos poucos notou que a cada dia sumia uma ou duas galinhas. Procurou Irmã Dulce e perguntou:

— Cadê minhas galinhas?

— Dei para os pobres comerem. Foi o único jeito que encontrei de limpar o galinheiro. Eles comeram as galinhas, pois estavam com fome.

Quem quer fazer vai e faz, não espera recurso cair do céu. Foi assim quando iniciamos a UniSpiritus, a Universidade do Espírito de Minas Gerais — na época, a gente nem conhecia esse nome, dado anos mais tarde por Chico Xavier. Começamos num lugar que, em São Paulo, chamam de edícula; em Minas, é chamado barracão. Ou seja, é uma construção nos fundos do terreno, nesse caso, no quintal de onde eu morava. Marcos e Rodrigo, até hoje engajados no trabalho, ajudaram. Nossa reunião pública era na sala. O Chico, vivendo em Uberaba, deu orientações e disse:

— Tem que começar o trabalho, meu filho!

— Mas onde, Chico?

— Na sua casa.

Era na sala. O ano era 1992. Sabe quantos cabiam sentados na sala? Seis pessoas; em pé, nove. O pessoal vinha e ficava do lado de fora, olhando pela janela. Quando chovia, como estávamos nos fundos de uma casa, eu pedia ao vizinho da frente para fazer na varanda dele. O quarto tinha a cama do Marcos e um colchão no chão, onde eu dormia. A gente tirava o colchão do caminho e o quarto se convertia em sala de passe; nós colocávamos a pessoa em pé, porque não tinha cadeira, e assim aplicávamos o passe. Na cozinha, guardávamos o fogareiro — não era um fogão; tínhamos apenas um fogareiro pequeno —, e o espírito Joseph Gleber atendia, fazendo cirurgias espirituais ali, na cozinha. Começou assim o trabalho e, pouco a pouco, fomos ampliando.

Quem quer vai e faz. Deus, quando quer alguma coisa, um trabalho benfeito, não procura pessoas desocupadas e que dispõem de tempo. Ele procura as mais compromissadas e que têm mais ocupação. Quanto mais trabalho o sujeito tem, mais tarefa ele recebe. Sabe por quê? Ele sabe delegar, coordenar, fazer tudo e produzir o resultado na hora certa. Quanto mais desocupados somos, mais desculpas arrumamos para não fazer as coisas. Funciona assim em nível espiritual também. Quem não quer sempre arranja uma desculpa. Quem quer sempre dá um jeito de fazer. Isso é uma regra de ouro, que vale também para o desdobramento.

Você sempre terá uma desculpa para dizer por que não tentou, por que fracassou: a culpa é do método, a culpa é do Colegiado de Guardiões da Humanidade,[4] a culpa é do Robson, a culpa é de todo mundo. Mas aqueles que querem de fato e que estão determinados sempre encontrarão um jeito. Vão rever os estudos, tentarão de novo, verão e analisarão: "Como eu me boicotei? Por que comigo não deu certo e com outro deu? Por que fulano foi e eu não fui?". Você analisará? Quem quer vai e faz, simplesmente é isso.

Portanto, espero que você reflita e avalie se não está utilizando sistema de autoboicotes em sua vida. Faça isso também em relação a outras áreas — emocional, mediúnica, profissional — e analise se você não tem se boicotado. Conheça esses mecanismos e inicie uma reprogramação mental e emocional. Isso significa organização e disciplina, sem as quais não existe chancela dos espíritos superiores!

4. Mais informações sobre os cursos *on-line* ministrados pelo autor podem ser encontrados em: www.guardioesdahumanidade.org, portal onde estão à disposição do público.

PONTO DE PARTIDA: DEFINIÇÕES

CAPÍTULO I

Acredito que, a partir do que foi dito no preâmbulo, todos conseguirão perceber com mais clareza o que vamos tratar daqui para frente. Abordaremos a prática da projeção da consciência ou do desdobramento astral segundo a metodologia que, há algum tempo, tenho estudado, aprendido e desenvolvido juntamente com amigos das duas dimensões da vida.

Quero iniciar com alguns conceitos a respeito do tema. Falamos muito de *viagem astral*, usamos o termo *desdobramento*, mas talvez a expressão *projeção da consciência* seja mais recente. Pessoalmente, gosto de explorar detalhadamente esses conceitos.

Para muitos, fazer uma viagem dentro ou fora do corpo, seja a outro país, seja a qualquer lugar, não implica que tenham objetivo definido. Muita gente quer fazer viagem astral apenas para sair do corpo, para entrar em contato com a dimensão extrafísica ou com algum espírito. Porém, qual seria o objetivo dessa viagem? Viajar por viajar é algo que todo mundo é capaz de fazer.

Há uma canção do compositor mineiro Paulinho Pedra Azul, chamada *Voarás*, em que ele afirma: "Todo mundo quer voar/ Nas costas de um beija-flor [...] Todo mundo quer ser rei/ Nas costas de um homem bom". Todo mundo quer fazer uma viagem para algum lugar! Rita Lee fala até em uma viagem para os "anéis de Saturno"... Mas viajar, como falei antes, pode ou não ter um objetivo claro. Para mim, o termo *viagem*, seja astral ou não, remete à ideia de passeio. *Desdobramento*, por sua vez, é um vocábulo mais utilizado nos meios espiritista e espiritualista, o qual já inspira alguma seriedade; sugere que se sairá do corpo com algum objetivo definido. Nem sempre se pode dizer que o desdobramento é um fenômeno natural, pois ele pode ser induzido, conforme estudaremos mais à frente.

Na época dos primeiros apóstolos, dos primeiros cristãos, esse tema de desdobramento — projeções da consciência, mais propriamente — era conhecido com o nome de *arrebatamento*; dizia-se que a pessoa era arrebatada. João Evangelista, quando estava na ilha de Patmos, saiu do corpo e descreveu isso perfeitamente nestas palavras: "Fui arrebatado em Espírito no dia do Senhor, e ouvi detrás de mim uma grande voz".[1] Esse *arrebatar* claramente se refere a sair do corpo. Paulo de Tarso narra experiência semelhante aos cristãos de Corinto:

> "Conheço um homem em Cristo que há catorze anos (se no corpo, não sei, se fora do corpo, não sei; Deus o sabe) foi arrebatado ao terceiro céu. E sei que o tal homem (se no corpo, se fora do corpo, não sei; Deus o sabe) foi arrebatado ao paraíso; e ouviu palavras inefáveis, que ao homem não é lícito falar".[2]

Na verdade, o apóstolo Paulo falava de si próprio, pois tinha sido arrebatado até o chamado terceiro céu. É que acreditavam, à época, em até onze céus. O primeiro céu é a atmosfera, o céu atmosférico. O segundo, onde estão as estrelas, o firmamento de maneira geral. O terceiro céu correspon-

1. Ap 1:10. (Bíblia de estudo Scofield. Versão Almeida Corrigida Fiel. São Paulo: Holy Bible, 2009. Essa e as demais citações bíblicas desta obra foram extraídas dessa mesma fonte.)

2. 2Co 12:2-4.

de à dimensão espiritual, e assim por diante.

Ainda na Bíblia, o próprio Jesus de Nazaré faz referência indireta ao arrebatamento dos santos nos últimos dias.[3] Na verdade, muitos cristãos interpretam essa menção como se parte da população fosse ser abduzida de uma hora para outra nos tempos do fim. Porém, o arrebatamento é sempre em espírito. O que Jesus queria dizer é que haveria uma convocação mundial, a fim de que um grupo maior de pessoas pudesse desdobrar visando ajudar aqueles seus prepostos que hoje denominamos guardiões da humanidade. Note o que se lê nas profecias: "E vi outro anjo voar pelo meio do céu, e tinha o evangelho eterno, para o proclamar *aos que habitam sobre a terra, e a toda nação, e tribo, e língua, e povo*".[4] Ele vinha falando dos eleitos nos versículos precedentes, isto é, dos 144 mil que foram arrebatados em espírito.[5]

Nesse sentido, o arrebatamento para determinada tarefa não é propriamente uma viagem. Você não

3. Cf. Mt 24:37-42.

4. Ap 14:6. Grifo nosso.

5. Cf. Ap 14:1.

vai simplesmente sair do corpo ou aprender técnicas para sair do corpo, porque destas existem muitas por aí — funcionam com alguns; com outros, mais ou menos; e com outros, não. Como regra geral, no que se refere às questões relativas à espiritualidade, somos capazes de alcançar aquilo que nos empenhamos para fazer. A grande questão é que, quando se trata de projeção da consciência ou de mediunidade, tal como em qualquer área da espiritualidade e da vida, às vezes a resposta de Deus é: "ainda não". E nos sentimos traídos, desapontados, porque não atingimos o resultado pretendido. Você se empenha, estuda, pede e a resposta que vem é: "prepare-se mais". Porém, costumamos achar que estamos preparados para isto e aquilo...

Comecei a trabalhar de maneira mais intensa com os espíritos no processo de psicografia no ano de 1980. Exatamente aí. No entanto, mesmo antes disso, quando evangélico, eu era arrebatado em espírito, isto é, saía do corpo. Contudo, não considero isso como trabalho; avalio terem sido tarefas a que era submetido a título de teste e treino, visando ao que, bem mais tarde, viria a se configurar ação efetiva junto dos guardiões. Essa é a análise que faço da minha vida ao longo destes últimos trinta anos de dedicação mais detida. Julgo que somente na época da Guerra do Golfo Pérsico, ocorrida entre 1990 e 1991, é que ingressei na fase mais graduada de atuação lado a lado com os espíritos.

Lembro-me de certa vez em que estava num grupo que ajudei a fundar, na cidade de Belo Horizonte, chamado Obreiros da Vida Eterna. Proximamente à Guerra do Golfo, batíamos um papo pouco antes da reunião mediúnica, quando o espírito Zarthú me tocou o ombro levemente e anunciou: "Precisamos de ajuda imediata". Não deu tempo de raciocinar, nem sequer de falar "sim" ou "não"; naquele momento, apenas cedi à autoridade moral do espírito, que já me era bastante familiar. Em seguida, girei para cima e para trás, e deixei o corpo.

Logo me vi numa cidade espiritual que, para mim, era a coisa mais estranha vista até ali em desdobramentos. Localizada no plano astral coincidente com o sul da Índia, a cidade se chama Rashnesh; é esse o nome do lugar, que se fixou na minha memória por causa do significado: "Cidade da Paz". Naquele momento, vi uma série de espíritos que permaneciam de cabeça para baixo, na posição de lótus, mas todos de cabeça para baixo! Aquela visão me pareceu muito estranha, muito exótica. As construções não tinham teto, tinham escadarias, pilastras, várias trepadeiras, flores, mas o teto eram apenas as estrelas, o firmamento estrelado. Nada mais do que isso. Zarthú me contou que era uma cidade de filósofos e, naquele momento, eles irradiavam o pensamento para o bem da Terra. Foi esse o momento em que eu recebi a primeira convocação, digamos assim, de entrar na guerra, de assumir definitivamente o trabalho. Foi também quando entendi que tudo por que havia passado ao longo dos anos tinha sido apenas treinamento.

Não raro, pensamos que rapidamente será possível atuar em desdobramento. Você treina e então descobre, na prática, qual é sua habilidade específica. Porém, nem sempre fazemos o que queremos, mas aquilo para que fomos programados antes do processo reencarnatório. Isso precisa estar bem claro desde o início deste método. Não adianta a gente querer ir contra as leis da natureza; não conseguiremos vencê-las. No trabalho de desdobramento, convém entender para qual habilidade, para qual tipo de serviço fomos programados, porque senão tentaremos uma coisa enquanto a vocação é outra, como se estivéssemos nadando contra a correnteza. Desdobrar todos desdobram — isso é uma realidade. Mas qual é sua aptidão durante o fenômeno? Procuraremos descobrir juntos, mais adiante.

Retomando a discussão sobre conceitos, proposta no início deste capítulo, destaco a expressão *projeção da consciência*, outro termo muito interessante, que desejo comentar detidamente. A ideia faz referência à expansão da consciência extrafísica, não somente do corpo espiritual — que os espíritas geralmente denominam perispírito e, numa terminologia mais científica, é chamado psicossoma, o qual se expande além dos limites do corpo físico. O fenômeno designado desse modo ainda faz alusão ao contato com a consciência cósmica, com o cosmo, sobre o que vale refletir.

Continuo perguntando: para que você quer desdobrar? Porque, ao sair do corpo, encontrará fora de si, fora da dimensão física, exatamente a extensão daquilo que está dentro de você. Se porventura formos incapazes de fazer uma viagem em torno de nosso quarteirão sem sujá-lo, seja levando destruição ou lixo, seja brigando ou causando transtorno, como almejar a viagem astral? Se eu não aprender a conviver comigo, a fazer uma viagem para dentro de mim, em vão tentarei fazer uma viagem produtiva para fora de mim.

Espero que possam perceber as implicações disso que afirmo, à luz da questão cósmica citada. Os espíritos asseveram que, enquanto não começarmos a conviver bem em nossa casa planetária e a respeitar nosso orbe, não teremos condições de travar contato harmonioso com habitantes de outros mundos, porque senão vamos levar para fora da Terra a mesma destruição e o mesmo desrespeito com que a tratamos. Ou seja, se tivéssemos a habilidade de estabelecer contato permanente e direto com consciências de outros mundos, tentaríamos dominá-los, extrair metais preciosos e demais recursos de forma predatória, exatamente como fazemos de maneira cotidiana.

Então, enquanto não aprendemos a conviver e a respeitar nosso orbe, é difícil que nos seja concedida a permissão para visitarmos e entrarmos em contato com seres de outras civilizações, embora eles, em regra mais esclarecidos, venham com constância até nós. Não os percebemos geralmente. E para que os perceberíamos? Acaso estamos preparados? Esse assunto é muito abrangente.

De qualquer forma, quero propor esse paralelo para quem deseja fazer viagem astral. E indagar: para quê? Com qual objetivo você almeja realizar viagem astral? Quando estudamos sobre objetivo, principalmente no que tange à estrutura da vida espiritual e à maneira de se encaixar no trabalho espiritual, devemos responder àquelas perguntas vistas no preâmbulo: "O que realmente pretendo fazer? Para que quero fazer? Qual é o objetivo? E a meta? Como quero fazer? Quanto estou disposto a empregar de tempo, de talento e de experiência para atingir essa meta? Por que tudo isso que quero fazer?" — reveja periodicamente essas questões elementares.

ENCERRO ESTE CAPÍTULO com uma nota técnica, tendo em vista o que dizia sobre a aptidão e as possibilidades de cada um. Afinal, quando se fala em viagem astral, em desdobramento, falamos de desprendimento do espírito, de desacoplamento temporário do corpo. Desprender é desacoplar, separar um corpo energético de um corpo físico. Imaginemos, então — e resumimos para fins de simplificação didática — apenas os corpos astral e físico, que se conectam célula a célula, via de regra.[6]

Gosto de abordar esse último ponto para que não se alimentem ilusões a respeito do tema. Notem que a própria fisiologia indica que nem todos foram programados para fazer a mesma coisa, portanto, é preciso descobrir a programação individual. O método, se bem aplicado, vai funcionar? Vai. O problema é: será que estou preparado para desdobrar do modo como foi planejado ou é possível para mim, ou mais uma vez quero que o universo ceda a meus caprichos? É muito comum ambicionar que as coisas se curvem às nossas fantasias e aspirações... Convém ter sabedoria nesse assunto, como em tudo o mais.

6. Há exceções, em certos tipos de enfermidade e em alguns processos reencarnatórios, em que é necessária outra providência.

TIPOS DE DESDOBRAMENTO E FENÔMENOS CORRELATOS

CAPÍTULO II

Continuaremos a estudar aspectos da projeção astral, do desdobramento, desse chamado desprendimento temporário. Aliás, notem que utilizamos bastantes termos ligados à aviação: *decolagem*, *decolar* e *desprender* para designar o ato de sair do corpo; *voar* para se referir ao deslocamento no espaço astral; entre outros. Se bem que nem sempre voamos, pois, às vezes, saímos do corpo e imediatamente nos vemos no local de destino, isto é, naquele lugar denominado alvo mental. Por exemplo, se estabeleço que vou a determinada cidade, aquela cidade torna-se meu *alvo mental.* Vamos abordar esses mecanismos com mais vagar oportunamente.

Há algo que é importantíssimo observar desde o início. Se porventura decidimos nos colocar a serviço dos espíritos superiores, dos guardiões do bem, da humanidade, algo deve ficar claro: não somos nós que determinamos as questões, o momento certo, são eles que estabelecem as diretrizes para nós. O método pode ser feito à revelia deles? Sim. Existe muita gente que tenta, persiste e consegue, ainda que sem objetivo definido. Contudo, se queremos trabalhar com o bem visando à renovação da humanidade, desde a partida é preciso nos colocar à disposição desses benfeitores, para que conduzam o método enquanto nós executamos o passo a passo que compete a nós. Seja qual for o nome que se dê ao fenômeno — viagem astral, desdobramento, descoincidência dos corpos, projeção lúcida, sonho lúcido —, essa advertência se faz muito importante. Mencionamos tantas terminologias, às vezes de modo indistinto, apenas para que todos as conheçam.

Para abordarmos certas características da viagem astral, como as várias fases do desdobramento, é preciso considerar que o ser humano é constituído de vários corpos. Nosso interesse se restringe mais especificamente aos corpos chamados inferiores. São eles, em ordem decrescente de materialidade: o corpo físico; o duplo etérico ou corpo vital; o perispírito, também chamado de corpo astral ou psicossoma, entre vários outros nomes; e o mental inferior ou concreto, conhecido como mentalsoma. Depois, há o mental superior ou abstrato e os demais veículos de manifestação da consciência, que não são objeto de nosso estudo neste momento.

Podemos desdobrar cada um desses componentes psíquicos e energéticos, de modo eventual e com finalidade terapêutica, bastando para isso manejar as técnicas apropriadas. No entanto, para fins de trabalho prático, vem à tona a questão citada anteriormente: em cada um de nós, antes de reencarnar, qual desses corpos foi preparado para desdobrar? Em qual deles se localiza nossa maior sensibilidade? Isso porque alguns desdobram com proveito, por exemplo, somente o duplo etérico, e não adianta insistirem, pois não conseguirão fazer diferente. Esse reservatório de vitalidade, aliás, tem determinada função que, do meu ponto de vista, como estudioso, é das mais importantes, embora nem sempre as pessoas se contentem em saber que têm aptidão para desdobrar justamente esse corpo, que é material e prerrogativa dos encarnados.

A propósito dessa insatisfação, pode-se traçar um paralelo interessante com as formas de manifestação da mediunidade. Quando algumas pessoas dizem: "Sou médium consciente e queria ser inconsciente", costumo rebater: "Mas nem morto vai conseguir, porque você é assim; tal característica é orgânica!

Seu perispírito foi preparado antes da reencarnação para desempenhar determinado papel, e as células físicas que se aglutinaram em torno dele obedeceram a esse molde". Sendo assim, é natural, orgânica a maneira pela qual sua habilidade psíquica ou paranormalidade se manifesta, como é o caso da faculdade de desdobramento. Há quem diga o inverso: "Eu sou médium inconsciente e queria ser consciente". Porém, a menos que haja uma capacidade para tal, não é possível mudar a situação simplesmente por querer que seja diferente. Convém ser claro com relação à validade desse ponto também no que tange ao desdobramento, esclarecendo essa noção tão errônea quanto difundida.

Ao contrário do que as pessoas tendem a pensar, a aptidão para o desdobramento não é uma mediunidade; é uma faculdade paranormal, anímica, em que o próprio sujeito abandona o corpo físico, em caráter temporário, e ingressa na dimensão astral. Isso não é mediunidade. Isso é animismo, é paranormalidade, é o próprio ser que se movimenta na realidade extrafísica. A mediunidade é o contrário: são os espíritos que vêm até nós, utilizando-nos como intermediários para apresentar uma mensagem ou fazer alguma atividade. Muitas vezes, as pessoas se confundem quanto a essa distinção. A rigor, não é correto dizer: "Sou médium de desdobramento", não é isso; tem-se é a habilidade do desdobramento e pode-se, então, colocá-la a serviço do bem e da mediunidade. Ambos, mediunidade e desdobramento, sob a orientação de espíritos competentes e esclarecidos, podem produzir grandes milagres.

Distinção semelhante é importante estabelecer também em relação ao magnetismo. Ele originalmente é um potencial humano, animal, de caráter individual. Assim, disponho do meu magnetismo, então, posso curar com o emprego dele. Existem inúmeras técnicas que dispensam o concurso dos espíritos para serem aplicadas. Contudo, se resolvo pedir assistência dos magnetizadores do outro lado — e geralmente precisamos disso para o desdobramento —, a fim de ampliar o magnetismo que já possuo, o resultado produzido será de grande valor na recuperação da saúde das pessoas. Desse modo, além de conhecer a técnica por meio da qual canalizo minha energia, ponho-a a serviço de quem sabe mais. Assim, amplio a capacidade de ação e, por conseguinte, os resultados. Nesse caso, portanto, o que se vê é o potencial de ordem anímica majorado pela influência espiritual, ou seja, graças à parceria mediúnica.

Então, na prática do que Kardec denominou sonambulismo, podem-se desdobrar o duplo etérico, o psicossoma — ou perispírito ou corpo astral; cada escola adota certo nome —, bem como o corpo mental ou mentalsoma, cada qual com determinadas finalidades ou propriedades. Outra observação importante é que nem todos logram o desdobramento pleno; pode ocorrer a mera expansão da consciência perispiritual e mental em torno do corpo físico, já com resultados apreciáveis. Portanto, o sujeito não precisa necessariamente sair do corpo. À medida que adentra o estado pré-sonambúlico, modificam-se, aos poucos, os estados alfa, beta, gama e teta, atingindo o que chamamos de *estados alterados de consciência*. O indivíduo expande o seu perispírito e começa a ouvir e ver além dos limites da matéria.

Ao encontrar-se nessa situação, muita gente diz: "Estou desdobrado, porque estou vendo espírito!". Não, não é possível atestar que se está desdobrado apenas porque percebeu cenas da dimensão paralela. Você expandiu a consciência; embora esteja próximo de desdobrar, mantém-se dentro e em torno do próprio corpo, não chegou a deixá-lo. Esse é um fenômeno muito comum, que produz uma série de situações bastante positivas, de grande proveito para o animista ou paranormal.

A título de exemplo, posso citar que, como terapeuta, em regra não é necessário chamar espírito para permitir o diagnóstico adequado de alguém. Conhecendo certas técnicas — e ganha-se rapidez no fenômeno com a prática —, expando o perispírito pouca coisa além do corpo físico e entro em sintonia com a aura do indivíduo. Começo até a sentir os mesmos sintomas que ele, temporariamente. Essa é uma ferramenta extraordinária! Até porque o consultório terapêutico não é lugar de espírito se manifestar. Muita gente vem atrás de mim, mesmo sendo espírita, e pergunta: "Ah, os espíritos vão te falar uma coisa?". Costumo redarguir: "De preferência, que eles fiquem da porta para fora, porque, se colaborarem, vira mediunidade, e aí não posso cobrar pela minha profissão". Devemos exercer a mediunidade gratuitamente, porém, a paranormalidade e o magnetismo são faculdades diferentes, de natureza anímica. Então, com alguma técnica e sem falar com o cliente, expando minha consciência levemente e me conecto à sua aura. Curioso é que há quem duvide que o gênero de observação obtida seja possível sem o concurso espiritual... Isso é puro desconhecimento e, às vezes, tendência ao misticismo.

Quando falarmos um pouco mais de magnetismo, introduzirei uma técnica que os magnetizadores do século XIX adotavam e foi muito usada até o início do século XX — hoje muito esquecida, infelizmente. Pouquíssimas pessoas recorrem a ela, apesar de ser extraordinária na hora de se fazer diagnóstico. É conhecida pelo nome *tato magnético*. É de grande valia aprendê-la, porque, com técnicas simples como essa, é possível alcançar resultados sofisticados em matéria de saúde energética e espiritual. Nesse caso, novamente, há quem presuma que as informações sejam captadas por meio do desdobramento, mas não; às vezes, é apenas tato magnético.

Como podem notar, prefiro aprofundar devagar no tema, porque há muita gente que trava contato pela primeira vez com o assunto. Outros já se inteiraram, entretanto, não entenderam exatamente no que o desdobramento consiste. Então, sob risco de desagradar os que se aprofundaram, leram e estudaram, opto por argumentar aos poucos, introduzindo tópicos acessórios paulatinamente, para que leitores de todas as categorias de aprendizado possam compreender e experimentar este passo a passo.

Retomando, pois, com base nas explicações sobre tipos de desdobramento, pode-se verificar a importância de se averiguar que espécie de fenômeno acontece ou acontecerá com você. Trata-se do deslocamento do duplo etérico, do psicossoma, do corpo mental inferior, do corpo mental superior ou, ainda, tão somente da expansão da consciência?

É nisto que a prática da projeção da consciência incita uma reflexão de grande valor para todos nós, pois nos compele a entender o que viemos fazer nesta encarnação: "O que vim fazer? Para que estou aqui?". Quem de nós já não se perguntou qual é sua missão na Terra, o que veio fazer aqui? Em um momento ou outro da existência, todos temos essa dúvida. Depois vem a seguinte questão: "O que eu posso fazer para ajudar os outros?". Mas não poderá fazer nada para ajudar o semelhante se não se resolver. Portanto, uma das coisas que a projeção astral faz é levá-lo a entrar em contato consigo mesmo.

Quanto mais viajo para dentro de mim, conhecendo-me, mais me habilito a fazer a viagem para fora do corpo. Quanto mais consciência desenvolvo acerca das minhas sombras internas, das minhas limitações, dos meus mecanismos de boicote e quanto mais ganho consciência das minhas capacidades, das minhas virtudes e admito-as, exultando com isso, maior é a habilidade que terei fora do corpo físico. Veja que é um processo. Não gosto muito deste nome, mas, como meu vocabulário é limitado, adoto-o: é o que denominamos *autoconhecimento*.

Além do mais, se estou a serviço das consciências imortais, devo desprender do corpo com um objetivo definido. Esse ponto também leva a uma enorme reflexão, pois, muitas vezes, elas determinam um alvo, uma mira, e nós nos distraímos, ou até estabelecemos aquilo que se chama *alvo mental discordante*.[1]

1. Cf. PINHEIRO, Robson. Pelo espírito Joseph Gleber. *Consciência*: em me-

O que é o alvo discordante? Os espíritos designam um propósito para o trabalho da noite; de repente, você se desvia lentamente e se envolve com algo diferente daquilo que foi programado. Às vezes, a depender da gravidade da tarefa, uma mera distração pode se configurar num alvo discordante. Cito como exemplo o que ocorreu comigo em 1998 — apesar de ter esse episódio vívido em minha memória, indico a data porque mantenho um diário a respeito dos desdobramentos.

Fazíamos visitas à Santa Casa de Misericórdia, um hospital, toda quinta-feira. Certo dia, os espíritos me convidaram para fazer uma visita ao 11º andar da Santa Casa de Belo Horizonte, onde ficavam pacientes de câncer em estado bastante grave. Saí do corpo físico conduzido por um sentinela que eu não conhecia, a pedido do espírito Bezerra de Menezes. Chegando lá, deparei com alguns espíritos que me eram familiares, mas me mantive no meu lugar. Até que, dentro da enfermaria onde estávamos, pediram-me

diunidade, você precisa saber o que está fazendo. 2. ed. rev. Contagem: Casa dos Espíritos, 2010. p. 190-192, item 67.

para deitar numa poltrona bem reclinada e me dispor a doar ectoplasma: "Você não lembrará o restante, apenas doará o recurso fluídico. Tão logo comece, vamos manipulá-lo visando ao tratamento dessas pessoas". Assim eu fiz, só que, em determinado momento, abri os olhos e recobrei leve consciência, desdobrado. Nesse mesmo instante, entrou uma enfermeira escalada para auxiliar os enfermos ali. Olhei para o rosto dela e, sou capaz de jurar, a única coisa que pensei foi: "Poxa vida, que rosto lindo, que pele que parece de bebê!". Joseph Gleber, presente no ambiente, dirigiu-se a mim e falou: "Você estragou o trabalho. Volte para o corpo", passando a mão em meu rosto em seguida e provocando o acoplamento imediato. Acordei no corpo banhado de suor. Não sou de me arrepender de nada, porém, concluí que minha parte humana exigia muito aprendizado ainda.

Portanto, desdobrado, engajado no trabalho do bem e a despeito da assessoria dos espíritos, acabei estabelecendo um alvo discordante — que nem sempre é algo ruim; por vezes, é apenas inoportuno. Havia sido chamado ali a fim de doar ectoplasma, então, deveria simplesmente me deitar e mentalizar fluidos saindo de mim até as mãos dos espíritos, porque eles iriam manipulá-los para fazer certos procedimentos. Após o episódio, deixei de auxiliar por determinado período, com o intuito de treinar novamente como manter a mente fixa no alvo, adestrando atenção, concentração, imaginação, entre outras aptidões.

LIBERDADE, ALMA, LIMITES

CAPÍTULO III

A projeção astral, acompanhada da expansão da consciência projetiva, é bem distinta da simples viagem astral, devido ao objetivo que rege aquela prática. Provoca certa exultação, aquela coisa de entrar em contato com a alma do universo, em contato conosco mesmos em sentido mais amplo, e também com os Imortais.

A alma do universo, segundo a procuramos definir, representa a essência do cosmos, que é pura consciência. O desdobramento, diferentemente da mera viagem astral, promove um tipo de exultação intelectual — nas palavras do espírito Alex Zarthú, o Indiano —, em virtude da percepção que o ser humano adquire, passando a ver-se como uma minúscula partícula da consciência cósmica. Isso explica, em boa medida, por que não se conhece quem realize a projeção astral de forma sistemática antes da maturidade, ou seja, previamente aos 40 ou 50 anos de idade.

Pretendo comentar a respeito de uma experiência paranormal que tive no ano de 1980, a qual, para mim, foi muito marcante: foi o momento que representou o fim do medo de morrer. Saí do corpo cansado depois de um dia de trabalho na Usiminas, lá no interior de Minas Gerais, na cidade de Ipatinga, estando estirado no chão. Tentava atravessar a parede ora para um canto, ora para outro — só fazia menção de tentar na realidade —, a fim de vivenciar as sensações desse ir e vir em meio à matéria densa. Percebia meu perispírito transpassando a matéria com verdadeiro fascínio. De tão entusiasmado, desobedeci à determinação espiritual naquela altura, que era claríssima: "Experimente como quiser, porém, não abandone o perímetro de sua residência". Em seguida, deixei as dependências da casa, assim extrapolando, naquele contexto, os limites do cordão de prata e, sobretudo, a barreira de proteção ao ambiente. Houve um fator que me chamou muita atenção quando olhei para o lado de fora: embora não fosse noite ainda, parecia que a atmosfera era toda de um azul, um azul muito profundo. Até hoje brinco, devido ao trabalho de pintura mediúnica, que era o azul de Van Gogh, pois parecia um azul bem profundo e com faíscas elétricas surgindo em todo lugar.

Naquela situação, antes de uma entidade me perseguir — a história, um tanto cômica em retrospecto, não vem ao caso agora —, registrei por alguns segundos algo que ficou impresso definitivamente em minha alma. Exclamei: "Poxa! Eu não sou o corpo físico!". De lá para cá, afirmo que aquele momento foi útil para que eu pudesse entrar em contato com minha alma, com minha essência e saber, e assegurar para mim mesmo: "Eu não morro!". Eu olhava para o corpo e dizia, em voz alta, que ele poderia deixar de existir. Era uma roupa em uso, a qual eu já apreciava bastante na ocasião, entretanto, ficou claro que eu não era o corpo. Esse fato, na minha experiência, foi o primeiro que me levou a fazer contato com a chamada alma do universo, que estava também dentro de mim. Então declarei: "Não tenho mais medo da morte". E acabou o medo. De uma vez por todas.

Às vezes, sou acometido de uns processos de saúde complicados. Quem me acompanha sabe como vou e volto no mesmo corpo — já morri e renasci várias vezes na mesma carne. Infelizmente, não consigo um novo. O pessoal se espanta e pergunta: "Mas você não tem medo?". De morrer, não! Porque morrer não dói. Medo de quê? Espírita não lida com gente morta por definição? Todo mundo quer viajar até o plano extrafísico e *travar contato* com espírito, mas aposto que ninguém quer *virar* espírito; quer ver espírito, e não virar espírito! Então, ironizo: "Se você quer ver espírito tanto assim, morra, pois assim você ficará 24 horas por dia vendo espírito, no meio deles".

O grande desafio dado pela consciência cósmica é se colocar, achar o próprio lugar na vida. Viemos aqui para isso. A expansão da consciência, paradoxalmente, determina e fortalece a ligação estreita com a própria alma, naquela faceta que denominamos *alma do universo*. É uma noção da imanência de Deus em nós, uma convicção de que somos o centro mesmo do universo, no que tange à nossa própria existência, ao tomar as rédeas da vida. O cerne não está em Sirius, Aldebarã, Andrômeda nem Antares; está dentro do Eu, esta mônada divina encastelada em nosso peito, em nosso cérebro, a qual é o princípio inteligente da criação divina. É aí que está a alma do universo.

Isso justifica o que asseverou certo pensador, filósofo muito conhecido no meio espírita e muito mais ainda nos meios católico e acadêmico, que era Santo Agostinho, Agostinho de Hipona (354–430 d.C.). Quando Kardec lhe faz uma pergunta, que ele responde como espírito, por via mediúnica, ele afirma que, todas as noites, tinha o hábito de fazer uma revisão dos próprios atos e das atitudes tomadas naquele dia, para apurar em que tinha errado e, assim, procurar emendar-se e ser melhor no dia seguinte.[1] Perdemos esse hábito, com muito mais frequência do que seria desejável, diante da falta de disciplina de espiritualidade, e até religiosa, e da profusão de problemas, obstáculos e desafios que vivemos. Não obstante, como já foi dito, sem mergulho efetivo no Si, não há desdobramento astral com o proveito almejado.

CONSCIÊNCIA DA LIBERDADE

É necessário que façamos algumas observações quando se trata de projeção astral: ninguém desdobra à revelia, de qualquer jeito. Dá-se algo análogo ao que ocorre na mediunidade, em certo sentido. Médium, quando afirma ver espírito toda hora, pode internar que é louco; nem Chico Xavier via espírito 24 horas por dia. O sujeito deve estar com surto de psicose e

1. Cf. "Conhecimento de si mesmo". In: KARDEC. *O livro dos espíritos*. Op. cit. p. 553-555, itens 919-919a.

acha que é mediunidade. A coisa não funciona assim. É uma síndrome qualquer que o indivíduo vivencia, síndrome de "espiritofilia", em que se fascina e pensa que pode dar comunicação a qualquer hora, que tudo é espírito, que tudo é fenômeno. A pessoa diz: "Vou sair do corpo agora"; "Saí do corpo e fiz isso e aquilo; acabo de voltar". Nada disso! Para que possamos decolar do corpo, assim como ocorre com um avião, é necessário ligar as turbinas; requer-se uma cota importante de energia a fim de que seja possível descolar do chão e erguer voo.

O corpo astral daqueles que estamos na matéria foi programado para o processo reencarnatório. Cada célula do psicossoma está intimamente ligada às células do corpo físico. Para que ele se desprenda, é necessária ao menos uma de duas coisas. Primeiro, no caso do desprendimento natural, através do sono, é preciso relaxar a mente, relaxar o sistema nervoso também, o que causa um afrouxamento temporário dos laços, certa volitação do espírito, na maior parte das vezes não consciente. Segundo: para decolar do corpo de maneira menos ou mais consciente, assim como o avião precisa acionar turbinas ou hélices, exige-se uma cota extra de energia a fim de deixarmos o corpo. Em circunstâncias normais, ninguém desacopla assim: estou andando e, de repente, vou sair do corpo onde eu bem entender. Há alguns casos raros que merecem estudo; toda regra tem exceção — mas são exatamente isso: exceções.

Existem dois casos conhecidíssimos no meio espírita. Um deles é o do extraordinário educador Eurípedes Barsanulfo (1880–1918), que viveu na cidade mineira de Sacramento. Inclusive, é um dos espíritos que me inspiram neste momento, dando-me sua intuição. Triste, é só intuição mesmo... porque não consigo captar muito mais do que isso. Outro espírito é o da médium fluminense Yvonne do Amaral Pereira (1900–1984), que também me auxilia muito nas tarefas de desdobramento, sendo ela muito presente. Esses dois espíritos, quando encarnados, tinham faculdades incríveis.

Eurípedes, quando recostava no escritório, simplesmente encostava e começava a tombar a cabeça para o lado... Quem o conhecia já falava: "Seu Eurípedes já foi, foi viajar". Yvonne Pereira tinha habilidades muito amplas de desdobramento. Como hábito, todos os dias, ela se trancava em casa a partir das 18h. Não recebia ninguém. Ela firmou esse compromisso diário na tarefa do desdobramento. Podia bater à porta quem fosse, ela não abria. Era o momento dela. Ela dizia: "Sinto muito. A partir de agora, não recebo visita. Estou por conta dos espíritos". Ela desdobrava regularmente e com facilidade.

Yvonne e, também, Eurípedes considero como pessoas missionárias, mas não missionárias no sentido "espiritólico" ou espiritista, do "esquisoterismo espírita", não — eu vou usar esses termos, inventados por mim, combinado? Para denominar gente esquisita, mística, geralmente faço isso. Muita gente não gosta, mas é bom se habituarem, porque ao longo do método vou fazer graça com a cara de muita gente, com a minha própria e com a dos espíritos que me dirigem... Gosto de uma relação mais humana e informal com eles.

Esses ícones do espiritismo eram missionários, pois tinham uma tarefa específica, a qual atingiria muita gente. Dona Yvonne ia andando, caminhando pela rua, e notava-se que ela ficava lenta, lenta... ela continuava conversando com as pessoas, mas muito devagar. Na verdade, sua consciência estava longe dali; ela já havia desdobrado e fazia outra coisa.

O corpo agia mecanicamente, porque, entre corpo físico, duplo etérico e perispírito, existe a ligação do fio prateado, chamado cordão de prata. Não importa se o espírito está acoplado ou se a mil quilômetros, desdobrado; ele, através desse elo, domina o corpo físico, ainda que de maneira inconsciente. Tanto que, se algo ocorrer na base física, o espírito volta imediatamente e a assume, porque o cordão de prata repercute vibratoriamente tudo que acontece no corpo em direção ao espírito e vice-versa.

Nós estudaremos as patologias e as psicopatologias do cordão de prata. No entanto, se quer se adiantar, estudar mais sobre o assunto, no livro *Além da matéria* há um capítulo especial a respeito.[2]

Yvonne começava a caminhar devagar, lentamente, e o pessoal indagava: "Onde está a Dona Yvonne?". Ela respondia às perguntas, mas era nítido que estava

2. Cf. "Cordão de prata". In: PINHEIRO, Robson. Pelo espírito Joseph Gleber. *Além da matéria*: uma ponte entre ciência e espiritualidade. 2. ed. rev. Contagem: Casa dos Espíritos, 2011. p. 105-113, cap. 11.

aérea. Muita gente que viveu com Yvonne dizia que ela assentia com tudo, porém, passava um tempo, ela voltava ao normal e não lembrava o que tinha dito. Era como se o espírito de longe dominasse o corpo, mas apenas ao ponto de manter as funções vitais.

Algumas pessoas são programadas e têm uma tarefa desse nível. Poucos, né? Chico Xavier declarava que Dona Yvonne era a médium mais completa que ele conhecia; depois, ele falava muito da Antusa, que viveu nas cercanias de Uberaba, no Triângulo Mineiro. Ele dizia que eram as duas pessoas com a mediunidade mais elaborada que ele conhecera.

Outra pessoa que detinha grandes capacidades anímicas relacionadas à emancipação da alma[3] era Santo Antônio de Pádua ou Santo Antônio de Lisboa (1195–1231), pois que é o padroeiro da capital portuguesa, onde nasceu. Santo Antônio aparecia em dois lugares ao mesmo tempo. Além de desdobrar e deslocar-se a determinado lugar, em projeção astral, ele conseguia fazer-se visível ali, enquanto o corpo físico

3. Cf. "Emancipação da alma". In: KARDEC. *O livro dos espíritos*. Op. cit. p. 293-322, itens 400-455.

permanecia atuando lentamente no local de partida.

Kardec, inclusive, faz referência às faculdades do santo em *O livro dos médiuns*; aliás, desdobramento, bilocação e bicorporeidade são fenômenos correlatos, porém, distintos.[4] O personagem morto em Pádua congregava os três, o que é algo realmente incomum. Grande parte de quem alega viver isso como se fosse trivial dá vazão à fantasia, à imaginação. Todas as pessoas que, na história, apresentaram essa capacidade de desdobrar com extrema desenvoltura — e não apenas desdobrar, mas também de se fazer visível desdobrado — requereram cota invulgar de energia. É como estar, por exemplo, na cidade de São Paulo, e minha amiga que mora lá me ver entrando, conversando com ela e, ao mesmo tempo, eu ser visto em Belo Horizonte, escrevendo... Não quero dizer que eu tenha essa capacidade, porque, graças a Deus, não a tenho! Mas sem dúvida é necessária muita energia para se produzir um evento dessa natureza.

4. Cf. "Bicorporeidade e transfiguração". In: KARDEC, Allan. *O livro dos médiuns ou guia dos médiuns e dos evocadores*. Tradução de Evandro Noleto Bezerra. Rio de Janeiro: FEB, 2011. p. 189-204, itens 114-125.

Neste momento, quero pedir licença para outra coisa... Gosto de cantar e, ainda, acabo por provocar os espíritas ortodoxos. Adoro entoar pontos de preto--velho, de exu e de caboclo. Há uma canção linda, que conheci por intermédio do espírito Pai João de Aruanda, a qual faz alusão ao "milagre" de Santo Antônio.

Tava na mata, numa noite tão escura
Sentado no toco e curiando a lua.
Meu Santo Antônio
Era um santo pequenino
Olha seu filho, não deixa andar sozinho.
Meu Santo Antônio
Caminhou sete anos
À procura de um anjo
Hoje ele encontrou.
Ele caminhou, ele caminhou,
Ele caminhou,
Santo Antônio de Aruanda, ele caminhou.

A letra se refere ao período em que Antônio de Pádua saiu do corpo, foi a Roma desdobrado, materializou-se e foi visto pelo Papa no mesmo momento em que ele rezava uma missa. Todo o público o viu à frente, na igreja, e, no mesmo momento, o Papa conversava com ele em Roma. Ou seja, era a bicorporeidade se manifestando, o que permitia que estivesse em dois lugares simultaneamente. A música faz menção à sua tentativa de chegar a Roma durante sete anos sem sucesso, mas, então, ele finalmente conseguiu cumprir seu intento por meio da projeção astral.

A experiência nos ensina que, meramente para decolar e sair do corpo, é necessária uma cota extra de fluidos. Falaremos disso mais apropriadamente quando abordarmos os pulsos magnéticos. Seja como for, às vezes adentramos estados alterados ou modificados de consciência, e, assim, essa energia nos é concedida, e nós a absorvemos em dada medida. Porém, é preciso compreender que isso não ocorre de forma automática, em qualquer lugar e à revelia das leis da natureza; não é quando o médium, o animista ou o paranormal querem, mas apenas em determinados momentos.

Certa vez, no início da década de 1980, eu viajava de ônibus até Ipatinga, partindo de Governador Valadares, ambas as cidades no leste de Minas, a cerca de 100km uma da outra. Fechei os olhos e, quando os abri, o ônibus estava dezenas de metros à frente — com meu corpo embarcado, é óbvio —, e eu, planando em cima do asfalto, comecei a correr, desesperado para alcançá-lo. Só que isso não ocorre sempre!

A gente conta uma história dessas e as pessoas se põem a pensar: "Mas o Robson desdobra toda hora, a hora que quer". Não, não sou louco, não estou usando alucinógenos e, graças a Deus, eu passo a maior parte do tempo em vigília, devidamente acoplado. Vim a este mundo para ficar encarnado! Se fosse para viver a dimensão extrafísica em tempo integral, bastava permanecer do outro lado, pois seria mais fácil que ter de pagar aluguel, luz, telefone, transporte... Se bem que lá existem outras contas a pagar, digamos assim. De todo modo, não é toda hora que o fenômeno do desdobramento acontece, porque é preciso ter essa cota de energia, além de entrar num quadro alterado ou modificado de consciência. No estado habitual, dificilmente seria capaz disso. Com efeito, tenho uma percepção ou outra, mas não é algo desmedido, ostensivo, porque precisaria entrar naquela espécie de transe.

Sendo assim, se você acha que pode deixar o corpo a qualquer hora para fazer o que quiser — passear em Roma ou em Paris desdobrado, quem sabe —, tire isso da cabeça, porque não vai acontecer. Tudo o que eu queria poder fazer era uma viagem astral sem compromisso espiritual nenhum, poder conhecer todos os países que, infelizmente, tenho que pagar para visitar... Enfim, desista, porque não é o objetivo. Isso não é possível da forma como imaginamos. Temos um objetivo definido, que é nos colocarmos a serviço das forças superiores do bem e da luz em benefício da humanidade.

O AMBIENTE NOSSO DE CADA DIA

CAPÍTULO IV

os capítulos anteriores, comentei sobre o desdobramento de algumas pessoas que tiveram um papel importante na história. Citei Santo Antônio de Pádua, Eurípedes Barsanulfo e Yvonne do Amaral Pereira — a Dona Yvonne, aliás, é uma autora que você precisa ler. Ela realizava atividades em desdobramento constantemente e, ao voltar da experiência astral, relatava nos livros o que vivenciara; no estado de desprendimento, também tinha acesso à memória extrafísica das coisas do passado remoto. Ela ainda tinha uma propriedade rara, que é ser capaz de analisar em profundidade e à luz da teoria a rica gama de fenômenos que se produziam por seu intermédio, sobretudo em seus livros autobiográficos.[1]

Falei desses exemplos fantásticos. Agora, quero trazer à tona um assunto fundamental quando se trata

1. Cf. PEREIRA, Yvonne do Amaral. *Devassando o invisível*. 15. ed. Brasília: FEB, 2014.

___. Orientada pelo espírito Adolfo Bezerra de Menezes. *Recordações da mediunidade*. 12. ed. Brasília: FEB, 2013.

de sair do corpo visando à atividade no astral: a questão da ambiência, ou seja, os aspectos relacionados ao ambiente onde se dá o fenômeno. Quando abordo o tema em palestras, cursos e aulas do Colegiado de Guardiões da Humanidade, muita gente interroga: "O desdobramento pode ocorrer em qualquer lugar?". Sim, pode ocorrer em qualquer lugar. "Mas posso me dedicar à prática do desdobramento em qualquer lugar?" Já essa é outra pergunta, bem diferente.

A base primordial que temos é o corpo físico, então, convém cercar de cuidados o local onde ele repousa. Quando recomendo cuidados, porém, não o faço movido por medos irracionais; é questão de prudência e sensatez. Afinal, vivemos num mundo da categoria que se convencionou chamar de *provas e expiações*,[2] na qual a maior parte da humanidade ignora as implicações espirituais e se inclina a certa maldade ou malícia, de ambos os lados da vida. Além desse panorama externo — ou, também, em virtude dele —, é

2. Cf. "Diferentes categorias de mundos habitados". In: KARDEC. *O Evangelho*... Op. cit. p. 78-80, cap. 3, itens 3-5. Cf. "Mundos de expiações e provas". Ibidem, p. 85-87, cap. 3, itens 13-15.

preciso considerar o aspecto fluídico, prezar a sintonia vibratória e a manutenção do ambiente caso se almeje um lugar onde se possa realizar a doação de energia ou o desprendimento com integridade e segurança.

Gosto muito de repetir o que os espíritos nos explicam sobre a classificação dos mundos habitados. No degrau mais inferior, encontram-se mundos primitivos, em que a totalidade dos habitantes, à exceção dos orientadores evolutivos, é composta por espíritos ignorantes — não vou falar *maus* porque, nesses orbes, "a vida moral é quase nula";[3] ou seja, ali impera a ignorância das verdades espirituais, pois estão no início da marcha de ascensão evolutiva.

Em seguida, há a categoria de expiações e provas, em que se enquadra nosso planeta, onde cerca de 75% — isto é, a maioria — dos habitantes são voltados à ignorância das questões espirituais, quando não à maldade. Eu prefiro utilizar esta palavra: ignorantes. A fatia que compõem os 25% restantes apresenta tendências ao bem, assim como "*disposição* de

3. Ibidem, p. 79, cap. 3, item 3.

melhorar e nutre *intenções* de progredir".[4] Lembrando que se deve considerar, no caso da Terra, uma população entre 7 e 9 bilhões de pessoas, mais cerca de 50 a 60 bilhões de desencarnados. Desse modo, é tão somente lógico precaver-se no momento de praticar a projeção astral, porque todos sofrem influência energética e espiritual constantemente.

A base onde vamos realizar as experiências psíquicas interfere bastante no processo de desdobramento. A base pode ser seus aposentos, seu barracão, seu escritório ou seu consultório, a casa espírita ou de umbanda que frequenta, pouco importa. Onde quer que seja, devem-se tomar as devidas precauções, porque estamos sujeitos a vibrações discordantes o tempo inteiro. Não quero radicalizar, mas enfatizar o valor da higiene energética. Se convém cuidar da vida mental, da casa mental e da vida emocional, ao me dedicar a essa tarefa de âmbito espiritual mais amplo e elevado, o ambiente deve ser visto com zelo semelhante.

4. PINHEIRO, Robson. Pelo espírito Ângelo Inácio. *Os viajores*: agentes dos guardiões. Belo Horizonte: Casa dos Espíritos, 2019. p. 117.

Se porventura a base for meu quarto, então, meu quarto precisa ser tido como uma espécie de templo, porque é ali onde todas as noites me ofertarei diante do altar, que é minha cama, para que as consciências imorredouras me retirem do corpo e me levem, em caráter temporário, até o mundo da imortalidade para trabalhar consigo, ou para aprender, ou para ser tratado, tendo em vista nossa imaturidade com as questões espirituais. Seja como for, desse momento em diante, meu quarto se torna um templo sagrado, pois é a instância onde aporto na dimensão astral, desdobrado.

Gostaria que você pensasse comigo: "Se a base escolhida é meu quarto, eu o considero como templo, e minha cama, como um altar?". É um altar e deve ser respeitado. Portanto, não é qualquer pessoa que vai entrar ali; quem entrar precisa ter sintonia com você, porque penetrará no templo e no altar onde você se consagra todas as noites ao trabalho com os Imortais.

Nesse sentido, no meu caso particular, tenho fama de ser chato em muitas coisas, principalmente na questão espiritual... "Ah, você é chato demais, Robson!" Aí eu reajo: "A diferença entre mim e você é que eu admito, e você, não, porque eu sou chato mesmo". No meu quarto, não entra qualquer um, aliás, na minha casa, não entra. Só frequenta minha casa quem considero muito e ponto. Ninguém me faz surpresa, porque eu não aceito ninguém chegando à minha casa sem avisar; não recebo ninguém que não convidei. Minha irmã, por exemplo, já foi à minha casa e eu a deixei plantada debaixo de chuva, falando pelo interfone:

— Você não vai abrir a porta, não?

— Mas eu marquei um horário com você? Não estou sabendo disso!

— Mas sou sua irmã e estou me molhando.

— Preocupe não. O último que morreu com chuva foi na época de Noé. Chuva não mata, mas você não vai entrar aqui, porque eu não a convidei — é evidente que não era uma emergência.

— Ah! Mas você é chato mesmo!

Exatamente: sou chato praticante, convicto e declarado. Compete a mim preservar minha casa, senão deixo se instaurar uma intrusão energética. Quando minha irmã, afinal, vai à minha casa, eu a convido e digo que posso naquele dia e naquele horário, então, ela pode ir, mas logo ela vem falando:

— Queria deitar um pouco. Pode ser na sua cama?

Pronta e firmemente eu respondo:

— Não, aqui é meu altar sagrado! Sinto muito.

Não é porque tem o mesmo sangue meu que pode ter tanta liberdade. Em Minas, minha terra, a gente não abre nem a geladeira alheia sem pedir permissão. Vai deitar na minha cama? Ali é a primeira base... Então, a base que você escolher tem que ser sagrada.

Traço um paralelo desse zelo com uma atitude que admiro demais em praticantes da umbanda e do candomblé, que é um sentimento do sagrado que têm, em regra, no tocante ao templo onde prestam culto. Infelizmente, na maioria das casas espíritas, perdemos isso. O pessoal entra e começa a conversar de qualquer jeito, vem com a mesma roupa suja com que estava na rua. Já vi gente na casa espírita com um shortinho tão curto que quase dava para ver o fígado... Para a igreja, não iriam desse jeito; por que vão assim ao centro espírita? Então, é preciso ter cuidado!

Não sou umbandista, mas tenho uma admiração muito grande. Trabalho com espíritos que também atuam na umbanda; o pouco que sei de filosofia de umbanda está nos livros que psicografo, Pai João que me ensina. Por isso, percebo que o sentimento do sagrado que os adeptos cultivam é admirável, porque, quando vão ao templo, existe um sentimento de devoção, ajoelham-se diante do altar, tomam um banho de asseio, depois um banho de ervas aromáticas e, então, vestem o uniforme branco como se fosse uma coisa sagrada, tudo como preparo para as atividades.

Ora, se ajo assim com relação ao templo onde frequento, por que não adotar prática similar no tocante a meu quarto, que é meu templo, e à minha cama, que é o altar sagrado da minha vida? Então, urge ser seletivo; senão, sofrerei as consequências durante o processo de desdobramento. Quero que note como uma coisa está estritamente, intrinsecamente ligada à outra. Se não começo a ser seletivo em minha vida, padecerei em razão do assédio de consciências extrafísicas. Afinal, ao sair do corpo, a primeira coisa com que depararei serão os espíritos afins; sendo assim, se permito a qualquer um entrar, então, qualquer um entra, inclusive espírito, qualquer tipo de espírito.

Portanto, faz-se necessário passar a fazer uma seleção, uma higienização, e a cuidar daquele ambiente que é meu. Isso é a primeira garantia, é o primeiro momento em que você toma contato com o sentido da expressão *segurança energética*, de modo que seja capaz de aventurar-se no desdobramento ou servir como bateria de energia viva para os espíritos, guarde disso memória posteriormente ou não. Posso até permitir a alguém chegar ali, deitar, mas a pessoa precisa compreender que tenho compromisso espiritual, que há limites, então, que se comporte devidamente, senão não entra mais na minha casa.

Se tal atitude não ocorrer, significa abertura também da casa mental. Não falei anteriormente que aquilo que encontramos fora do corpo é resultado do que está dentro do ser? Se não cultivo segurança energética e cuidado, um sentimento de sagrado com meu corpo, com minha vida, com minhas coisas, ao deixar o corpo não será diferente. Por que seria? E não adianta chamar por Bezerra de Menezes, por Scheilla, por Jesus ou Maria de Nazaré, porque, se não assumo uma postura íntima de segurança energética, nada nem ninguém poderão me dar essa segurança. Novamente, não é no sentido moralista — quem me conhece sabe que não sou moralista. Não se trata de ser pecado, errôneo ou proibido. Não é isso, mas, sim, a obrigação de dar o valor verdadeiro às questões que merecem e, acima de tudo, constatar a realidade das coisas no plano do espírito.

Para que haja desdobramento produtivo, no contexto do nosso método, devo entender essas questões do sagrado, que envolvem o compromisso com a humanidade, o compromisso com as consciências que nos dirigem. Desse modo, posso fazer viagem astral para sair do corpo de qualquer jeito, tanto quanto posso empreender o desdobramento com uma finalidade consciente, volitiva — isto é, ligada à vontade. A maioria que estuda ou experimenta, de alguma maneira, quer ser útil à causa da humanidade. Espero pelo menos que assim seja, porque, dessa forma, torna-se mais fácil encontrar parceiros para realizar um trabalho mais intenso. Quero encontrar parceiros, pessoas que possam agir de maneira consciente, a fim de que formemos uma rede mundial, imbuída de objetivos claros. Essa, aliás, é a missão do Colegiado de Guardiões da Humanidade, criado sob orientação direta do guardião superior Jamar.

CICLOS DO DESDOBRAMENTO

A projeção astral não ocorre de forma abrupta, mesmo para quem já é experiente; ela é gradual, acontece em fases ou ciclos. Principalmente quem experimenta pela primeira vez ou pelas primeiras vezes, que ainda não conquistou desenvoltura no ir e vir entre as dimensões, perceberá que, à medida que pratica, essa gradação recebe menos atenção, porque vira algo habitual. Aliás, isso pode ser bom e ruim. Por exemplo, tomamos água de maneira tão trivial que não lhe damos valor; comemos coisas sobre a mesa e não percebemos direito o sabor delas, porque queremos comer, e não nos alimentar, e uma coisa é diferente da outra.

De todo modo, você precisa entender quais são os períodos do desdobramento e sua duração. "Posso eu permanecer a noite inteira desdobrado?" Pode, mas geralmente isso não ocorre. Vez ou outra, ao longo das horas de sono, você regressa ao corpo para retemperar, abastecer-se de energia anímica, magnética, humana e, então, volta a decolar. As fases do desdobramento se sucedem, em regra, em intervalos menos ou mais regulares. Baseio-me na literatura ao fazer essa afirmativa e, também, em observação empírica. Por exemplo, tenho um horário que combino com os espíritos. Fico desdobrado durante duas horas aproximadamente, retorno ao corpo por questão de três, quatro minutos e volto de novo; pouco depois de mais duas horas desdobrado, volto à base física, refaço-me na energia anímica, pego o impulso e saio do corpo novamente.

Nem sempre fico consciente o tempo inteiro. No meu caso, prefiro não ficar, embora, segundo os espíritos, isso seja decidido de acordo com o desenrolar do trabalho. Porém, não depende tanto assim deles, mas da fisiologia do meu perispírito, do meu cérebro parafísico, da minha mente. Isso é o que determina a maior parte do grau de consciência.

Desenvolver uma consciência universal, de que você é integrante da humanidade... Quando desenvolvo essa consciência, descubro que tenho um compromisso com o ser humano; o compromisso não é nem com os espíritos, não, é com a humanidade desta nave cósmica chamada Terra, onde você e eu moramos. Juntos temos o compromisso de sustentar essa ecologia planetária. A prática da projeção astral nos faculta essa consciência universal. Quando você desdobra, trava contato com os gnomos, as fadas, as sílfides, os silfos e com os espíritos elementares da natureza, já descritos amplamente na literatura, por exemplo, em *Aruanda*.[5] É extraordinário quando você percebe que tudo vibra, tudo vive, tudo se movimenta na criação: da pedra aos seres humanos, passando pela árvore, pelos devas e pelos espíritos superiores da natureza, tudo vibra. Gera-se, também, um compromisso com a própria mente, a própria emoção e o próprio corpo: "Vou cuidar mais do meu corpo; não é qualquer um que vai tocá-lo, porque ele é o templo do espírito".

Hoje me consagro todas as noites aos Imortais para que me levem, e tenho consciência do ambiente e da ecologia universal que me envolve. Você começa a cuidar mais das coisas, porque, quando se coloca como instrumento das forças soberanas da vida, desenvolve o sentido de que tudo a seu lado é energia e

5. PINHEIRO, Robson. Pelo espírito Ângelo Inácio. *Aruanda*: um romance espírita sobre pais-velhos, elementais e caboclos. 2. ed. rev. Contagem: Casa dos Espíritos, 2011. p. 86-98, cap. 7. (Segredos de Aruanda, v. 2.)

vibra, da pedra até coisas como o vaso em sua casa. Então, não vai sair batendo portas, armários e tudo mais, porque cada coisa tem um componente energético; cuidará mais do computador, da mesa, porque sabe que ali há energia vibrando. Com meu próprio instrumento principal de psicografia, que hoje é o computador, às vezes até mesmo o celular, aprendi a ter um cuidado especial, não por apego à matéria, mas por saber que isso que vemos como matéria é condensação de energia, e energia é matéria em estado radiante, na fala do espírito Joseph Gleber.

Quero deixar uma noção maior, a fim de que possa cultivar essa consciência, começar a perceber tudo, o mundo à sua volta. Porém, não o mundo que você pensa estar vivo; refiro-me a todas as coisas: a casa, a madeira com que o móvel é feito, os sapatos, a roupa... Tudo isso contém energia, e existe uma lei da vida que afirma que prosperidade atrai prosperidade, gentileza gera humildade, atitudes geram atitudes. Portanto, depende sobretudo de você aquilo com que deparará fora do corpo. A partir da conduta que adota internamente, encontrará sintonia com as formas de vida fora de você.

FENÔMENOS RELACIONADOS AO DESDOBRAMENTO

CAPÍTULO V

A partir deste capítulo, compartilho algumas características da projeção astral, características bem interessantes que desejo que sejam fixadas por você. Começo relembrando a importância de ter em mente alguns conceitos que abordei anteriormente, desde o desdobramento do duplo etérico até as viagens com o psicossoma ou o chamado corpo astral, passando pela projeção em corpo mental e pela clarividência extrafísica. A partir de então, pretendo avançar um pouco no exame de certos fenômenos que podem ocorrer durante o desdobramento ou estarem a ele associados.

DEJAÍSMO

Um fenômeno interessante é o *dejaísmo*, que é a sensação de reconhecimento ou de conhecimento prévio; dito de outra forma, é a impressão forte e, geralmente, rica em detalhes de já se ter visto determinado lugar ou vivido determinada situação. É uma das nuances muito comuns da projeção extrafísica, na qual a memória eclode, em bloco — ainda que menos ou mais fragmentária —, em algum momento posterior à viagem astral, tipicamente motivada por um fato externo corriqueiro.

A fim de traçar um paralelo um tanto imperfeito, no que concerne às sensações vividas pelo sujeito, pode-se afirmar que o dejaísmo lembra o famigerado *déjà-vu*. Isto é, durante a vigília, visita-se determinado local e, logo após o adentrar ou uma palavra ser dita, imediatamente, o indivíduo é acometido pela sensação de que já esteve ali, de que já conhece o lugar ou já viveu aquela série de acontecimentos. Aposto que a maioria já viveu esse fenômeno do *déjà-vu*. Já o experimentei algumas vezes, principalmente quando visitava algumas cidades históricas. Bem quando ia entrar em dado local, ou tão logo o fazia, era tomado de uma impressão firme e forte de que alguma coisa dentro de mim, que eu sequer era capaz de expressar, conhecia aquele lugar, como se já tivesse estado ali.

O dejaísmo, porém, é facilmente distinguível, pois é acompanhado de uma riqueza de detalhes bem maior e de reminiscências mais claras que o *déjà-vu*, ou menos obscuras, assim como traz importante componente emocional. Sucede, com frequência, o ingresso em determinado local por parte do sujeito. Ao tocar o ambiente, seja nos móveis, seja nas paredes, advêm as imagens da visita àquele local, onde esteve anteriormente, desdobrado, e tais imagens ficaram armazenadas no inconsciente ou no subconsciente.

Muitas vezes, isso ocorre porque nós não temos capacidade — na verdade, o cérebro físico ainda não tem capacidade — de reter toda a memória e toda a lembrança daquilo que o paracérebro vivencia. O paracérebro é o cérebro do corpo espiritual ou psicossoma. Frequentemente, a quantidade de informação é muito grande, e o cérebro físico é incapaz de reter aquela lembrança de modo pleno.

Então, quando se chega ao local que foi palco do desdobramento — ou, até mesmo, de uma simples expansão perispiritual —, os objetos e as cenas presenciadas se tornam uma chave psíquica, causando na memória a eclosão da certeza de já ter estado ali. Algumas pessoas apreendem, até mesmo, os detalhes; se quer percebê-los, no momento em que a reminiscência vier à tona, deve-se tocar os objetos com mais firmeza, então, a recordação tende a se ampliar ainda mais, de modo a contemplar o que havia ali no plano astral, na contraparte etérea daqueles objetos.

De modo geral, essas ocorrências refletem coisas vistas na atual existência, mas também há quem experimente o dejaísmo em virtude daquilo que viveu em encarnações precedentes. Na maioria das vezes, porém, o fenômeno refere-se a questões presenciadas na vida atual, em desdobramento.

QUASE-MORTE

Outro fenômeno relacionado ao desdobramento é chamado de *quase-morte*. Considere momentos de perigo extremo e abrupto como, por exemplo, ao sofrer um acidente automobilístico ou de outra natureza, ou mesmo quando dele se escapa na iminência de que ocorresse; durante um procedimento hospitalar ou uma cirurgia grave, entre demais possibilidades. Há numerosos relatos de quem acaba desdobrando nessa hora séria: sai do corpo e tem a impressão de encontrar alguém, alguma luz ou determinado ser que vem em seu socorro. Quase todos nós que somos espiritualistas, que procuramos espiritualidade, já ouvimos relatos a esse respeito. O grande problema é que não exploramos o tema suficientemente, então, em vez de penetrarmos na mente inconsciente, vemos isso como algo pitoresco, apenas.

Nesses momentos de grave perigo, que facultam uma dissociação súbita entre o paracérebro e o cérebro físico — ou seja, um desacoplamento —, faz-se uma viagem ligeira, rápida para o plano extrafísico. Em regra, tem-se a sensação e até a certeza de que alguém presta amparo, de que houve socorro. Certo livro psicografado por mim descreve o que vivem os personagens durante o desdobramento de quase-morte.[1]

Um dos efeitos relatados é a percepção alterada de tempo e de espaço quando ocorre esse tipo de desdobramento abrupto e não programado. A percepção de tempo por parte do indivíduo se modifica, como se a sucessão de segundos e minutos se tornasse mais dilatada. Tudo do outro lado se passa de modo muito veloz em relação ao que se vê na dimensão corpórea, em que tudo ganha ares de lentidão; ao observá-la, é como se ele assistisse a um vídeo em câmera lenta. Além disso, tem dificuldades em saber se o que presenciou fora do corpo foi algo em tempo real, se porventura se deu

1. Cf. PINHEIRO, Robson. Pelo espírito Ângelo Inácio. *O próximo minuto.* Contagem: Casa dos Espíritos, 2012.

no passado ou se é algo relativo ao futuro. Portanto, além da duração e do ritmo temporais, a própria cronologia se embaralha aos olhos do sujeito.

Note-se o seguinte, particularmente no que tange ao desdobramento de quase-morte: no instante em que a pessoa é desacoplada, sente como se uma força a tragasse para fora do corpo, transferindo-a com rapidez alucinante para o plano astral, o plano mais próximo do nosso. Em virtude dessa mudança, observa-se um impacto sobre a velocidade com que os pensamentos lhe cruzam a mente. Por que isso? O pensamento, na verdade, manifesta-se no paracérebro primeiramente, e não no cérebro. Este é apenas o órgão que captura o pensamento e o traduz, de sorte que faça sentido na dimensão física; contudo, dada sua natureza densa, ele amortece a velocidade natural das ideias. Desembaraçado do elemento material, o fluxo do pensamento transcorre com rapidez bem maior, e o raciocínio fica mais claro.

Pessoalmente, vivi uma experiência de quase-morte e me recordo da nítida impressão que tive, quando desdobrado, de que as pessoas andavam em câmera lenta na dimensão física. Logo, percebi, porém, que era a mente que funcionava com enorme agilidade, muito embora, na ocasião, não soubesse explicar por quê.

Nas experiências de quase-morte, motivadas pelas causas mais diversas, são corriqueiros os relatos de certa revivescência da memória. O mesmo se verifica quando da iminência da morte, antes do desligamento definitivo do corpo, segundo contam numerosos espíritos desencarnados. Em ambos os casos, é como se um filme passasse rapidamente diante do sujeito, contendo cenas marcantes da vida; assomam à memória fatos longínquos da infância, da juventude e de períodos outros.

Muitas pessoas se apavoram e deduzem estar mortas quando vivem o fenômeno da quase-morte. Um aspecto predominante nessa situação é o fator emoção: em vez de simplesmente perceberem os fatos, elas interpretam o que lhes ocorre de acordo com a emoção forte que vivenciam naquele momento. O viés emocional atinge o extremo quando o indivíduo é capaz, até mesmo, de se abstrair do fato em si. Um grande exemplo disso é se aparece um espírito nessa hora...

Acompanhei o caso de um grande amigo que viveu

esse problema ao enfrentar o câncer. Na verdade, não foi a doença que provocou o desdobramento abrupto do corpo astral, e sim sua reação quando recebeu o diagnóstico. Ele desmaiou, literalmente desmaiou ante a notícia difícil. Logo depois, ele foi "ressuscitado" e voltou à consciência. Contou-me que trouxe à memória algumas recordações, e veja o que é a diferença entre fato e interpretação... Ele falou assim:

— Robson, Nossa Senhora apareceu para mim.

— Nossa Senhora? Não é demais? — redargui.

— Maria de Nazaré, sei lá, mas eu tenho absoluta certeza de que foi ela.

O tempo passou e eu não quis questioná-lo a respeito; não era o caso de questionar, mas o fui sondando, aos poucos. Ele advém de uma cultura espiritual muito ligada à Igreja Católica; a família inteira é bastante devota. Desse modo, todo espírito feminino que lhe aparece, naturalmente, ainda mais estando ele envolto em forte emoção, é interpretado como Nossa Senhora. Mediante o impulso do seu inconsciente, qualquer espírito iluminado feminino seria percebido como sendo Nossa Senhora. Considerando a mentalidade dele, tamanha emoção bastou para colorir as impressões e lhe dar convicção. Não quis o demover dessa crença, até porque o essencial da situação foi o amparo que ele recebeu. Para fins de estudo, entretanto, interessa notar a tendência de que a emoção sobrepuje a razão nessas experiências de quase-morte.

Outros depoimentos comuns dizem respeito à sensação de estar flutuando no espaço, de um lado para outro, como se pisando em nuvens, bem como dão conta de percepções de seres extracorpóreos ou vultos em torno de si. Além disso, mencionam túneis de luz, de uma luz intensa, onde também aparecem seres iluminados.

Pessoalmente, experimentei um momento desses de quase-morte, no ano de 1997. Fui internado por causa de uma apendicite grave que tive e acabei contraindo infecção hospitalar. Via quando as pessoas me visitavam e conversavam comigo, dirigindo-se ao meu corpo, na Unidade de Terapia Intensiva (UTI). Lembro-me, nitidamente, de uma amiga dizendo:

— Robson, pode morrer, vá em paz! Nós já compramos a sepultura e o caixão para você.

Eu pairava acima do leito, pouco abaixo do teto

da UTI, e olhava na direção do meu corpo. Instintivamente, respondi, mesmo em desdobramento, como se ela pudesse me ouvir:

— Mas, Emília, eu não estou morto! Não vou morrer.

Em meio àquilo tudo, parecia que eu flutuava, e minha situação era a seguinte. Ouvia sons e, ao voltar a atenção a eles, eu me via brincando, tal como na infância, com uma criança que era nossa vizinha quando eu tinha cinco ou seis anos de idade. Pensava: "Estou me vendo... Será mesmo algo que já vivi ou isso é um sonho? Estou sonhando estar desdobrado ou estou desdobrado, sonhando? Emília falava que aquele corpo irá morrer e que o corpo sou eu. Será que sou eu? Por que então me sinto tão vivo aqui?"

Convém notar que, na experiência de quase-morte, a pessoa desdobra e fica entre uma dimensão e outra, porque, na verdade, ela não morreu, não desencarnou; a vida física está em situação de risco e houve um desligamento temporário, mas não total. As percepções da realidade, como foi dito, ficam mais ou menos alteradas. Ouvia alguns espíritos falarem comigo. Em certa ocasião, escutei a voz de Joseph

Gleber; em outra — ao longo dos 19 dias em coma —, ouvi a voz de Bezerra de Menezes se dirigindo a mim:

— Meu filho!

E a voz sumia.

— Filho...

Então, eu sentia Bezerra.

— Sou eu aquela voz — dizia ele.

Minhas impressões eram difusas porque o perigo era iminente, visto que a equipe médica estava a ponto de desligar os aparelhos. Embora fossem eventos reais que vivenciava, a forma de registrá-los estava afetada. Especialmente naquele momento, interpretei tudo de maneira mais emotiva porque o corpo físico corria perigo. A emoção dos parentes e dos amigos também cercou o que ocorreu naquele período de internação, deixando tudo gravado fortemente em meu ser. Minha razão não operava plenamente nem mesmo nos breves momentos em que eu reassumia parcialmente o corpo, porque aquele era um estado completamente perturbado, em que minhas percepções estavam bastante comprometidas. Sem dúvida, experimentei certos fatos, mas os interpretava de acordo com o viés emocional próprio do momento.

DESDOBRAMENTO ANTEFINAL

Em situação com desfecho diferente da que se vê na experiência de quase-morte, existe o desdobramento antefinal, isto é, prévio ao momento da morte ou do abandono definitivo do corpo. Falo em morte, e não em desencarne, para fixar bem esse conceito.

Pouco antes de ocorrer o descarte biológico final, não é incomum que se observe certo tipo de desdobramento. Nesse estado, a consciência se vê, de maneira involuntária, projetada para fora da matéria. O veículo físico já apresenta sinais de que está prestes a sucumbir, mostra-se abatido, não importa a causa, e, por isso, não mais retém o espírito com a tenacidade habitual. O que acontece nesses momentos, segundo numerosos relatos, é algo notável: a pessoa se sente envolvida por uma paz, uma coisa muito boa e intensa. Casos assim são clássicos para quem trabalha em hospitais e com doentes terminais. Nas pesquisas que fiz a respeito do tema, pude comprovar que, geralmente, esses indivíduos têm o pressentimento de que a morte se avizinha.

Também, pude observar isso com a minha mãe, Everilda Batista. Uma semana antes de ela desencarnar, em 1989, houve um momento em que estavam todos bastante agitados. Tal como se ouve de muita gente, sucedendo a hora do desdobramento antefinal, o doente apresenta alguma melhora e, consequentemente, certa calma advém sobre os familiares. Com minha mãe e conosco não foi diferente. Ela foi tomada de relativa tranquilidade e me disse:

— Meu filho, estou invadida de uma paz de espírito tão grande... Quero te dar uma coisa.

Então, ela me deu um presente: tirou os óculos e os colocou em minhas mãos. Até hoje os conservo em um quadro em minha casa. Nesse instante, falou-me assim:

— Queria que você visse o mundo com as mesmas lentes que eu vejo, com alegria e otimismo. Isso aqui é meu presente que eu deixo pra você.

— Mãe, o que é isso?

— Estou muito grande, filho! Eu vi minha mãe... ela veio aqui conversar comigo. Tenho absoluta certeza de que não passo de uma semana no corpo e eu queria te pedir umas coisas, algumas providências.

Quando falou assim comigo, aquilo bateu muito forte.

— Mãe! Que isso, mãe? A senhora vai morrer?

— Filho, vamos conversar de vez. Você é espírita, a gente sabe que a vida existe, a gente sabe que a morte é que não existe e que nós somos imortais... O corpo não está aguentando mais sua mãe.

Foi assim que ela falou. Eu respondi:

— Tudo bem, mãe... então, vamos conversar de gente para gente, de filho para mãe, sobre a realidade. A senhora está para desencarnar. O que a senhora quer que eu faça?

E ela me encomendou algumas coisas. Disse:

— Estou tão em paz... mas quero pedir uma coisinha ou outra. A primeira delas, filho, é que você arranje um batom, o melhor que tem, e, assim que eu desencarnar, você vai passar em mim. Quero ser maquiada.

— Mãe, a senhora nunca pôs batom na vida!

Ela, realmente, nunca usava maquiagem, a não ser algo que se chamava pó de arroz — nem sei se existe hoje ainda — e, também, um perfume de que eu gostava muito, que se chamava *Maderas de Oriente.*[2] Era o que ela usava antigamente; era o que dava para comprar com o dinheiro que tinha.

— Quero que você passe o perfume, o pó de arroz... E quero ser enterrada de sapato alto, com a melhor roupa que eu tenho.

Eu me assustei e questionei:

— Mãe, o que é isso?

— Meu filho, vai que alguém não gosta de mim... Quando for me olhar no caixão, essa pessoa vai chegar e falar assim: "Essa mulher não vale nada, mas tinha bom gosto... Que batom maravilhoso!". De alguma coisa tem que gostar. E se eu for para o inferno? Vai que não existe esta tal reencarnação, que todo mundo fala, em que a gente acredita, e, então, eu vou para o inferno... Vou transformar aquele inferno num paraíso. Ai do capeta se eu for pra lá! Porque eu vou chegar lá de salto alto e fazer uma sopa igual eu fazia.

Minha mãe havia trabalhado naquela época de Al-

2. Fragrância da perfumaria espanhola Myrurgia, lançada em 1918, que deixou de ser produzida há algumas décadas.

ziro Zarur, realizando a grande sopa de Alziro Zarur.[3]

— Vou fazer um sopão no inferno para os capetas pobres e para as almas perdidas, e o diabo vai ter que me tolerar, porque eu vou mudar aquilo tudo ali e não desço do salto nem dentro do inferno.

E assim mesmo eu fiz; passei o batom e tudo mais. Ela também me pediu para selecionar o que seria tocado, pois queria que eu colocasse uma canção para ela — era época de disco de vinil —, uma música que cantávamos na igreja, que ela apreciava muito. Sempre saíamos com grupos de jovens na época em que eu era evangélico e fazíamos uma passeata pelas ruas, pelas casas das pessoas, entoando cantigas de louvor com violão e nosso coro amador. Ela gostava de uma específica e falou:

— Eu não quero flores no meu caixão; detesto

3. Alziro Abrahão Elias David Zarur (Rio de Janeiro, 1914–1979) foi jornalista e radialista de grande projeção, chegando a dirigir Chico Anysio (1931–2012) em radionovelas. Em 1950, fundou a Legião da Boa Vontade (LBV), instituição voltada ao diálogo ecumênico e à prática da caridade. Pelas ondas da Rádio Mundial, divulgava as ideias cristãs e incentivava a distribuição de sopa aos pobres nas noites do Rio e de todo o Brasil.

rosa vermelha, detesto vela, então, nada de vela acesa. Você vai colocar música, fazer uma oração e só. Pode ficar tranquilo, pois não estarei ali mais não, que eu não tenho tempo para ficar perto de caixão, nem sofrendo nem chorando. Tem muita coisa para ser feita, e eu preciso trabalhar.

Então, colocamos uma música cujo início é exatamente assim:

Esta paz que eu sinto em minh'alma
Não é porque tudo me vai bem
Esta paz que eu sinto em minh'alma
É porque eu sigo a quem é fiel...

Até hoje, quando lembro, me emociono, pois recordo que as pessoas que ela ajudou acorreram ao velório e ficaram todas de mãos dadas na rua, enquanto o carro ia passando com o caixão. Todos cantavam a música, pois eu distribuí um papel com a letra. Eu não fui ao cemitério — ela me pediu assim, para eu não conservar aquela memória a seu respeito.

Voltando ao desdobramento antefinal na vida de Everilda, naqueles últimos dias, ela carregou o pressentimento da própria morte; não só isso, na verdade, mas a certeza. Recordo que ela falou assim:

— Preciso fazer uma visita a seu irmão, na cidade de Ipatinga. Você me leva?

Redargui imediatamente:

— Mãe, se a senhora vai morrer em uma semana, o que quer fazer em Ipatinga? — a cidade dista cerca de 100km de onde morávamos, no leste de Minas Gerais.

— Eu não vou morrer aqui em Governador Valadares; vi até o lugar onde vai ser. Vou fazer essa visita a ele e é lá que eu vou morrer, de alguma maneira.

— Mãe, mas que loucura é essa... Está programando a sua morte?

— Ora, não é mais inteligente do que você ser pego de surpresa? Que você arrume um jeito de cuidar da sua irmã, para ela não se desesperar, e me leve para lá.

Realmente, ela desencarnou em Ipatinga. Quando se aproximava a hora agá, ela me disse, de repente:

— Meu filho, eu estou com uma vontade de tomar água de coco e comer pão de queijo...

Ela não aguentaria, de tanta fraqueza; ainda assim, eu comentei:

— Mãe, eu vou ali no mercado comprar.

— Não, mas eu quero a água de um coco que se vende naquela barraca lá em Valadares — a 100km de distância dali!

— Mãe, mas em Valadares?...

— Vá com sua irmã, que ela prepara o pão de queijo desse jeito, e traga para mim.

Exatamente após chegarmos ao destino, já em nossa casa, meu irmão me ligou informando:

— Sua mãe acaba de ser internada.

É um irmão de criação; minha mãe resolveu criá-lo quando ele tinha três meses de idade. Após fazermos as compras encomendadas, fomos para o posto da Polícia Militar, na rodoviária de Governador Valadares, onde conheciam meu irmão e poderiam falar conosco enquanto aguardávamos o ônibus para regressar a Ipatinga.

Ela queria que não a víssemos no momento final. Então, desencarnou com esta sensação: queria visitar a família, conversar com as pessoas; chegou a pedir para mandar uma carta ou telefonar para o irmão dela... Repare o desejo de dar adeus aos familiares e aos amigos.

Portanto, às vezes, a pessoa está ruim na cama, está mal, a família fica desesperada e, de repente, ela melhora. Essa melhora, digamos assim, é um engano necessário que os espíritos proporcionam; é uma peça boa que eles nos pregam, a fim de favorecer o desligamento do corpo físico. Eis a função do desdobramento antefinal: a pessoa percebe a morte, retorna e se acalma; na hora em que todo mundo fica tranquilo, os mentores vão e promovem o desligamento. Depois da percepção da morte, geralmente, o indivíduo desperta tranquilo do desdobramento, feliz: "Estou bem, estou em paz, estou tranquilo". Esse é um recurso providencial, patrocinado pelos próprios benfeitores espirituais a fim de acalmar a família e os mais próximos.

Conheci o caso de um médium extraordinário que, na hora de desencarnar, não conseguia, porque o povo todo do centro espírita se desesperou... Dizem que espírita acredita em imortalidade e reencarnação, mas, quando o negócio se aproxima, não é bem assim. Na hora de virar espírito, todo mundo sai correndo de medo. Todo mundo queria conversar com espíritos, mas, quando era chegada a hora dele, o povo se pôs a clamar: “Não vá, não; não faça isso, não nos abandone... Se você nos abandonar, o que vamos fazer com o trabalho?”.

O médium não desencarnava, permanecia no corpo. Houve um momento em que os espíritos resolveram: “Promoveremos ligeira melhora nele, repentina; injetaremos ectoplasma e fluido vital”. Ele recuperou-se um pouco, e todos comemoraram: “Ah, graças a Deus! Fulano de tal melhorou”. O caso se passou na cidade de Ipatinga, onde morei por alguns anos. Assim que o pessoal saiu e ficou uma só pessoa tomando conta, o doente desencarnou de maneira tranquila, porque a comoção do povo não deixava que ele partisse em paz.

Ora, esses fatores todos se relacionam ao desdobramento antefinal, a fim de que a pessoa possa visitar previamente o local para onde irá, bem como ter contato com os familiares, aqueles que realizaram a grande viagem antes dela. Dessa forma, casos assim são clássicos e têm característica similar; nem todos são iguais, é claro, mas tal é o resumo do que pudemos reunir de todas as experiências já pesquisadas a respeito do assunto.

PRECOGNIÇÃO, RETROCOGNIÇÃO, PSICOMETRIA E AUTOPSICOFONIA

CAPÍTULO VI

Quando se pretende estudar o tema desdobramento, é incontornável falar sobre os escritos sagrados do cristianismo, reunidos na Bíblia, e citar algumas peculiaridades constantes ali. Todos os profetas do Antigo Testamento foram descritos como detentores do dom de profecia, geralmente, manifesto durante o sono físico. Trata-se, precisamente, do processo de desdobramento, associado a um fenômeno denominado *precognição extrafísica,* que, como o nome indica, consiste na capacidade de prever eventos futuros. São vastos os exemplos.

Logo no primeiro livro da Bíblia, o Gênesis, Jacó deita-se, adormece e, então, começa a divisar uma escada ligando a terra até os céus; de repente, ele avista anjos subindo e descendo por essa escada.[1] O personagem, na verdade, viu uma metáfora alusiva à faculdade mediúnica, simbolizada por essa ponte conectando céu e terra, por meio da qual transitam emissários do Alto. Já no início do Novo Testamento, também, a mediunidade onírica de José desempenha papel fun-

1. Cf. Gn 28:11-18.

damental, de modo que o pai de Jesus dorme, desdobra e encontra o mensageiro celestial em diferentes episódios.[2] Por sua vez, João Evangelista introduz seu Apocalipse atestando: "Eu fui arrebatado em Espírito no dia do Senhor".[3] Todas as visões narradas a partir daquele ponto ocorreram durante o desdobramento ou *arrebatamento*. O apóstolo João apresentava essa habilidade da precognição que ora comento em altíssimo grau de desenvolvimento — ou seja, essa faculdade perceptiva do espírito que antevê os eventos futuros —, tal como Daniel, Isaías e muitos outros.

Já citei o profeta adormecido Edgar Cayce, que, em espírito, é um dos personagens do livro *O fim da escuridão* e de outros mais de autoria de Ângelo Inácio, bem como inspirou Júlio Verne a escrever, por meio da mediunidade, a distopia em dois volumes intitulada *2080*. Na verdade, Cayce faz parte da equipe numerosa de Ângelo, uma espécie de editor do Além.[4]

2. Cf. Mt 1:20-24; 2:12-22.

3. Ap 1:10.

4. Cf. PINHEIRO, Robson. Pelo espírito Ângelo Inácio. *O fim da escuridão*:

O paranormal nascido em Kentucky era capaz de fazer diagnóstico inclusive à distância, mesmo a mais de 700km. Mandavam cartas para ele, então, deitava-se com o nome e o endereço de alguém em mente e estabelecia sintonia com aquela pessoa, desdobrado. Muitas vezes, nem precisava ir até ela; bastavam a chamada expansão da consciência — que consiste em dilatar o corpo astral, ampliando suas percepções e sua sensibilidade — e a conexão com o endereço vibratório, o que lhe permitia sentir em si ou captar os sintomas e os males que afligiam o alvo. Afirmava ouvir uma voz, denominada por Cayce de "minha voz" ou "meu mensageiro", que lhe transmitia as previsões ou os diagnósticos. Ele não via o espírito, mas isso não o impedia de ter a percepção psíquica com clareza e grande acurácia.

Alguns médiuns profetas, de denominações

reurbanizações extrafísicas. Contagem: Casa dos Espíritos, 2011. (Crônicas da Terra, v. 1.)

Cf. PINHEIRO, Robson. Pelo espírito Júlio Verne. *2080*. Belo Horizonte: Casa dos Espíritos, 2017 (v. 1); 2018 (v. 2).

evangélicas diversas, também relatam percepções extrafísicas importantes. Joseph Smith (1805–1844), que é o fundador da religião dos mórmons e da Igreja de Jesus Cristo dos Santos dos Últimos Dias, afastou-se certo dia para meditação e, de repente, entrou numa espécie de transe, experimentando o desdobramento. Assim que saiu do corpo, ele avistou um espírito chamado Moroni ou Morone, que lhe revelou tudo aquilo que Joseph, depois, transcreveu no *Livro de Mórmon*. A notável profetisa Ellen G. White (1827–1915), cofundadora da Igreja Adventista do Sétimo Dia, também vivia o fenômeno de forma similar à de Cayce. Ela falava assim: "O meu mensageiro está aqui agora".

White se deitava e, então, um fato bem interessante ocorria: ela diminuía a respiração a tal ponto, entrando num estado de transe tão profundo, que as pessoas colocavam uma vela acesa próximo a seu nariz e sua boca para verificar se ela permanecia respirando e, surpreendentemente, a chama não se movimentava. Nesse estágio sonambúlico avançado, ela falava: "Meu mensageiro está aqui, está revelando isso e aquilo...".

Ela descrevia tudo perfeitamente. Isso é o quê? Ora, a precognição: a pessoa, fora do corpo, consegue perceber eventos escatológicos ou que ocorrerão no futuro, em tempos vindouros.

PSICOMETRIA

Além desse fenômeno descrito até aqui, temos, tanto fora do corpo físico quanto acoplado a ele, a chamada psicometria. Essa faculdade é a capacidade de alguém tocar um objeto e absorver grande cota de informações relacionadas à sua história, bem como ao seu conteúdo, apreendendo o que ocorreu em torno daquele item. Em desdobramento, posso tocar um livro, por exemplo, e absorver o conhecimento ali registrado, se isso me for permitido. Trata-se da psicometria extrafísica.

Pessoalmente, já vivi uma situação dessas no ano de 1993. Por uma coincidência incrível, exatamente em frente ao imóvel onde, hoje, funciona a Aruanda de Pai João, mais de dez anos antes de esta ser fundada, existia um prédio ali construído. A rua se chama Atenas. Na época, nem imaginávamos que um dia existiriam a Aruanda e, com entrada pela rua paralela, a Clínica Holística Joseph Gleber, ambas as instituições vizinhas e situadas no mesmo quarteirão da cidade de Sabará, na Grande Belo Horizonte. Funcionava um terreiro de umbanda naquela rua, e apenas observávamos a movimentação dos fiéis enquanto estávamos na casa de uma amiga chamada Zoé, que adotava crianças de rua. Na residência dela, fazíamos experimentos de desdobramento e de contato com extraterrestres e intentávamos a produção de fenômenos mediúnicos de efeito físico, entre outros. Marcos Leão e Rodrigo Otávio, que nos ajudaram a fundar a Casa de Everilda Batista, também participavam. Certa vez, vivemos uma experiência diferente lá, um desdobramento em conjunto, uma vivência extrafísica na qual percebemos alguns espíritos que não eram da Terra, e, então, o orientador espiritual Alex Zarthú, após esses eventos, disse-nos:

— Prefiro contar os detalhes em outro momento para vocês.

Assim, pediu para lermos determinado livro, cujo nome nos passou. Falei que a compra do livro ficaria cara, já que eu estava numa situação financeira caótica — para se ter noção, eu realizava minha profissão de terapeuta holístico em domicílio, na residência dos clientes, porque não conseguia manter o aluguel de um espaço. Desse modo, jamais compraria, naquela altura, o que representava um gasto enorme para mim: o tal livro. Zoé, por sua vez, adquiriu-o e o deixou sobre a mesa de jantar dela. À noite, em minha casa, eu desdobrei e resolvi ir até lá:

— Bom, já que não tenho dinheiro para comprar, vou ler o livro durante o sono físico.

Qual foi minha surpresa ao tentar assimilar o que aquelas páginas continham. Tão somente repousei minha mão sobre a obra fechada e o conhecimento veio amplo, de uma só vez, provocando uma espécie de choque, de choque elétrico, que partiu da minha mão e atingiu o cérebro. Senti o conteúdo do livro como que se abrindo dentro de mim e, então, fui arremessado para longe. Uma força descomunal, sobre-humana eu diria, jogou-me contra a parede oposta. Nesse momento, indaguei:

— Pelo amor de Deus, o que aconteceu?!

Logo, passei a ver as letras como se caíssem à minha frente, enquanto assimilava, na íntegra, o conteúdo do texto. Afinal, experimentara o fenômeno da psicometria, ao menos uma de suas fases. Tal fato descortinou todo um universo à minha frente, no que tange tanto à possibilidade de estudar fora do corpo quanto à maneira não só inusitada, mas também altamente prazerosa de assimilar conhecimento.

Tive outra experiência; ocorreu comigo em um museu da cidade do Rio de Janeiro. A primeira vez em que entrei no lugar, havia, em meio a tantos artefatos da época da monarquia brasileira, um móvel específico que me chamou a atenção, embora não por ser bonito, já que era feio demais. Era um relógio de chão muito antigo, feito em madeira, que parecia estar desgastada, e o relógio, mal-acabado.

Estávamos um amigo carioca e eu. Sendo ele autor de um trabalho de pintura mediúnica notável, observava com interesse os quadros ao redor. Enquanto isso, apoiei-me levemente no relógio; sentindo algum cansaço, fechei os olhos por um breve instante e respirei fundo. Quando os abri, estava dentro de um salão com cortinas enormes e bem marcantes, em tom de vermelho muito forte, quase bordô, feitas de um tecido pesado, e também com vários babados. Via muitas damas com aqueles trajes de época — do século XIX, eu arriscaria dizer. Ao fundo, alguém tocava um instrumento musical ignorado por mim até hoje, que emitia um som estranho; na aparência, lembrava um piano, porém, havia tubos e mais tubos partindo dele em direção ao alto. Seria uma espécie de órgão? Fato é que não conseguia sair do ambiente ou da cena. Fiquei perturbado e me perguntava:

— Como será que eu volto?

Ao olhar para mim mesmo, notei o contraste: eu permanecia com a roupa que vestira naquele dia, porém, todos no ambiente usavam trajes de gala da época... Fui salvo pelo amigo, inadvertidamente, que, de súbito, tocou meu ombro e me fez recobrar a consciência regular na hora, de vigília.

— Robson, você está dormindo em pé?

— Não... Mas me deixe sair daqui logo!

Nunca mais quis voltar àquele museu. Fiquei apavorado, pois, para mim, a situação foi insólita, chocante. De todo modo, deixando de lado meu despreparo para lidar com o fenômeno na ocasião, tal é a psicometria.

COMO OCORRE COM grande parte das aptidões, pode-se treinar a psicometria, pois se trata de uma faculdade passível de ser desenvolvida, até certo ponto, e não somente estando desdobrado, mas acoplado também. Quando falo em treino, volto a frisar: é treino, é repetição, não é tentar uma vez e desistir caso não se atinja o resultado esperado. Requer-se persistência, uma vez que é preciso habituar a mente e condicionar o pensamento, mesmo em vigília, a expandir a consciência e perceber a "alma" de cada coisa, a memória energética inerente aos objetos.

Às vezes, uso a psicometria como técnica no atendimento terapêutico. Em circunstâncias especiais, quando o consulente não pode comparecer ao consultório, alguém leva um objeto pessoal dele. Ao tocá-lo, logo anoto o floral que me parece conveniente, por exemplo, conforme o que passo a sentir em mim, seja angústia no peito, seja outro sintoma qualquer.

A fim de iniciar a prática, sugiro eleger um objeto de alguém próximo e dedicar-se ao mesmo exercício. Primeiramente, atenha-se a esse alvo e tente várias vezes; com o tempo, perceberá em si o que ele sente. Comece por sondar a alma dele, as emoções, os sentimentos... logo, captará tudo isso com intensidade.

De preferência, faça isso no momento em que a pessoa dormir, porque há a probabilidade de que esteja desdobrada, ao menos com o psiquismo expandido, e, então, a sintonia será mais fácil. Sente-se em uma cadeira ou poltrona confortável, toque no objeto escolhido e busque sondar o que se passa com a pessoa visada. Você se assustará com a rapidez e o grau de precisão com que conseguirá perceber sensações e emoções. Mas atenção: não chame o espírito dela para perto de você, afinal, não sabe no que está metida. É o que manda a prudência, já que estará só e, além do mais, ignora eventuais companhias espirituais que a acompanham naquele momento.

Lembre-se do que falei anteriormente: a vida fora do corpo será a decorrência do que se faz quando em vigília. Com esse outro exercício que quero sugerir, colhemos o seguinte resultado em uma turma de educação da mediunidade em nossa casa espírita. Obtivemos relatos que diziam: "Nem quero mais desdobrar; quero mais é ficar por conta de ajudar pessoas com esta percepção que consigo através da psicometria". Isso porque, ao tocar no alvo quando a capacidade perceptiva já está aflorada — deve-se começar o treinamento com os objetos, para que seja desenvolvida —, a sensação vem de forma imediata, o que é muito gratificante. No ato, capta-se a sensação do que a pessoa vivencia: suas angústias, suas dores, seus problemas, de modo instantâneo. Tudo vem acompanhado de uma certeza absoluta, sem depender de espírito lhe falar e sem requerer nem ao menos o desdobramento, pois se trata de uma expansão do pensamento, da emoção.

Aqui, vale uma nota sobre o que aquelas pessoas da casa espírita afirmaram, declarando terem se realizado na prática da psicometria, preferindo-a em relação ao desdobramento. Gosto disso, porque cada qual pouco a pouco se encontra no trabalho. Existem pessoas que têm se preparado para ajudar o próximo em desdobramento ou na doação de ectoplasma, por exemplo. Quem faz parte do Colegiado de Guardiões da Humanidade recebe as convocações que envio, conforme a necessidade: "Gente, preciso de agentes à disposição no dia tal, a tal hora". Porém, muitos dizem assim: "Robson, o que eu posso é doar energia, pois é o que eu sei fazer melhor". Ora, vamos investir no que cada um faz de melhor! Outro pode fazer de outra forma, mas todos auxiliando de algum modo. Compete a cada qual colaborar como pode, escolhendo assistir na hora em que achar por bem, analisando o que for melhor em dada situação. Portanto, nem todos desenvolverão a psicometria, pois depende do foco de cada um.

De volta ao exame do fenômeno, o caso citado inicialmente, de psicometria extrafísica na casa de Zoé, consistia na apreensão do conteúdo de um livro, isto é, um conhecimento que não atravessa barreiras temporais. Contudo, existe a *retrocognição*, que é a habilidade de conhecer fatos passados, como vimos no evento que me ocorreu de forma completamente fortuita no museu. A retrocognição se dá comumente associada à psicometria.

Houve alguém que conheci certa ocasião, na cidade de São Paulo. Era uma pessoa com dons extraordinários, que tocou minha mão e meu relógio e disse:

— Olha, a pessoa que fez esse relógio... — e passou a descrever quem o havia fabricado.

Acho que era um pretexto, pois ela falou, dentro de alguns instantes:

— Puxa, Robson, você está angustiado.

— Eu, angustiado? — disfarcei. — É! Tem uma angústia aqui, sim...

Ela encostou no meu relógio, foi descobrindo tudo e foi descrevendo, e eu tentei enganá-la, dizendo estar tudo bem.

— Não está — redarguiu.

Ela insistiu mais um pouco no contato físico, ainda que discreto, então, anotou uma série de coisas e, por fim, me entregou uma receita:

— Está aqui. Use esses remédios que será bom para você.

A pessoa em questão era estudiosa de homeopatia e florais e acabou prescrevendo, justamente, o que eu precisava tomar.

Ao tocar um objeto, é possível conhecer o que aconteceu no passado — seja recente, seja remoto —, porque todos os nossos pertences trazem a memória daquilo que ocorreu em seu entorno. A psicometria é, portanto, um fenômeno fascinante e permanece como um vasto campo para investigações ainda a ser explorado devidamente.

Tenho uma amiga em Portugal que é capaz de

acessar a memória reencarnatória extrafísica, isto é, ela consegue perceber certas experiências alheias, de encarnações anteriores, em decorrência do que a pessoa vive no presente. O sujeito se aproxima da minha amiga, que, ao tocá-lo, expande a consciência rapidamente, entrando em conexão com a memória extrafísica dele. Isso se explica porque o registro mnemônico atávico de cada um de nós está gravado na própria aura.

Conheço apenas uns dois ou três sensitivos dotados dessa faculdade, entre eles, uma médium de qualidades notáveis que morava em Sete Lagoas, cidade aqui do Brasil, situada em Minas Gerais. É alguém que amo demais; uma senhora que, quando a conheci, já contava mais de 70 anos de idade. Ela voltou à pátria imortal há certo tempo. Entre outras capacidades, lograva penetrar no passado espiritual de alguém por meio da retrocognição psicométrica. Além disso, chegávamos perto e ela começava a nos descrever até internamente, isto é, a situação dos órgãos. Ela desdobrava e nem parecia estar desacoplada, embora ficasse nítido o estado alterado ou modificado de consciência em que se achava. Na verdade, não ficava fora do corpo totalmente, mas indo e vindo. Anos atrás, eu estava com essa senhora enquanto ela descrevia uma série de coisas, quando comentei:

— Puxa vida! Mas a senhora fica, parece, mais do outro lado do que desse, não é?

E ela me respondeu:

— Nós dois sabemos como fazer para ficar desse lado, né, Robson? Usamos uma série de artifícios e brincadeiras, contamos piadas e gostamos demais das coisas da Terra. Isso é nossa âncora para nos manter prisioneiros aqui, no corpo, senão, daqui a pouco, eu voaria.

Há pessoas dotadas dessa habilidade. Não é algo tão comum, mesmo fora do corpo, mas, sem dúvida, cabe estudá-la e desenvolvê-la.

AUTOPSICOFONIA

Outra aptidão passível de desenvolvimento e de amplo campo de exploração, principalmente para quem já atua na mediunidade, é a *autopsicofonia*. Trata-se de um fenômeno extraordinário, que produz efeitos intensos, sobretudo no que tange à limpeza energética em âmbito pessoal.

Autopsicofonia é o momento em que o espírito, incorporado, conversa com o próprio médium usando sua voz. Não há perda da consciência: o sensitivo entra em transe, e, então, a inteligência comunicante utiliza as cordas vocais deste. Desse modo, ao conversarem, o médium ouve tanto o que pergunta quanto a resposta dada pelo espírito com a própria voz. Essa é a autopsicofonia.

Para mim, esse recurso já foi muito útil. Lancei mão dele, certa vez, com José Grosso, espírito de um cangaceiro que foi irmão consanguíneo de outro chamado Palminha, ambos muito conhecidos do movimento espírita brasileiro, os quais trabalham na equipe de Joseph Gleber e Scheilla. Na ocasião, eu estava sozinho em casa, enfermo, e não consegui ninguém para ir até lá me ajudar. Então me sentei, concentrei-me e pedi ajuda:

— Pelo amor de Deus, estou sozinho! Não sei o que fazer.

Imediatamente, ele começou a falar através da minha própria voz, mas me deixou ouvir. O diálogo se deu mais ou menos assim.

— José Grosso, o que eu posso fazer? Pode consultar Joseph Gleber onde ele estiver? — perguntei por saber que José Grosso não atua como médico.

— Joseph não está aqui, mas vai se conectar a meu pensamento e examinar você.

Ele falava com minha própria voz, e eu, então, continuava:

— Por favor, me ajude a ter forças para me levantar. Vou até o escritório, pego um papel e você dita para mim o que o Joseph falar.

E seguiu me dando recomendações: "Os remédios são este e este. Pode ligar para a farmácia. Faça assim e assado". Passei a anotar o que ele falava com minha própria voz — uma situação que pode parecer bastante inusitada.

Quando ocorre esse fenômeno, o espírito não somente pode transmitir orientações para o médium... há outras finalidades nesse tipo de comunicação também. É algo, lamentavelmente, pouquíssimo estudado no meio espírita — isso quando se concebe a possibilidade de tal fato. A patrulha do que é classificado como antidoutrinário conta com muito adeptos.

Costumo debochar: "Se eu soubesse onde essa tal de *pureza doutrinária* se esconde ou se alguém um dia souber, que falem comigo, pois eu vou dar um couro nessa maldita *pureza doutrinária*". Não me conformo com esse negócio de que tudo tem que ser feito desta ou daquela maneira, do jeito que algum fulano diz que é o correto — normas que Kardec jamais sonhou em ditar. Não, espere aí! Que os espíritos possam atuar do jeito como quiserem, ao menos sem tantas amarras, pois são eles que coordenam o trabalho.

No momento da autopsicofonia, outra vantagem é que o espírito se acopla ao médium e absorve os fluidos densos deste, promovendo uma transferência magnética entre os corpos sutis de ambos. Na hora em que ele se afasta, ocorre o alívio imediato, seja de dores físicas, seja de tensões emocionais e angústias. É algo que vale experimentar.

Como se pôde ver, recomendo alguns exercícios, sobretudo para quem lida com a mediunidade. Evidentemente, não se trata de entrar em transe em qualquer lugar, a toda hora, porque os espíritos não estão aqui para realizar nossos caprichos, na hora em que bem entendemos. Entretanto, no caso de necessidade verdadeira, entre no seu quarto, você sozinho, ponha um papel ao seu lado e anote o que virá ou, até mesmo, grave, em áudio, o que sairá de sua voz. Não é intuição, é autopsicofonia: uma incorporação em que você conversa com espíritos, eles respondem e você ouve sua própria voz dando a resposta.

Existem mais três tipos de autopsicofonia sonambúlica — ou seja, própria do desdobramento. No primeiro deles, de caráter retrocognitivo, o paranormal acessa eventos pretéritos, mas os descreve como se estivesse lendo; ao menos daria essa impressão a um espectador. A segunda variante é a autopsicofonia associada à clarividência, em que o sensitivo vê a paisagem astral e transmite o relato pela própria boca, na base física, comunicando o que ele mesmo, em desdobramento, percebe. Há, ainda, o monólogo, em que ele fica próximo do próprio corpo, e o espírito, acercando-se do médium, fala a respeito de assuntos diversos, porém é este que reproduz a mensagem, como numa espécie de eco. Como se pode notar, nos três casos, o sensitivo atua como médium de si mesmo: a um só tempo, é espírito comunicante e intérprete, o que justifica o nome *autopsicofonia.*

Experimente, dê chance para que os espíritos façam o trabalho através de você. Talvez, não saiba disso ainda porque o pensamento geral é que o espírito só pode incorporar no médium para dar comunicações relacionadas a outra pessoa. Porém, em caso de necessidade real, você pode ser, ao mesmo tempo, o instrumento e o alvo desse maravilhoso fenômeno da autopsicofonia. E isso ocorre por quê? Porque você se afasta do corpo ligeiramente, não a ponto de perceber algo do mundo extrafísico, e, por isso mesmo, acompanha o espírito usando sua mediunidade, ouve-o falar e pode, assim, anotar as prescrições que, porventura, sejam acessíveis e fáceis de praticar.

Quero que você possa, em alguma medida, começar a utilizar esses recursos, que são formas de limpeza energética, de auxílio imediato. Às vezes, o espírito nem precisa incorporar; ele apenas se aproxima e, em um minuto, é capaz de liberá-lo da carga fluídica malsã. Os irmãos umbandistas talvez dissessem que se trata de um descarrego rápido, momentâneo. É algo fácil, e, se você der essa chance, os benfeitores espirituais farão isso por seu intermédio.

COMEÇANDO A PRATICAR O DESDOBRAMENTO

Há um experimento interessante, um teste que se pode fazer fora do corpo. Ao se projetarem no astral, muitos têm a intuição ou a impressão de que há alguém por perto, embora não o vejam, porque ainda não desenvolveram clarividência extrafísica. Afinal, não basta estar desdobrado para esse sentido automaticamente se manifestar. Portanto, aconselho os seguintes exercícios.

O primeiro deles é sensibilizar o chacra frontal. Peça a um magnetizador de confiança para tocar a região que lhe é correspondente — isto é, a área entre os olhos — com o intuito de sensibilizá-lo, transmitindo-lhe fluidos. Idealmente, promoverá pulsos de energia. Esse estímulo fará com que o chacra se abra, a fim de que possa, pouco a pouco, desenvolver a visão extracorpórea. Aliás, o mesmo recurso funciona também para despertar a vidência do indivíduo quando em vigília.

Outra técnica empregada com fim idêntico é conhecida como passe rotatório ou circular. Sobre a mesma área, logo abaixo da testa, realizam-se movimentos no sentido horário, seja com uma mão espalmada, seja com as pontas dos dedos unidas, a depender da preferência. Enquanto manipulam os fluidos, tanto magnetizador quanto receptor devem se concentrar na abertura da visão extrafísica, do terceiro olho.

Principalmente para quem já teve lampejos de desdobramento, mas sem clarividência, convém se submeter ao processo repetidas vezes. Entretanto, aptidão ao menos tão importante quanto essa é aprender a perceber o pensamento das entidades, as suas emoções, treinando a percepção de fluidos, um dos meios mais basilares e seguros de sondar a realidade extrafísica. Eis o segundo exercício.

É muito difícil definir um espírito como bom e sério pela simples aparência, posto que, por meio da visão, podemos ser enganados bem facilmente. E se um espírito inferior dissimular suas feições reais e não for quem diz ser? Certamente, jamais poderá disfarçar suas emoções e os fluidos que emanará, impregnados de sua natureza má; ele pode ocultar seu aspecto verdadeiro, mas as formas-pensamento que cultiva não há como esconder. Por isso a importância de se aprimorar a capacidade de perceber e identificar a qualidade dos fluidos, previamente ou em paralelo ao desenvolvimento da vidência, sem jamais menosprezar o seguinte alerta:

> "A faculdade de ver os Espíritos pode, sem dúvida, desenvolver-se, mas é uma daquelas cujo desenvolvimento deve processar-se naturalmente, e não provocado, caso não se queira ser joguete da própria imaginação. Quando o gérmen de uma faculdade existe, ela se manifesta por si mesma. Em princípio, devemos nos contentar com as que Deus nos concedeu, sem procurarmos o impossível. Quem quer ter demais, acaba correndo o risco de perder o que já tem".[5]

5. KARDEC. *O livro dos médiuns*... Op. cit. p. 270, item 171.

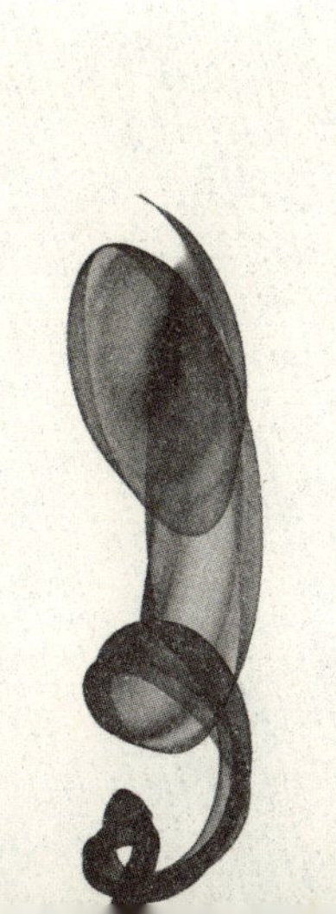

DESDOBRAMENTO LÚCIDO: UM PROJETO

CAPÍTULO VII

este capítulo, pretendo introduzir certos conceitos preliminares para alcançar o máximo proveito desta metodologia, a qual é valiosa para quem almeja praticar o desdobramento, a viagem astral ou o sonho lúcido, como se queira denominar — oportunamente, faremos as distinções entre uma e outra terminologia. Especificamente, tais tópicos permitirão que, no capítulo seguinte, aborde um ponto de muita confusão para todo aquele que quer se transformar num volitador consciente. Diz respeito a esta questão: como podemos distinguir entre sonho convencional e desdobramento ou viagem astral? Grande número de estudantes relata essa dúvida; já acompanhei vários casos de pessoas que conseguiram desdobrar, porém achavam estar sonhando. Por outro lado, há quem tenha absoluta certeza do desdobramento, e me vejo obrigado a dizer: "Poxa, sobre isso, você tem que estudar mais um pouco, vamos aprofundar mais".

Convém ter atenção quanto aos mecanismos de desdobramento. Afinal, não são todos que desdobram a qualquer hora, e isso decorre de diversos motivos.

Antes de tudo, é preciso considerar o fator evolutivo da humanidade do planeta Terra, sobre a qual os Imortais afirmam que, aproximadamente, três quartos da população mundial, entre encarnados e desencarnados, não se dão conta de que morreram nem de que estão encarnados. Essa parcela majoritária é ignorante das questões espirituais, acha que a vida máxima é aqui, na dimensão material, e, ao passar para o outro lado, fica perdida. São os chamados sonâmbulos do plano astral, criaturas que vão e vêm sem ter a mínima noção do que lhes ocorre, às quais a reencarnação sucede de forma automática, como um processo inconsciente. Em suma, são espíritos tão ligados à matéria que não lograram contemplar a realidade da imortalidade, que não sabem ou não querem acreditar que a vida continua.

Partindo dessa premissa, restam 25% dos habitantes da Terra, os quais têm noções de espiritualidade e, pouco a pouco, vêm despertando daquilo que chamamos de maia, a grande ilusão ou hipnose dos sentidos — talvez, numa nomenclatura mais recente, a *matrix*, isto é, aquela miragem que o plano material imprime em nosso cérebro, tentando nos convencer de que a realidade última é a Terra, de que só o mundo físico é real. Para escapar a esse plano de vibração mais densa, não é a qualquer hora, de qualquer jeito; há que entrar numa situação de estado alterado de consciência. No estado normal, não é possível simplesmente adentrar o plano extrafísico de forma consciente.

Aliás, isso vale também para as questões ligadas à mediunidade. Há quem diga: "Eu vejo espíritos 24 horas por dia". Ora, isso denota uma crise psicótica, porque, se for para ver espíritos em tempo integral, é melhor ficar no plano astral e não reencarnar; se for assim, sugiro que fique lá de uma vez ou se converta em um deles logo. Nós não estamos aqui para ver desencarnados 24 horas por dia, mas para fazer uma imersão na vida social, transformar e intelectualizar a matéria e espiritualizar o mundo físico, aproximando-o, cada vez mais, dos conceitos imorredouros. Se alguém vê espírito toda hora, o dia inteiro... então tem que internar essa pessoa, tem que buscar socorro psiquiátrico, pois ela está em surto.

Desdobrar, como se pode ver, não é algo insignificante e completamente trivial. A fim de cruzar a barreira dimensional, é necessário produzir o aumento da vibração do psicossoma.

Cabe aqui uma breve interrupção conceitual: *psicossoma*, vale esclarecer, equivale ao que, no espiritismo, é chamado de *perispírito*; ou, então, de *corpo astral*, segundo o esoterismo ou o espiritualismo universal. Em suma, *perispírito* é uma nomenclatura mais espírita, e *psicossoma* é o mesmo conceito, porém, numa terminologia mais científica.

Como dizia, é preciso estimular ou conceder certa cota de energia, de vibração ao corpo espiritual se há o intuito de provocar o desdobramento. Lembre-se do que falei a respeito do avião, que, para decolar, requer a propulsão das turbinas ou das hélices, de modo que a rotação aumenta e ele consegue deixar o chão. Assim, o processo para se desligar temporariamente do corpo físico obedece a um princípio análogo.

Deve-se entender essa condição técnica a fim de não se deixar iludir pela imaginação, de modo equivocado, tomando seu produto por projeção da consciência, uma vez que o ser humano é dotado de grande capacidade imaginativa. Essa ressalva é igualmente válida para distinguir desdobramento de visualização, pois mentalizar ardentemente que se está fora do corpo não significa estar, de fato. Há pessoas que imaginam ser médiuns e logo querem provar que o são, porém, daí não se segue que o sejam... apenas fica claro que aspiram à mediunidade.

VISUALIZAÇÃO CRIATIVA

Ainda antes de comparar sonho e desdobramento, o que se dará no capítulo seguinte, quero me deter um pouco no assunto *visualização criativa*. Tal técnica explora a capacidade da mente, e não do cérebro, de estabelecer certas metas em forma de imagens, metas bem claras, elaboradas em conjunto com os passos adequados a serem tomados para que elas possam se concretizar. Compartilho uma história a título de exemplo.

Muitos anos atrás, antes de haver Uber ou qualquer coisa assim, cheguei à conclusão de que eu precisava ter um carro para que pudesse me locomover com mais facilidade na região metropolitana de Belo Horizonte, cidade onde moro, porque estava envolvido com quatro instituições, e pegar ônibus de um bairro a outro tornara-se impraticável, tendo em vista a baixa qualidade do transporte público em geral, ao menos nas capitais brasileiras. Certo dia falei para mim mesmo: "Não vou mais ficar sujeito a essa situação. Preciso de um carro!". Comecei a imaginar como faria para que pudesse comprar um veículo, uma vez que os meus rendimentos eram bem raquíticos. Eu tinha um consultório terapêutico, mas não rendia o suficiente para tanto. Resolvi apelar à visualização criativa. Pensei o óbvio: "Se sou capaz de ensinar as pessoas a fazerem uma reprogramação mental e emocional de suas vidas, por que não aplicar isso na minha própria vida?".

Processo semelhante pode ser aplicado ao desenvolvimento da faculdade de desdobramento. É bom entender o que ela representa para saber: "Quais recursos do meu cérebro, da minha mente e da minha capacidade imaginativa e criativa emprego para desdobrar?".

Para responder a essa ampla questão, volto à história anterior. Em primeiro lugar, a meta deve estar bastante clara; nesse caso, eu queria um carro. A rigor, um veículo pode ser muita coisa: carro, carroça, moto, bicicleta... Para a visualização criativa funcionar, é essencial ter o objetivo bem delimitado. Portanto, determinei: "Quero um automóvel desta categoria".

Não era exatamente um presente de Deus... Bem podia ser um BMW ou Mercedes, mas nada disso. Meu carro, atualmente, foi o Exu das Sete Encruzilhadas quem me deu, porque ele é chique! Brincadeiras à parte, imaginei algo simples, a meu alcance na época: "Quero um carro da Volkswagen". Mas isso não é o bastante para a visualização criativa, é preciso ser mais exato na visualização: "Qual modelo exatamente eu quero? De que cor?".

Porém, surgiu um problema: "Como darei entrada nesse veículo se não tenho nenhuma economia?". Citei o fato para meu editor, que me desencorajou:

— Robson, não vejo como você comprar o carro agora... A editora não tem condição de ajudar neste momento, e eu acho impossível tendo em vista o que você ganha no consultório.

Mesmo assim, fui em direção à concessionária para escolher o modelo. Chegando lá, peguei vários folhetos com a fotografia do Fox; o modelo recém-lançado foi minha preferência. Decidi: "Vou começar a fazer o exercício de visualização criativa com essa imagem". Entrei no carro, procurei fixar a sensação de estar dentro dele. Em dado momento, um vendedor se aproximou e disse:

— Você trabalha com o quê?

— Sou terapeuta holístico.

Foi o bastante. Ele logo fez uma pergunta:

— Você por acaso já deu algum curso de terapia holística?

Assim que ele falou aquelas palavras, imediatamente uma luz acendeu na minha cabeça: um curso de terapia holística! A partir dali, desencadeou-se uma trilha de pensamento, e eu já não ouvia mais o que ele dizia. Eu disse:

— É a grande chance de eu ter meu carro! Não há quem ofereça um curso de terapia holística como o que posso dar em Belo Horizonte, e ensinar o que eu sei para as pessoas será extraordinário.

Não havia nenhum terapeuta, naquela época, que empregasse os mesmos instrumentos que eu. Saí do carro e deixei o vendedor falando sozinho. Subi o morro a pé, pensando, pensando... Quando cheguei ao consultório, mais ou menos 40 minutos depois, já tinha o curso desenhado na cabeça, um curso de terapia holística. Então, o que eu fiz? Peguei a foto do carro, vários folhetos, e coloquei-os no banheiro do consultório, porque é o lugar onde você se assenta e fica refletindo. Decidi que olharia para as fotos pelo tempo que eu pudesse. Mandei escanear a foto do carro e a coloquei como fundo de tela no computador — naquela época, afinal, os celulares pareciam tijolos; não era possível ainda fazer fotografia com eles. Espalhei foto do carro por todo lugar. Mentalizava: "Esse é o meu carro". Semanalmente, convidava um ou dois amigos para dar uma volta no meu carro. Como assim? Eu não tinha nem carteira de motorista, imagine... Convidava:

— Vamos ver o meu carro.

— Onde está o seu carro?

— Está na concessionária.

— Você o comprou?

— Claro, ele sempre foi meu. Vamos lá dar uma volta?

— Vamos lá.

Aproveitava o amigo que sabia dirigir para fazer o *test drive* comigo, uma vez por semana. Depois disso, encontrei meu editor e falei:

— Você pode me ajudar a formatar esta ideia do curso?

Ele respondeu:

— Quanto você pretende cobrar por esse curso?

Naquela maneira pobre de pensar — porque pobreza atrai pobreza, prosperidade atrai prosperidade, e essa é uma lei da vida que está no Evangelho —, falei um valor que correspondia a um oitavo, aproximadamente, do que a sugestão do meu editor. Ele me respondeu:

— Mas, com essa miséria, você vai dar entrada no carro?

— Eu acho que sim.

— Mas, Robson, e a sua experiência? Você trabalha desde 1985 com terapia holística. Você não ensinará simplesmente uma matéria; na verdade, transmitirá a experiência de anos e anos de trabalho. Além do mais, ensinará a pessoa a ser seu competidor; no futuro, pode se tornar seu concorrente. Então, vamos multiplicar isso por oito.

— Mas isso é impossível, ninguém vai pagar isso!

— Quantos alunos você quer? Para quantas pessoas você quer dar o curso?

— Penso numas dez a doze pessoas, no máximo...

— Então é só fazer a conta! O valor sugerido por você não dá nunca pra dar entrada no seu carro.

— Mas vou iniciar assim, com dez a doze pessoas.

Elaboramos o curso e o material publicitário, e continuei visualizando o carro o tempo todo: "É meu carro, ele é meu". Saía uma vez por semana com amigos que sabiam dirigir para dar uma volta no carro e fui divulgando o curso. Por sugestão do editor, fixei aquele valor oito vezes maior, conforme ele argumentara. Afinal, se não tenho uma mente próspera, não atraio prosperidade — e eu não queria atrair qualquer um; queria alunos capazes de vislumbrar a importância do que eu ensinaria, inclusive no que tange ao resultado financeiro possível, à altura do que investiriam.

As doze vagas pretendidas se transformaram em 168 alunos naquele curso, evidentemente divididos em várias turmas. Aquele êxito foi uma grata surpresa para mim. As pessoas pagavam com cheque pré-datado — era essa época. Ao ver aquela pilha de cheques pré-datados, uma amiga imediatamente ofereceu-me: "Tenho dinheiro guardado. Se você quiser, troco esses cheques todos para você sem lhe cobrar juros". Uma notícia excelente! Alguns dias depois de realizar a aula inaugural do curso, dei entrada no carro e lá estava eu dirigindo, esquecendo-me de que eu não tinha carteira de motorista. Eu sabia guiar, mas não tinha permissão para conduzir.

Não contarei mais detalhes dessa história, pois é muito longa. A finalidade é apenas ilustrar o que significa visualização criativa: ter objetivo claro, antever, acreditar na própria capacidade, tomar as decisões cabíveis e dar os passos certos para atingir a meta estipulada. Isso funciona na vida de qualquer um, e funcionou na minha vida. De forma análoga, para o trabalho de desdobramento e de viagem astral, é essencial eleger o propósito e compreendê-lo, além de tomar as medidas corretas para atingir o alvo.

SONHO *VERSUS* DESDOBRA-MENTO

CAPÍTULO VIII

Após nos inteirarmos a respeito da visualização criativa, passaremos a contrapor sonho e desdobramento lúcido, com o objetivo de analisar as diferenças entre eles. O assunto é alvo de grande confusão e celeuma. Por isso, é essencial comparar os dois fenômenos, de tal modo que, quando formos o epicentro de um ou de outro, sejamos capazes de distinguir com facilidade a fronteira de cada qual.

Antes de mais nada, quero fazer uma recomendação importante a fim de que perceba com clareza as questões atinentes ao nosso assunto. O ideal, ao consagrar-se à prática do desdobramento, é que você procure experimentá-lo já com o corpo descansado. Isso é definitivamente o ideal. Se é hora de dormir, que durma primeiro; depois, acorde em determinado horário e, já descansado, dedique-se ao exercício, a não ser que você eleja outro período do dia para treinar a projeção da consciência. A atenção a esse ponto fará com que esteja com o corpo reabastecido e a mente desperta, permitindo a observação acurada de todos os aspectos que lhe ocorrerão.

Já à primeira vista, existem diferenças bem marcantes entre sonho e desdobramento, as quais examinaremos a seguir, após rápida menção. Inicialmente, no que diz respeito ao sonho, não sabemos quando sonhamos assim que dormimos; o processo é quase todo inconsciente. Simplesmente dormimos e logo perdemos a noção clara do que nos sucede. Além disso, não raciocinamos durante o sonho; raciocínio lógico, durante o sonho, não existe — portanto, descaracteriza-o como tal. Em terceiro lugar, não começamos a sonhar ainda no estado de vigília; tampouco existe se deitar e, ato contínuo, principiar o sonho.

Por outro lado, ao estudarmos a viagem astral, constatamos episódios como a manutenção da lucidez antes, durante e depois dela. No sonho, bem sabemos, é o contrário! No meio do sono, de repente, o sonho aparece. Dormimos, perdemos a consciência e, em algum momento impreciso da noite, advêm os sonhos, as imagens oníricas e mentais. Penetramos nesse estado de um instante para o outro e dele saímos de forma igualmente súbita.

No decurso do desdobramento, são notórios os sinais prévios, posteriores e ao longo de todo o processo. Antes que se dê, há alguns acontecimentos perceptíveis. Durante o fenômeno, verificam-se também fatos muito genuínos, característicos, de ordem tanto objetiva quanto subjetiva, de modo a deixar claro o que se passa. Após o desprendimento se consumar, diferentemente do que se vê no sonho, também há efeitos inequívocos a serem observados. Vejamos os pormenores de cada etapa dessas a partir de agora.

SINAIS PRELIMINARES

1. Um dos sintomas comuns nos instantes que precedem a saída do corpo, sobretudo em quem está iniciando a prática do desdobramento, é o estado de catalepsia, que é quando se fica totalmente enrijecido, inerte; você está vibrátil, mas não consegue movimentar o corpo.[1] Há pessoas que são acometidas, ainda, de uma impressão de que estão prestes a morrer. Outros ficam tomados de medo ou até pavor, a tal ponto de impedirem que o desdobramento ocorra ao experimentarem a catalepsia. Porém, uma

1. "Letargia, catalepsia, mortes aparentes". In: KARDEC. *O livro dos espíritos*. Op. cit. p. 304-306, itens 422-424.

vez vencida essa barreira, dentro da própria cabeça, na caixa craniana, começam a ocorrer alguns sons, que, inicialmente, a pessoa pode nem perceber, devido ao temor. O sonho, como se sabe, não provoca nada disso; simplesmente se passa de um estado de vigília a outro, onírico, sem se ter nenhum domínio e tampouco clareza sobre essa transição.

2. Existem pessoas que apresentam ainda outro gênero de fenômeno, a depender de qual corpo, afinal, desdobra (mais adiante veremos acerca dos indícios que diferenciam o desprendimento deste ou daquele corpo). Há quem relate formigamento nas mãos, na língua e até em todo o lado esquerdo, do pé à face, de modo que chega a temer estar em curso um acidente vascular cerebral (AVC). Homens podem experimentar ereção; mulheres também descrevem excitação na região vaginal. Diante de tais sintomas, as pessoas começam a ficar preocupadas, não só em suas tentativas solitárias, mas também na casa espírita, na reunião mediúnica, tudo por desconhecerem os sinais precursores do desdobramento.

DURANTE O DESDOBRAMENTO

3. No decorrer da projeção astral, a consciência fica tão mais fora do corpo quanto maior for a lucidez extrafísica do paranormal. Ele pode ter noções fugazes ou percepções nítidas da realidade, tais como de: imagens, paisagens, vultos, pensamentos, energias e seres não físicos, inclusive não humanos, e interagir com eles. No sonho, ao contrário, não é possível interagir; o sujeito é mero espectador.

4. Há uma distinção marcante entre sonho e desdobramento que diz respeito ao estado vibracional. No sonho, não ocorre nenhuma condição que se possa interpretar como sendo um estado vibracional denso. Quando se sonha, passa-se de certo estado de sono para a fase de sonho sem se perceber uma ruptura ou diferença vibracional entre um momento e outro. Entre a inconsciência e a noção da cena onírica, a vibração não aumenta; é uma transição natural, gradativa, imperceptível. Isso é o que se observa no sonho.

Pelo contrário, no desdobramento verifica-se um estado vibracional alterado, que é intenso, único, peculiar e ocorre com frequência antes e depois da projeção. O sujeito sente uma energia que, de repente, toma-o por completo — é a "turbina" do perispírito, do psicossoma, que responde ao ser acionada pela mente. Pouco depois de dedicar-se ao exercício, começa a perceber ondas de energia percorrendo-lhe o corpo. Nota com clareza sua mente mais vibrátil; então, manifestam-se alguns sons, bem como sentimentos e emoções. É nítido o aumento sensível na vibração do seu espírito. Mais tarde, com a prática, ocorre algo interessante: o indivíduo passa a se sentir como se estivesse mais leve, em movimentos que lembram o embalo das redes de descanso tão típicas do Norte e do Nordeste do Brasil. Na verdade, o perispírito realmente se balança dentro do próprio corpo, descrevendo uma trajetória pendular em velocidade menos ou mais lenta.

Logo, existe um estado vibracional nítido que antecede e sucede o instante da decolagem. No sonho, não se percebe nada disso; passa-se de um estado a outro e até se deixa de sonhar do mesmo jeito, sem aumentar ou diminuir a cota de energia envolvida. Cabe notar que no pesadelo, com efeito, entra em cena um fator diferente do que se observa no sonho convencional. Nesse caso, a emoção e a interpretação daquilo que se viu são muito fortes. Muitas vezes até, o pesadelo nem sequer reflete o que foi vivido, mas decorre do que o sujeito interpretou a respeito das cenas oníricas. Feita essa ressalva, relativa às questões emocionais, e não de natureza fluídica, prevalece a generalização sobre o estado vibracional.

5. Outra disparidade entre sonho e desdobramento concerne aos sons que ouvimos, conforme citado anteriormente. Nos sonhos, não sobrevêm estranhos barulhos intracranianos, tal como no desdobramento. O sujeito é simplesmente o espectador de uma imagem, de uma paisagem, de um acontecimento no sonho; tão somente espectador. A ação se desenrola sobretudo fora de si mesmo, e não é precedida por nenhum sintoma da fisiologia perispiritual que a prenuncie, como aqueles sons.

O que é típico e característico da fase de interiorização da consciência e, frequentemente, sucede-se com aqueles que estão decolando é que começam a perceber o que ocorre com seu próprio espírito. Ou seja, quando a decolagem se dá de forma lúcida, o indivíduo percebe imediatamente o acontecimento, seja porque oscila antes do desprendimento, seja porque tem a percepção de saída.

6. Mais uma discrepância a ser listada é que, durante o sonho, não se reflete sobre o que acontece, não se raciocina a respeito do processo à medida que ocorre. Apenas quando do desdobramento concebe-se uma preocupação do tipo: "Poxa, estou sonhando ou estou desdobrado?". Se existe essa análise, então é projeção da consciência: "O que se passa comigo? É sonho ou desdobramento?". No sonho, não há questionamento; simplesmente se testemunha o que é apresentado à sua frente. No desdobramento, por outro lado, exerce-se a faculdade racional com desenvoltura. Mesmo que não se decole determinantemente da base física — a depender de entraves como medo e problemas emocionais, que impedem a realização objetiva e proveitosa de experiências fora do corpo —, ainda assim, se houve indagação sobre estar desdobrado ou não, isso é raciocínio analítico, portanto, descaracteriza o sonho.

Há uma analogia às avessas, por assim dizer, que pode ser feita em relação a esse assunto no que tange à mediunidade. Pessoas me perguntam: "Será que é vidência o que me ocorre? Será mediunidade ou não?". Costumo responder de forma taxativa que, se paira dúvida, é porque não é, pois o fenômeno mediúnico é único, incomparável, inconfundível; não deixa margem para indagar: "Será que esse pensamento é meu ou do espírito?". Então, não é espírito. Diante do fenômeno mediúnico, o que se pode fazer, no máximo, é questionar: "Nas comunicações por meu intermédio, qual percentual é meu e qual é do espírito? Quem prevalece?". Entretanto, é inquestionável a atuação do espírito — se, de fato, for mediunidade.

7. Quando se está em meio a um sonho, não há registro nem lembrança do ato de sair do corpo; o sujeito não se imagina deixando-o nem voltando a ele; aliás, nem sequer há imaginação durante o sonho. Caso exista a impressão de saída, da decolagem, do momento em que se vai ou se volta à base física, necessariamente não se está diante de sonho, mas de desdobramento. Não obstante, isso não implica que todo episódio de desdobramento venha associado a essa percepção; é possível que a consciência se veja subitamente em outra paisagem, sem ter acompanhado o desacoplamento nem a trajetória até ali.

Lembro-me de um desdobramento intenso, em que não me vi deixando o corpo, apenas senti, ao longo de todo o brevíssimo fenômeno, que eu estava vibrátil. Quando abri os olhos, pensei que estava na cama, entretanto, já estava em certo local de tarefas com os espíritos. A propósito, observe também que o caso ilustra a prerrogativa do desdobramento — o exercício crítico — em comparação ao sonho. Comecei a lhes perguntar:

— Poxa, como vocês me tiraram do corpo? Nem me deram tempo de me preparar...

— Para que se preparar? Você já não está desdobrado, afinal?

— Já, mas eu não queria isso... não dessa forma.

Repare no diálogo; no sonho, não se vê esse tipo de argumentação. Prossegui:

— Quero voltar para o corpo; tenho muito o que fazer. Além do mais, meu corpo está deitado de um jeito estranho, que está me incomodando. Devo ao menos voltar para o corpo e consertá-lo.

— Então, volte lá e o conserte.

Eu voltei. Meu braço estava dormente debaixo do meu corpo, estando eu deitado de lado. Aquela sensação repercutiu vibratoriamente pelo cordão de prata, que é o elo fluídico que liga as regiões entre os olhos físicos e extrafísicos. Em algumas pessoas, aliás, ele se conecta ao plexo solar, no entorno do umbigo; tudo depende do grau de facilidade que o indivíduo tem para movimentar fluidos, bem como do montante deles de que dispõe.

Não me vi regressando ao corpo. Ajustei a posição do braço, fiquei de barriga para cima e, imediatamente, comecei a sentir um formigamento em meu corpo inteiro. Quando abri os olhos, instantes depois, já estava naquela localidade astral de novo. O espírito não resistiu:

— E aí, já consertou *o tal* do corpo?

Respondi:

— É "o tal", mas é meu, né? Você já não tem esse *tal*, então, não precisa se preocupar, mas eu tenho.

Apesar de casos como esse, no desdobramento astral, na maioria das vezes, a decolagem é lúcida. Quando experimentamos a saída do corpo, é uma das coisas mais fascinantes, mais emocionantes que se pode viver. Olhamos o próprio corpo e constatamos que não somos aquilo ali deitado; ao mesmo tempo, somos tomados de uma sensação de tranquilidade, de gratidão a Deus e à vida, porque somos imortais e não nos resumimos à matéria que ali está.

Conhecem-se ainda mais assimetrias entre sonho e desdobramento. Contudo, antes de prosseguir a enumeração, quero indicar dois livros que considero de grande valor para quem quer se aprofundar no assunto desdobramento. Um deles intitula-se *Projeções da consciência*, e o outro, *Projeciologia*.[2] Este último, um livro de mais de 1,2 mil páginas, é o maior compêndio, o mais rico sobre o tema, e traz experiências classificadas de maneira científica, estatística, e não de forma meramente mística ou mesmo empírica, apesar do valor que têm relatos dessa natureza.

8. Retomando a comparação que é objeto deste capítulo, nota-se que, durante o sonho, a atividade mental é próxima daquela do dia a dia, possivelmente mais limitada. Por sua vez, durante o desdobra-

2. Cf. VIEIRA, Waldo. *Projeções da consciência*: diário de experiências fora do corpo físico. 9. ed. Foz do Iguaçu: Editares, 2013.

___. *Projeciologia*: panorama das experiências da consciência fora do corpo humano. 10. ed. Foz do Iguaçu: Editares, 2008.

mento, ela é intensa, fervorosa, rica e minuciosa, permitindo ao sujeito apreender detalhes que, de outra forma, passariam despercebidos. No sonho, pelo contrário, veem-se cenas e imagens vagas e fugidias, além de personagens que nem sempre correspondem aos do mundo real.

Após a projeção astral, os eventos que ficam gravados na memória ordinária de vigília o são segundo a ordem cronológica, sem guardar semelhança com aquela recordação nebulosa e difusa tão própria do universo onírico. Geralmente, o animista descreve qualquer vivência extrafísica numa narrativa com princípio, meio e fim. Costuma falar assim: "Vi uma mulher vestida desse jeito, e tinha umas florezinhas azuis, pequenas, com alguma coisa desenhada em determinado formato". Quem conta um sonho, por outro lado, diz: "Ah, eu vi certa imagem que parecia algo, depois ela sumiu, não sei muito bem como nem em que momento. De repente, eu estava em outro lugar, mas, pensando bem, não tenho certeza do que veio primeiro".

9. No sonho, não há tempo nem consciência clara, imediata, do que se vê. O juízo crítico é ausen-

te; não se consegue julgar, na hora em que se sonha, aquilo que acontece. Contudo, quando se desdobra, a consciência adquire maior plenitude, e o raciocínio permanece tão ou mais ativo que em vigília. O projetor interage com os demais personagens, pergunta e obtém resposta, é capaz de concordar e discordar, aprovar ou reprovar certa providência; enfim, não é arrastado ao bel-prazer dos fatos, ao contrário, interage como ator, partícipe dos eventos. Repare bem as divergências: no sonho, não funciona assim.

Imagine-se sentado numa poltrona de teatro, sonolento, assistindo a tudo o que acontece em cena, à sua revelia, e você retém aquela recordação nebulosa do espetáculo. Isso é sonho. No desdobramento, o indivíduo é um dos atores: sobe ao palco e atua, questiona, age, percebe se gosta disso ou daquilo. Os pormenores são tão ricos e infinitamente presentes que, quando o sujeito volta, mesmo que não guarde na íntegra a memória do que viveu, é capaz de descrever vividamente tudo quanto lembra.

Em suma, no desdobramento, o juízo atua em tempo integral. Não só a capacidade de julgar e de analisar o evento em que se está mergulhado, mas de interferir ativamente nele, ao contrário do que ocorre no sonho.

10. Tampouco é possível parar de sonhar na hora em que você quiser. Durante o desdobramento, se desejar veementemente interrompê-lo, você voltará para o corpo. Como se pode ver, são fatores bem determinantes que distinguem os dois fenômenos.

11. O sonhador não tem consciência nem se recorda do que aconteceu antes de se entregar à experiência onírica. Não se lembra do que fazia uma hora antes, se recebera uma visita em casa — se sim, tampouco recorda sobre o que conversaram —; em meio às imagens, não domina o que lhe sucede.

Quando o paranormal desdobra, além de estar desobrigado a permanecer onde quer que seja, ele mantém o acesso regular à memória; então, se quiser pensar no que ocorreu em sua casa antes de sair do corpo, ele pode. Há quem não consiga, devido à falta de prática ou a algum outro motivo, porém, no sonho, tal recordação é sempre vedada.

Além do mais, o sonho de repente se acaba: o sujeito não sabe onde esteve, o que fazia ao certo... Acorda tão somente com uma impressão, menos ou mais obscura, que muito provavelmente se diluirá ao longo do dia, de modo que se recomenda anotá-la.

12. As imagens surgem meio deformadas no sonho; é como se flutuassem, aquosas, delirantes no mundo irreal. Já a imagem do desdobramento é definida, precisa. O animista não vê algo que se parece com mesa; ele vê a mesa. Não percebe um ser semelhante a um fantasma esvoaçante, que remotamente lembra alguém; não, ele distingue uma pessoa com certas feições, vestida desta ou daquela maneira, e é capaz de descrever detalhes como a cor dos olhos ou a presença de um chapéu ou outro acessório.

Além disso, o desdobrado sente frio ou calor conforme o ambiente onde se projeta, e, em geral, isso repercute sobre a base física — o corpo também experimenta um pouco do frio ou do calor provocado pela paisagem extrafísica. Cabe explicar que talvez não ocorra assim porque a pessoa não tenha desenvolvido essa capacidade ainda, devido à inexperiência, de registrar todo o processo vivido, muito embora tudo que guarde seja bastante claro e preciso.

Há quem me diga: "Robson, eu sonhei desse jeito...", e demore vários minutos contando o sonho. Ora, essa pessoa não sonhou, pois ninguém detém tantos detalhes do sonho. Isso é desdobramento! Se consciente, lúcido fora do corpo, interagindo e exercendo senso crítico, o sujeito, logo, estava desdobrado.

Quero recomendar, uma vez mais, o estudo do livro *Projeções da consciência*, de Waldo Vieira. Para mim, ele é, atualmente, o maior autor que existe, pelo menos no Brasil — e não vejo outro fora do Brasil —, dotado de autoridade para falar a respeito do assunto. Eu me baseio muito nele, pois o tenho como referência nesse campo de estudo. Esse livro enriquecerá muito seu conhecimento, ajudando você a compreender os detalhes de como advêm as lembranças, as imagens e as percepções. Então, estude, e não fique apenas nas minhas palavras.

A propósito, outra escritora que indico vivamente é Yvonne do Amaral Pereira, autora de muitos livros, sendo *Memórias de um suicida*[3] provavelmente o mais conhecido e aclamado. Ela detinha uma faculdade de desdobramento impressionante, além da

3. Cf. PEREIRA, Yvonne. Pelo espírito Camilo Cândido Botelho. *Memórias de um suicida*. 27. ed. Brasília: FEB, 2012.

rara habilidade de ser, a um só tempo, veículo e analista de vários fenômenos. Estudar seus livros, principalmente aqueles em que Yvonne relata e reflete sobre suas experiências fora do corpo,[4] dá a noção de quão ricas e cheias de detalhes estas podem ser. Com mais estudos, certamente, quando começar a distinguir sonho de desdobramento, você se lembrará de situações que lhe ocorrem e também terá a certeza: "Sim, eu realmente já estou desdobrando!".

DESDOBRAMENTO INDUZIDO

Existe um aumento vibracional quando se promove o desdobramento por conta e vontade próprias, assim como quando o fenômeno é induzido por um operador, ainda que de modo diferente em cada caso. Chamamos de operador aquele que magnetiza a pessoa, que lhe dá um pulso, um comando magnético e, assim, aumenta-lhe a vibração no intuito de produzir a decolagem, a descoincidência entre corpo físico e perispírito. Descoincidir é desacoplá-

4. Cf. PEREIRA. *Recordações da mediunidade*. Op. cit.

___. *Devassando o invisível*. Op. cit.

-los, deixando um fora do outro, de modo a promover a partida rumo às dimensões do plano astral.

É importante procurar saber *o que* está desdobrando. Quando falo *o que* me refiro ao fato de que temos vários corpos. Por isso, pergunto: "O que está desdobrado? É o duplo etérico? É o perispírito? É o corpo mental inferior ou o superior?". Às vezes, a pessoa diz: "Ah, mas eu não senti que desdobrei", no entanto, estava desdobrada.

Ocorrem situações, como nos atendimentos que empregam o protocolo da apometria, em que o consulente é colocado sobre uma maca e é desdobrado, sem perder a consciência de vigília. Com os médiuns se faz o mesmo: em sala à parte, sentados, recebem o comando magnético do operador, são desdobrados e permanecem conversando entre si nesse estado, no decurso do exame e do tratamento do caso, porque apenas determinado corpo energético foi desacoplado, e não todos.

Lançando mão dos pulsos magnéticos, é possível até mesmo desdobrar certa pessoa, incorporá-la em um médium e conversar com ela como espírito, e não como personalidade encarnada. Já no desdobramento astral convencional, que é nosso objeto de estudo neste livro, não tenho informações de que isso ocorra. Sei que alguns animistas têm mais facilidade que outros, mas não conheço, ainda, apesar das décadas consagradas ao estudo e à prática da projeção da consciência, nenhum caso em que, voluntariamente, a pessoa tenha sido capaz de desdobrar e manifestar-se pela mediunidade falante de outro encarnado.

DEPOIS DO DESDOBRAMENTO

Após os primeiros desdobramentos, resta certa recordação imprecisa ou sensação de que houve comunicação ou troca em algum nível com seres de outra dimensão. À medida que se pratica, essa sensação se transforma mais e mais, ampliando-se até constituir uma convicção, a qual permite recobrar a vigília com a memória clara sobre o local visitado, com quem se falou e o que foi dito.

Algumas pessoas já me procuraram, após praticarem simples exercícios, relatando que conseguiram sair do corpo, que tiveram *flashes* relevantes. Um dos casos achei particularmente interessante. A projetora afirmou que estávamos ela, muitos outros e eu numa aula em que o espírito Joseph Gleber ensinava ao grupo de médiuns desdobrados. Procurou-me no consultório assegurando:

— Consigo me lembrar de você, Robson; eu o vi exatamente.

Ela descreveu a roupa que eu usava desdobrado. Contou não ter visto Joseph, mas que me percebeu claramente, bem como os demais espíritos e médiuns desdobrados. Regressou ao corpo convicta acerca dessa percepção. De fato, não se lembrava do conteúdo da aula em si, contudo, guardou toda essa memória do evento já na primeira tentativa. É bem verdade que se pode supor que se trata de alguém mais vibrátil, portanto, mais suscetível ao êxito. O interessante foi que descobri, depois de uma rápida conversa, que a pessoa em questão realizara, sem saber detalhes, o exercício de visualização criativa recomendado por mim: "Eu posso desdobrar, eu quero desdobrar — eu vou desdobrar".

Ela descreveu a roupa que eu usava e, mais ainda, a minha feição espiritual fora do corpo. Disse: "Vi você de maneira diferente, Robson. Os seus olhos eram desta cor, você tinha cabelo e ele era assim, assim. Eu me lembro da roupa que você vestia, ela era assim, meio estranha, mas era desse jeito".

Havia se passado exatamente como ela descreveu! Com efeito, nós tínhamos nos encontrado. Ela comentou ainda: "Havia mais pessoas. Era uma aula que alguém ministrava, mas eu não conseguia vê-lo. Era como se eu enxergasse esse professor através do fogo, e ele estivesse trêmulo, portanto, não via sua imagem". Isso aconteceu porque ela estava numa vibração mental, e o espírito, que era Joseph Gleber, estava em outra; contudo, esse obstáculo não impediu que ela tivesse as demais percepções. Relatou: "Daí a pouco, algo me sugou. Eu só me vi retornando e, quando abri os olhos, fui acometida de certa sensação, como se algo tivesse me puxado para dentro do corpo". Isso não é sonho, evidentemente; é desdobramento! A pessoa estava em treinamento, o que me deixou bastante contente.

VISUALIZAÇÃO CRIATIVA: UM PASSO ALÉM

Ao ouvir o relato da pessoa que praticou a visualização criativa, muito embora não tenha conservado a memória dos detalhes que viveu em desdobramento, recomendei-lhe um pequeno exercício, que compartilho agora. Isso porque, além de dizer aquelas palavras mentalmente, deve-se pronunciá-las, como se estivesse fazendo uma oração: "Eu quero desdobrar, eu posso desdobrar, eu vou desdobrar e vou conservar a consciência de tudo que acontecer fora do corpo". Imagine se fizer isso ao menos dia sim, dia não, ao deitar-se e ao levantar-se. Na prática, significa dar uma ordem para o cérebro absorver as experiências extrafísicas.

Ainda há mais: dedique-se ao longo de um mês e, em um caderno, anote o comando e as vivências. Registre, pois assim reforça aquilo que visualizou e verbalizou. Escreva: "Eu posso desdobrar, eu quero desdobrar, eu vou desdobrar e vou conservar a consciência após o desdobramento". Repita essa mensagem e aos poucos concretizará essa resolução. Trata-se de emitir uma ordem mental, tornando-a realidade à medida que se fala e se escreve. Além disso, estude, mergulhe nos estudos, para que, quando o fenômeno ocorrer, saiba o que se passa consigo mesmo e em seu entorno.

Por fim, cabe esclarecer que, ao prescrever tais

exercícios, não pretendo treiná-lo, mas ao menos conscientizá-lo. Comece a perceber e, sobretudo, a anotar todas as suas experiências. Desenvolver essa disciplina será de grande valia para entender o que ocorre com você e através de você.

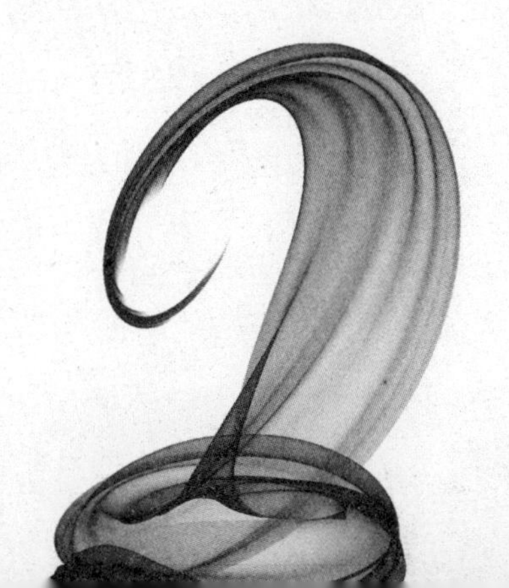

O DIÁRIO E OUTROS PRE-PARATIVOS

CAPÍTULO IX

Pretendo me deter, agora, mais um pouco em cuidados preliminares que julgo tão ou mais importantes que a *decolagem* em si — sim, uso o mesmo termo empregado na aviação, afinal, decolar significa sair do chão, alçar voo. Isso com o intuito de que se prepare adequadamente para a prática do desdobramento.

Não é razoável imaginar que basta sair do corpo para, imediatamente, começar a ver espíritos, engajar-se em atividades do outro lado, sem cultivar, antes, uma prática sistemática, regular. Surge, então, a necessidade de avaliar o treinamento, a fim de se formar melhor juízo acerca daquilo que se passa consigo e em torno de si, bem como em relação ao que acontece apesar das próprias limitações. Afinal, obstáculos ou entraves se manifestam durante as tentativas de deixar o corpo; de fato, persistirão por certo tempo, até que sejam superados.

O DIÁRIO

Nesse contexto, antes mesmo de concentrar-se nos passos para o desdobramento propriamente dito, recomendo estabelecer uma rotina que comporte o *registro diário* das atividades relacionadas à projeção da consciência. Quando falo registro diário, é diário mesmo, ou seja: manter um caderno próximo de você, ao lado da cama ou do local onde se dedicará à prática — pois há quem prefira uma poltrona, por exemplo. Onde quer que seja, esse caderno deve estar por perto para que anote absolutamente todas as experiências e as impressões, mesmo que, naquele momento, elas não lhe pareçam tão significativas.

Esse procedimento permitirá que, depois, consulte as anotações e possa fazer uma análise pormenorizada, tranquila, com o devido distanciamento característico do exame racional e preferencialmente destituída de emocionalismo. Ademais, será útil para que, no futuro, possa fazer uma averiguação, uma investigação, trocando experiências com as pessoas que também seguem esta metodologia ou mesmo outras, desde que sejam pessoas sérias, resolutas quanto ao propósito que as move.

O diário é de grande valia para quem quer se consagrar ao desdobramento, ainda que você pretenda sair do corpo apenas para ter certeza da vida imortal, da vida além da matéria, e para perceber alguma paisagem ou algum habitante extrafísico. No entanto, dirijo-me sobretudo àqueles que querem se comprometer com os guardiões do bem da humanidade, os guardiões da luz; àqueles que querem trabalhar, colocar-se como tarefeiros.[1] Para esses, o diário é essencial. Acerca das pessoas meramente curiosas, que testam uma coisa ali, outra acolá, que passam à próxima novidade caso nada funcione de primeira, elas não lograrão êxito se não se empenharem em técnica por técnica, cumprindo o passo a passo apresentado.

Os detalhes de cada ocorrência podem ter grande importância, e por isso fazem jus ao registro. Suponhamos que obtenha apenas sensações ou impressões, sem nada de mais concreto. Anote-as assim mesmo! A título de exemplo: posso voltar para o corpo, acordar de madrugada ou pela manhã com a sensação de que trabalhei, ainda que seja uma sensação fugidia de que participei de alguma reunião e voltei com certa leveza. Importa tomar nota dessa impressão; mais que isso, esse registro exige o máximo de

1. Tal objetivo ao se desenvolver a habilidade do desdobramento é tema de outra obra do autor. (Cf. PINHEIRO. *Os viajores*. Op. cit.)

detalhes, enumerando tudo de que me recorde por ordem cronológica.

Algumas perguntas se devem ter em mente: "Eu me lembro de ter saído do corpo ou não me lembro de nada? Voltei com a sensação de tranquilidade ou, ao contrário, de agitação — apreensão, talvez? Há motivos conscientes para tal estado emocional?". Já é possível vislumbrar quão rico o diário pode se tornar. Entre tantos benefícios, permitirá uma análise dos eventos não só de caráter cronológico, mas também das repercussões causadas sobre a mente e as emoções. Convém ajuizar sobre outros aspectos mais desses eventos: "Eu estava lúcido ou mais ou menos lúcido? Fiquei com uma leve impressão de que havia alguém próximo de mim, ou tive só emoções e acordei emocionalmente impressionado?". Ainda: "Fisicamente, quando retornei ao corpo, estava suado? Ou com frio? Estava trêmulo? Agitado ou tranquilo?". Sobre tudo isso vale o registro, pois será matéria para estudo.

Impressões como essas têm muito a revelar para quem pretende integrar-se a um trabalho prático fora do corpo físico, atuando com certo grau de lucidez, bem como com segurança no que tange aos intentos e à metodologia — inclusive segurança de que não se trata de delírio ou miragem. Portanto, proponho que esse diário seja, na medida do possível, um registro fiel dos fatos e que as interpretações não os percam de vista. Por vezes, esse rigor é difícil para muitos de nós, que temos a tendência de interpretar as coisas de forma excessivamente colorida ou até fantasiosa; entretanto, com alguma prática, você se habituará a registrar os acontecimentos do modo mais sóbrio possível.

PERSEVERAR

Para que o fenômeno do desdobramento lúcido se produza, existem alguns parâmetros que convém serem observados. Claramente, não se trata apenas de sair do corpo. Já ouvi diversos depoimentos do tipo: "Eu já saí, já tentei ver espírito, sair de uma vez e fazer isso e aquilo...". Não é esse o alvo que se deve mirar. Vamos percorrer etapa por etapa, vamos esgotar cada uma delas, dedicar-nos ao processo com inteligência, sem arroubos emocionais, porque, senão, os resultados não serão satisfatórios.

Falo assim porque também observo que quem

conseguiu realizar exercícios da forma indicada alcançou êxito. Antes de mais nada, devo dizer que, para mim mesmo, demorou muitos anos para que experiências produtivas acontecessem. Já relatei várias tentativas de desdobramento, episódios que se desenrolaram de maneira totalmente alheia à minha vontade, descontrolados a princípio, até que fui descobrindo e trocando impressões, bem mais tarde, com pessoas que viviam o mesmo que eu. Essa bagagem de insucessos foi útil para desenvolver algo mais seguro, isto é, o passo a passo da metodologia que ora apresento. Alguns fenômenos eclodiram completamente fora do meu domínio, até que hoje, décadas mais tarde, sou capaz de controlar quase a totalidade das ocorrências. Ao menos, tenho condições de impedir que advenham à revelia da minha vontade.

Com base nessa história é que reafirmo: se quer realizar alguma coisa de proveitoso, recomendo atenção aos detalhes, paciência para obter resultados e disposição para aplacar a ansiedade. Nesta proposta, cabe entender primeiramente o que lhe acontece e, se for o caso, por que determinadas coisas não lhe sucedem, pois muitos podem tentar alguns exercícios e notar que não transcorrem da maneira desejada.

Portanto, é preciso entender também: "Por que não tenho alcançado êxito nos exercícios? Porventura há alguma situação grave na minha vida que, malresolvida, constitui entrave a meu propósito de projeção astral? Posso estar sendo vítima de autoboicote? Algum fator emocional contribui para o insucesso? Algo influencia para que eu não consiga resultado nas tentativas de desdobramento?". Por fim: "Existe alguma questão espiritual ou energética em jogo?" — sobre essa última interrogação, nem me refiro necessariamente a processos de obsessão ou a pessoas que começam a desenvolver a mediunidade e não terminam. Muitas vezes, há aspectos pessoais que precisam ser revistos e que acarretam obstáculo às iniciativas, que são pedras no caminho. Ao longo deste método, compartilharei situações que eu mesmo vivi e creio serem semelhantes aos empecilhos que outros poderão encontrar.

COMO FOI O DIA?

Outra providência prévia ao desdobramento que recomendo para quem quer dedicar-se a essa prática é uma avaliação do período de vigília, ou seja, de como foram as últimas horas que passou acordado até aquele instante. Essa análise é útil não só para apurar exatamente as circunstâncias do momento — e confrontá-las com os resultados obtidos —, mas também para ajudar a determinar, gradualmente, se responde melhor a certas técnicas, por que outras lhe são menos eficazes e, ainda, as que não funcionam de maneira nenhuma.

Como é de se imaginar, isso acontece inclusive com as técnicas deste método, pois pessoas diferentes reagem de modo diferente ao mesmo estímulo. Isto é, alguns procedimentos podem lhe facultar pleno êxito e com rapidez, ao passo que outros, não. Recentemente, em um grupo controlado, pude acompanhar a aplicação desse conjunto de princípios, que assim foi submetido a novo teste. Trata-se dos integrantes do Colegiado de Guardiões da Humanidade presencial, em outros países. Particularmente na Bélgica, 70% deles conseguiram desdobrar nas primeiras três ou quatro tentativas; os demais, não.

Seja como for, a importância de manter um diário novamente vem à tona, pois a devida autoavaliação exige o registro preciso dos dados, de modo que se torne mais fácil estabelecer a quais técnicas você é mais suscetível — e, quiçá, por que motivos, à medida que relaciona sua eficácia às vivências cotidianas. Eis algumas perguntas que se podem fazer na hora de sondar o panorama íntimo prévio à tentativa: "Como eu estava? Como estou? Passei um dia agitado?". Busque apreender, ao se questionar tais coisas, qual é o estado emocional na vigília que antecede o desdobramento. Identificar algum problema no trabalho ou na família, bem como se o perturbou, será de grande valor.

A título de exemplo, eu registro assim: "Hoje, atendi várias pessoas no consultório que estavam conturbadas emocionalmente e/ou com bastante oscilação emocional. Em algum momento, também me senti abatido, sugado, com energias dispersas e terminei o dia muitíssimo cansado. Acabei decidindo tomar um banho quente e, durante esse banho, fiz uma limpeza energética intensiva em mim.[2] Somen-

2. Aproveitando-se as propriedades da água, é possível recorrer à *chuveirada hidromagnética*. O procedimento consiste em reservar um momento, em seguida ao banho de asseio, para promover, a sós, limpeza e revitalização.

te mais tarde, depois de jantar, tentarei o desdobramento". Utilizo esse método porque funciona para mim, pois a experiência já me demonstrou que, no plano extrafísico, viverei situações ligadas às emoções sentidas durante o dia, e algumas serão muito similares à vibração das pessoas com as quais eu tiver lidado. Seja um ano depois, seja em seis meses, ao re-

Ambas as fases partem de uma premissa — a água é um poderoso condutor de fluidos — e de uma condição essencial: a concentração máxima do pensamento por parte do aprendiz. A prática compreende três estágios: 1) Mentalizando a dispersão dos reflexos de contaminações energéticas, sob o chuveiro, deixe a água cair sobre o peito e a nuca, alternadamente, cerca de dez segundos em cada um. Faça isso por cinco ou seis vezes; 2) Movimente as mãos espalmadas desde a fronte até o peito, passando pelo córtex cerebral e pelos ombros, tencionando livrar-se de fluidos densos. Depois, passe a mão no braço oposto, com a mesma finalidade. O comando mental pode ser: "Tudo que não é meu que se libere de mim". Repita este ciclo por três ou quatro vezes; 3) Na etapa final, da revitalização, refaça a técnica do passo 1, porém mais calmamente, direcionando a intenção para absorver da água as propriedades revitalizantes. Procure relaxar e, quem sabe, faça uma oração. Durante uma ou mais fases do exercício, é comum a impressão de que ondas magnéticas se sucedem dos pés à cabeça.

ler o diário, saberei o que determinou a natureza do desdobramento e o que encontrei fora do corpo.

Essa anotação hipotética no diário também indica outro aspecto importante. Se à noite eu tento desdobrar de maneira atabalhoada ou displicente, sem fazer um relaxamento ou alguma espécie de meditação, a fim de tranquilizar o espírito, bem como uma limpeza energética, que é altamente recomendável, a tendência é a frustração.

Grande parte das pessoas passa o dia fora de casa e, após chegar e ter se envolvido com a família e os afazeres domésticos, recolhe-se e inicia os exercícios, sem maiores preparativos. Sem acalmar o pensamento, as imagens mentais do cotidiano povoam sua memória e pululam em torno de si. Relaxar, nesse contexto, consiste em liberar-se desses elementos, assim como da agitação e dos problemas, entregando-se ao processo com mais leveza. Então, por motivo semelhante, preconizo a limpeza energética. Noto muitos que se postam diante da televisão, inebriam-se em filmes, seriados ou noticiários por longos minutos e, em sequência, resolvem fazer os exercícios. Ora, o conteúdo a que assistiu, somado ao que viveu durante o dia, circula ao redor do psiquismo, numa flagrante contaminação mental que dificulta bastante — quando não impede — o desdobramento. Além do mais, lançamos mão de recursos como relaxamento, passe e outras técnicas de magnetismo visando sensibilizar o sistema nervoso e os chacras.

Por essas razões, insisto na organização e no respeito a cada passo, procurando esgotar determinada etapa antes de passar à seguinte. Não adianta atropelar certas providências do roteiro, pois o conjunto delas será responsável por predispor o organismo espiritual como um todo àquela realização, do psicossoma ao corpo mental, passando pelo duplo etérico e pelo arcabouço físico.

AUTOANÁLISE

No momento da decolagem, no momento de experimentar, convém se dedicar à autoanálise. Para tanto, deve-se perguntar: "De que maneira estou? Ansioso para dar certo, como uma fuga aos problemas do meu dia a dia, que eu tive no trabalho ou em família?" — eis um ponto que reclama justa perquirição —; "Comecei com uma oração ou não?" — não que seja preciso, necessariamente, fazer uma prece, porque a rigor não estamos diante de um trabalho mediúnico, mas de desenvolvimento da capacidade anímica e paranormal.

Logo após o exercício, demande-se ainda: "Nessa tentativa de sair do corpo, consegui realmente? Porventura adormeci durante a experiência?". E mais: "Acompanhei o processo de saída ou não, vendo-me imediatamente em alguma paisagem? O que percebi em matéria de sons, sensações e imagens?".

Note que o diário proposto é um relato que obedece a certos parâmetros. Deve, portanto, ser o máximo possível destituído do fator místico e escapar aos excessos emocionais, em que muitas vezes incorre quem privilegia interpretações em detrimento do registro sóbrio dos acontecimentos.

Caso tenha havido o desprendimento da consciência na ocasião, questione-se: "No momento de retornar ao corpo, como regressei: ofegante ou tranquilo?". Na tentativa de desdobrar, talvez tenha adormecido e despertado somente no outro dia, com ou sem recordação de vivências, com ou sem certas impressões. Tudo isso deve ser registrado. Baseando-me em tudo que já estudei e experimentei, bem como no que compartilharam outros projetores, são necessários pelo menos quatro exercícios semanais para que se possa adestrar a própria mente nesse projeto de imersão na realidade extrafísica — ao menos até que se adquira determinado grau de habilidade em sair e voltar do corpo.

Pergunte-se, também, a respeito do estado de vigília posterior às tentativas: "Quando retornei à base física, já me encontrava descansado? Ou, pelo contrário, acordei sentindo cansaço, com o corpo exausto?". Ainda: "Havia em mim a satisfação em virtude do dever cumprido ou qualquer sensação similar? Do ponto de vista fisiológico, estava suado? Ou com frio?". Todos esses elementos fazem parte do escopo do diário sobre as ocorrências e as experiências de decolagem do corpo e da volta a ele.

BASE FÍSICA

CAPÍTULO X

Quando se contempla a base física na projeção da consciência, surge um tema essencial à segurança e à economia energéticas. Qual é a base física do desdobramento? É o local onde você o realiza, um lugar seguro que você seleciona: pode ser o quarto de dormir, o escritório, outro cômodo ou até um ambiente fora de sua casa.

Por exemplo, quando estou em casa, tenho três locais selecionados onde me dedico ao desdobramento. O importante é, ao escolher a base física, certificar-se de que o ambiente oferece o máximo de segurança, sobretudo no sentido energético, isto é, onde se possa evitar a intrusão psíquica, mental e emocional de habitantes da esfera extrafísica. Independentemente do lugar, ele deve permitir que você possa se deitar e se colocar à disposição dos emissários do bem da maneira mais segura possível. Esse cuidado já elimina a ideia equivocada de que pouco importa onde se fará o desdobramento.

Entretanto, se me perguntarem se o fenômeno pode ocorrer em qualquer lugar, a resposta é: sim! Explico: pode acontecer aqui ou ali, principalmente se for sem nenhum controle. Contudo, como queremos algo controlado, que se dê à hora em que pudermos, quando tivermos disposição ou no momento que os benfeitores indicarem como ideal, então, é imprescindível prezar algo chamado disciplina, por mais difícil que essa palavra se afigure para alguns de nós.

Existe um pensamento do espírito Joseph Gleber, que é um dos amigos mais próximos, em que ele afirma: "Sem organização e disciplina, não há chancela dos espíritos superiores". A verdade que ele exprime implica que devemos nos organizar e organizar também o ambiente em nosso entorno, pois cuidar da base física é essencial a fim de que tenhamos a segurança de que o experimento está bem amparado espiritual e energeticamente. Porém, pode ser que alguém faça o processo com tudo bagunçado, que não disponha de um espaço específico, que não possa preservar seu quarto como se fosse um templo — aliás, o quarto passa a ser realmente isto: um laboratório das forças invisíveis, um laboratório de experiências extrafísicas.

O exercício do desdobramento é o momento em que entro em contato com minha consciência de modo especial, e o local escolhido para tal é onde vou me candidatar, como projetor, a participar deste momento que a humanidade atravessa, os chamados tempos do fim.[1] Isso implica que minha tarefa ali — de experimentar, de desenvolver aquela habilidade psíquica, mental, extrassensorial, extrafísica — deve convertê-lo numa espécie de templo sagrado. A cama onde repouso precisa ser vista como um altar, colimando que nenhuma intromissão indesejada aconteça. Para que assim se dê no dia a dia, é necessário policiar esse ambiente, transformá-lo em algo especial. Trata-se do local onde erguerei a primeira defesa energética, mas essa defesa dependerá, sobretudo, da minha atitude em relação a essa base e de como será usada na qualidade de laboratório de experimentação.

Apesar de soar um pouco desagradável falar disso, é fundamental, pois já vivi algumas experiências em ambientes inseguros, onde tive sérias decepções. Então, não é necessário que você passe por desapon-

1. Cf. "Os tempos são chegados". In: KARDEC, Allan. *A gênese, os milagres e as predições segundo o espiritismo*. Tradução de Evandro Noleto Bezerra. Rio de Janeiro: FEB, 2011. p. 513-540, cap. 28, itens 1-35.

tamentos e entrechoques semelhantes se pode criar uma bolha energética de segurança em torno do local escolhido. Trata-se de algo próximo do tipo de providência que se toma com o ambiente de uma reunião mediúnica, visando manter o equilíbrio necessário, bem como sua imunidade e suas defesas energéticas.

Podemos pensar que, antes mesmo da base física — em sua concepção mais ampla, isto é, o lugar onde se pratica o desdobramento —, a base primordial e mais segura é o próprio corpo, no qual nossa consciência está sediada e onde se movimenta de maneira permanente. Isso significa que a base externa, o quarto, o escritório, ou seja lá onde for, é o resultado direto do sistema de defesa energética individual, que deriva da relação com o próprio corpo. Dessa forma, se me respeito, se respeito meu corpo, seus limites e suas necessidades, logo projetarei essa aura de respeito também sobre a base externa.

Esse assunto é muito sério, porque diz respeito às medidas de segurança espiritual e fluídica capazes de evitar a interferência de espíritos, não só esses espiritozinhos do dia a dia, terra a terra — ainda que possam constituir razoável ameaça —, mas também inteligências de quilate voltadas ao mal e à maldade. É imperioso empreender todos os esforços para impedir que eles venham nos sugar energia e nos vampirizar, quanto mais para utilizar nossos recursos como combustível para suas ações nefastas no plano mais baixo da dimensão extrafísica. Para impedir isso, investir no cuidado tanto com o corpo quanto com o ambiente onde repousará é a resposta para o sucesso da empreitada. Se queremos êxito, fatalmente devemos pensar em segurança nesse contexto. Aliás, segurança essa que envolve, inclusive, sua família, porque será aberto um portal dimensional em seu lar. A expressão *portal* não é do meu agrado, pois degenerou em algo tão trivial, devido ao uso abusivo, entretanto, não me ocorre palavra melhor.

No momento em que me consagro à prática do desdobramento, estou realmente diante de um portal para outra dimensão, e isso abre comportas de variada ordem. Se porventura se é iniciante e ainda não se tem a habilidade ou o conhecimento e a destreza necessária para manipular fluidos, erguendo campos de força e de contenção, e, junto com outras medidas, para empreender um policiamento estratégico em nível magnético, então, deve-se redobrar a atenção com a base física. Não se pode esquecer, afinal, de que as experiências vividas serão o resultado das companhias espirituais cultivadas no dia a dia.

Já disse anteriormente que você não vivenciará, do outro lado, algo fantástico, fantasioso e imaginário, tão distante do que o cotidiano lhe apresenta. Muito pelo contrário: a realidade fora do corpo é a extensão daquela que se conhece acoplado a ele, em vigília.

Tais constatações impõem certas reflexões sobre nossas atitudes no dia a dia: com quem andamos, o que fazemos, que ambientes temos frequentado... tudo isso faz parte da segurança energética. Se nos colocamos a serviço das forças soberanas da vida, das forças superiores do bem e da luz, em qualquer medida que seja, devemos abraçar um estilo de vida consistente com essa proposta. Não se trata de levar uma vida supostamente perfeita, mas não há como se furtar ao seguinte pensamento: sem deixar de ser humano, de fazer coisas humanas — divertir-se, beijar, namorar, transar, equivocar-se —, é preciso coerência. Note que *coerência* é muito diferente de *perfeição*; desta eu nem gosto, porque não se tem notícia de ninguém que a tenha vivido na dimensão terrena.

Portanto, seja coerente na hora de cuidar do corpo e das coisas em que ele está envolvido, bem como de outros aspectos: o ambiente que frequenta, as pessoas que terão acesso a você, que o tocarão, que compartilharão algo com você. Trata-se de uma atitude inteligente em relação à segurança energética e espiritual; não é postura religiosa, é questão de inteligência preservarmos essa segurança. Espero que possa estudar e meditar bastante sobre esse tema, porque os guardiões jamais farão por nós aquilo que já não fazemos, em alguma proporção; eles apenas ampliarão nossa segurança e nosso sistema energético, mas não substituirão nossas atitudes.

Há quem se vanglorie: "Ah, mas eu tenho um guardião que faz isso tudo por mim". Nunca vi pensamento mais equivocado — e delirante! Ele não é Deus, e nem sequer Deus nos proporciona isto ou aquilo se não estivermos atentos, se não fizermos a parte que nos cabe. Por isso, quero transmitir o método de maneira gradual, para que você tenha êxito na empreitada; não só isso, mas para que se sinta seguro e satisfeito com cada etapa da jornada.

Considerando os aspectos acima, convém pensar o lugar onde for repousar o corpo durante o exercício, seja cama, seja poltrona, como um lugar tranquilo, limpo e livre de intromissões. A limpeza física do ambiente é importante. Reflita também: "Será que eu não tenho coisas demais? Há algo que possa interferir durante o treinamento? Que objetos fazem parte da base física?". É aconselhável, por exemplo, evitar artefatos que emitem ondas eletromagnéticas — é só aconselhável, e não inexorável.

Dessa forma, determinados objetos na base física podem parecer inocentes e não atrapalharem à primeira vista, mas se imagine em meio a um relaxamento e o despertador ou o telefone celular de repente começa a apitar... Não existe quem não volte da dimensão extrafísica assim. Por isso, convém pensar bastante no ambiente, mesmo fora do cômodo escolhido: "Há alguma coisa que pode interferir: televisão ligada, cachorro latindo, criança gritando?".

Outro ponto demasiado importante diz respeito ao parceiro conjugal, à pessoa com quem costuma dormir ou dividir a cama. Que tal informá-lo acerca dos dias e dos horários consagrados à prática do desdobramento? Imagine o seguinte: você está prestes a iniciá-la e seu companheiro demonstra apetite sexual. Desistir do exercício frustraria os planos. Por outro lado, caso optasse por não ter a relação naquele momento e honrar o planejamento, muito provavelmente você não iria para o outro lado por causa da libido em alta — um evidente obstáculo à concentração.

A propósito, o ideal é que o projetor esteja com a vida sexual em dia, sobretudo porque sabemos que, ao desdobrar com a energia genésica acumulada, o indivíduo facilmente se torna pilha energética de espíritos maus, dada a saturação de fluido vital dessa natureza. Se o satisfaz ter relações uma vez na semana, uma vez por mês ou três vezes ao dia, pouco importa, mas as tenha, pois o ideal é que conduza a situação visando ao máximo equilíbrio energético. Isso porque não queremos que o ectoplasma seja vampirizado — risco que é ainda maior durante a eventual dissociação do duplo etérico, segundo estudaremos mais adiante, pois esse corpo armazena vitalidade.

Mas não é só isso. Converse com quem está perto de você também por outros motivos. Imagine que, em pleno processo, a pessoa lhe encoste a mão e, com isso, provoque sua volta, que acontecerá instintivamente. Decerto ela será acompanhada de sudorese e uma série de sintomas, porque você terá sido trazido abruptamente para o corpo. Nesse sentido, é bom termos tranquilidade para falar com quem vivemos: "Farei isso em tal dia, em tal horário".

Além disso, verifique a televisão ligada dentro do quarto, os barulhos que possam interferir — o telefone celular principalmente, o qual você deve colocar em modo silencioso ou desligar, desligar mesmo, visando reduzir ao máximo a chance de interrupção. Há quem questione: "Ah, mas as minhas crianças? E meu animal de estimação?". Nesse momento, sinto muito, é uma questão de prioridade, senão não há disciplina. E sem disciplina não há resultados favoráveis, "não há chancela dos espíritos superiores". Dito de outra forma: na indisciplina, você pode atrair espíritos de variada categoria, mas não os devidamente esclarecidos. Com efeito, não consiste em nossos objetivos a relação mediúnica nos moldes estabelecidos numa casa espírita; todavia, aspira-se ao intercâmbio espiritual agradável, exitoso, sem percalços e, sobretudo, seguro para você e para a sua família. Repare no quanto enfatizo a questão da segurança... Em suma, fique atento a tudo que incomoda, que alerta o pensamento e que atrapalha o experimento.

Sobre os aparelhos eletrônicos na base física, convém deixar todos eles no modo silencioso. Lembro-me de uma época em que eu tinha um rádio-relógio na mesa de cabeceira, e seu ruído, embora muito discreto, seria capaz de atrapalhar bastante um iniciante na prática do desdobramento. Barulhos comuns como esse, quando você está entrando em estado de transe, prestes a desdobrar, reverberam como se fossem sirenes daquelas estridentes que se ouvem no dia a dia. No momento em que você silencia o pensamento e a consciência se expande, o mais leve ruído físico repercute sobre o cordão de prata[2] e, por meio dele, sobre a mente fora do corpo; então, você volta

2. O cordão de prata é um órgão da fisiologia extrafísica responsável por conectar corpo físico, duplo etérico e corpo astral. Barulhos externos repentinos, como um copo caindo e se quebrando ou um cachorro latindo, entre outros exemplos, repercutem no cordão de prata, e, por meio dele, o projetor recebe uma espécie de choque sobre os corpos sutis (cf. "Cordão de prata". In: PINHEIRO. *Além da matéria*. Op. cit. p. 105-113, cap. 11).

abruptamente para o corpo, atraído com vigor. Os fenômenos que decorrem desse fato não são nada agradáveis; além do susto, você pode se sentir engasgado, sufocado, porque o cordão de prata se retrai depressa demais, enrolando-se no perispírito.

Aparelhos de ar-condicionado modernos e silenciosos, desde que com fluxo indireto, podem aumentar o conforto; por outro lado, evite ventiladores ruidosos, porque não favorecem o relaxamento. Tenha cuidado com os fios elétricos, principalmente fios desencapados, porque não se sabe a sua sensibilidade nem o que pode resultar da interação do seu campo magnético pessoal com o campo gerado pela corrente elétrica, bem como em torno de aparelhos como telefone, rádio, televisor e outros. É recomendado reduzir todo risco ao mínimo, sobretudo considerando a hipótese de desdobramento do duplo etérico, que é mais suscetível à influência daquele elemento. Já convivi com certa paranormal dotada de amplas faculdades que, durante o desdobramento, levava choques, ou algo análogo ao que nos provoca a eletricidade. Também por isso, embora jamais tenha ocorrido comigo, sugiro desligar os equipamentos.

Não dê chance para algum imprevisto atrapalhar o exercício, que é invulgar, especial. Há um componente de reverência, até de solenidade, intrínseco ao ato de ingressar conscientemente na dimensão perene da vida. Esse momento é seu, de encontro com o transcendente, então, dê-lhe o devido valor.

Talvez você tenha tentado o desdobramento em uma noite e tenha alcançado resultado positivo, já em outra tentativa, não. Observe se não há elementos intrusos, porque, às vezes, existem forças discordantes no próprio ambiente físico, as quais se acredita serem de natureza espiritual, e não são. Trata-se de formas mentais cristalizadas, de teor emocional, tão densas que muita gente as percebe, mesmo sem ter conhecimento espiritual, as quais fazem parte da vida social e interferem diretamente no processo psíquico. As pessoas são menos ou mais sensíveis.[3]

3. Tópicos como contaminação fluídica e limpeza energética de ambientes aparecem ali e acolá no texto, mas fogem ao escopo desta obra. Para conhecer mais sobre esse assunto tão importante, é indicado buscar fontes específicas (cf. "O pensamento e as contaminações fluídicas". In: PINHEIRO. *Além da matéria*. Op. cit. p. 133-148, cap. 15; "Vento solar, elementais e outros re-

Atualmente, no meu caso, passados 35 anos experimentando a projeção da consciência diariamente, determinadas coisas não interferem mais, e consigo decolar sem dificuldade mesmo com barulho, crianças e outros obstáculos. Porém, até se chegar a esse estágio, há que se aprimorar a habilidade. Não obstante, no quarto que é meu *projetarium*, evito instrumentos como televisão e rádio, já que não sei como estará minha sensibilidade daqui a pouco. Considerando o dia de praticar o desdobramento, até acessar redes sociais e canais de notícias no celular interfere quando me deito, por causa das imagens e das ideias veiculadas, as quais fortalecem emoções e pensamentos que alimentamos, geralmente com muita excitação, impregnando o ambiente com as vibrações como consequência emanadas.

Estamos diante de um experimento que requer tranquilidade, a fim de se favorecer o encontro consigo mesmo. Ao se aproximar a hora da prática, con-

cursos usados na apometria". In: PINHEIRO. *Consciência*. Op. cit. p. 199-215). Convém, também, assistir à série de entrevistas intitulada *Bastidores da apometria*, no canal do YouTube de Robson Pinheiro.

vém liberar o pensamento tanto quanto possível da influência de notícias, de estímulos eletrônicos de modo geral, que sempre produzem excitação da mente e das formas-pensamento ao redor. Do contrário, ao sair do corpo, o sujeito ficará imerso naquelas imagens vívidas — refém delas, em alguns casos, pois acentuam temores e causam ansiedade.

Devemos compreender que a intrusão psíquica e mental com frequência não é infligida por inteligências extracorpóreas, mas decorre da atmosfera psíquica que se respira no ambiente. É muito comum confundirmos o caráter do problema. Assim sendo, quando os Imortais chamarem, procuraremos responder da melhor maneira, de acordo com a própria capacidade, uma vez que ninguém o faz perfeitamente.

Como se pôde ver, é fundamental dar atenção à base física, de modo a atingir o objetivo: sair do corpo com tranquilidade, com leveza, como uma pluma. Sobretudo, esse é um caminho para que você alcance resultados reais, genuínos e satisfatórios — com o máximo de segurança.

MAIS CUIDADOS PRELIMINARES

CAPÍTULO XI

A diferença entre tentar desdobrar a qualquer custo e o que se prescreve neste método de projeção astral é a meta de contribuir fora do corpo com os Imortais, o que requer um trabalho inteligente, harmonioso, seguro e ponderado, que obedeça a certas etapas. Este método, que, desde o início, afirmei não ser um curso, é um guia que busca determinar, passo a passo e com a devida responsabilidade, o êxito em realizar algo que seja satisfatório para você e para os espíritos que, quem sabe, o esperam como ajudante do outro lado.

Existem certos recursos que convém ter ao alcance das mãos, pois é necessário registrar tudo. Entre eles, um caderno e um calendário, porque, quando fizer anotações no diário, deve constar, por exemplo: "No dia 22 de abril de 2019 — ou 2030, seja lá quando for —, eu voltei para o corpo de forma consciente, abri os olhos, mirei o relógio e este marcava 2h30 da madrugada".

Por que fazer isso? Quando meditar sobre os eventos que trouxeram conteúdo genuinamente valioso e que foram satisfatórios, no sentido de trazerem a sensação de dever cumprido — e não de saciar expectativas pessoais de caráter espiritual, esotérico, esquisotérico, entre outros —, você analisará o que contribuiu para o desfecho positivo naquele dia e naquela hora. Fazia calor ou frio? O ambiente estava tranquilo ou ruidoso quando conseguiu o resultado satisfatório? Quem sabe havia algo além disso... É preciso se questionar, por exemplo: "Quando fiz o desdobramento, eu estava em dia com a vida sexual? E qual era meu estado emocional?". Tudo isso ajudará a identificar os fatores que favorecem seu desempenho. Então, é bom que tenha algo à mão para anotar. Prefiro um caderno, porque, quando o encerro, termino uma etapa e abro outro.

Uma coisa importante é que, quando se está na iminência de decolar, começa a se desenvolver uma hipersensibilidade mental, emocional e também física. Costumo falar que é uma sensibilidade hiperfísica; é o meu jeito de falar. Digo isso por quê? Nessa hora, o corpo fica extremamente sensível a qualquer toque, a qualquer peso, a qualquer coisa. Então, na hora de praticar, vista uma roupa que seja a mais confortável possível — aliás, sem medo de que aparecerá pelado na outra dimensão, pois isso não existe! Fora do corpo, a mente estrutura o traje que mais encontre ressonância com sua vida mental. De fato, independentemente do que eu estiver vestindo, sempre desdobro com a mesma roupagem. Depois, existindo necessidade, a depender do ambiente aonde irei, os guardiões trocam minha vestimenta com facilidade. Em geral, porém, desdobra-se com variados trajes. Importa assegurar que não haja impedimentos físicos, como, por exemplo, um cobertor pesado demais sobre você, pois isso acarretará certa pressão incômoda fora do corpo, sentida sobretudo por quem é iniciante.

Quando se alcança determinado grau de sensibilidade ou de hipersensibilidade, as percepções e os sentidos se expandem, e se começa a prestar atenção, principalmente à noite, em qualquer coisinha mínima que seja. Por isso a revisão minuciosa de tantos elementos. Pode se fazer uma analogia com quando sentimos alguma dor persistente. As pessoas perguntam: "Por que a dor parece ser mais forte à noite?". No período noturno, geralmente tossimos mais, os sintomas se manifestam de forma pronunciada. Isso acontece não tanto por ser noite, mas, sim, porque não há movimento ao redor nem afazeres que distraiam a mente. Desse modo, o cérebro deposita toda a atenção naquele incômodo que acomete seu organismo.

Assim sendo, coloque um lençol suave e agradável; se necessário, cubra-se com algo mais, desde que não exerça pressão sobre você. A roupa deve ser a mais confortável possível. Pessoalmente, nesses períodos evito perfume — não que ele atrapalhe no desdobramento, porém, se eu for a algum lugar e, por meio do ectoplasma, houver a materialização do aroma de flores ou qualquer outro, a dificuldade em distingui-lo será grande. É evidentemente interessante sentir o cheiro de rosas ou de alfazema do local visitado ao regressar para o corpo. Convém que saiba da possibilidade desse fenômeno, pois, se estiver usando perfume, ele poderá confundi-lo. Nesse contexto, fique atento também a incensos, aromatizadores de ambiente e coisas que possam irritar a narina.

Facilita bastante se você tomar um banho bem relaxante, procurar deitar-se com tranquilidade e evitar desperdício de energia com distrações ao redor. É perceptível a diferença entre uma tentativa qualquer, a esmo, e uma prática bem-elaborada. Você pode pensar assim: "São muitos detalhes!". Não são! São as providências necessárias para que se tenha o mínimo de interferência e o máximo de qualidade possível.

O termo *clima* é usado por vários animistas para aludir à característica do ambiente e dos objetos que compõem a base física. O clima a que me refiro não é no sentido físico, se faz calor ou frio, qual é a temperatura, se chove... Aquele aspecto do meio também provoca interferências, mas por ora quero me ater ao clima interno, de alma, de sentimento e de emoção: "Como estou? Inquieto ou agitado, talvez?".

Há quem queira fazer uma viagem para fora do corpo do mesmo jeito como as pessoas fazem para fora do país; talvez para fugir de uma coisa. Podem pensar assim: "Quero descansar disso, quero apagar, quero 'capotar'; fazer isso tudo e não me lembrar de nada", mas não é essa a proposta deste método. Não é a fuga, mas a realização interior, consciencial; é ser útil ao máximo para a humanidade. Esse clima interno determinará a qualidade das experiências, então, é bom se atentar às emoções, aos sentimentos e às questões malresolvidas, que usualmente são chamadas de conflitos emocionais. São justamente essas situações não solucionadas que afloram do inconsciente na hora em que se começa a trabalhar o psiquismo visando à projeção menos ou mais lúcida. Muitas vezes, ao desdobrar, estabelece-se conexão com imagens mentais desse teor, até então arquivadas — das quais tratarei posteriormente —, e o animista presume estar imerso numa experiência extrafísica quando, na realidade, enfrenta situações malresolvidas do próprio Eu.

AINDA SOBRE A BASE FÍSICA

O local onde você se consagra aos exercícios merece observação. Citei, anteriormente, que a base é um laboratório situado no limiar entre os planos físico e extrafísico, o qual corresponde àquilo que os espíritos chamam de *zona de libração*. Trata-se de uma zona intermediária, de transição entre as dimensões.

Meu *projetarium* é um lugar sagrado para mim, no sentido de que não é qualquer um que entra ali; procuro preservá-lo de toda maneira. Às vezes, uma limpeza energética do ambiente faz-se necessária, principalmente se a base física for temporária ou fora de casa. A título de exemplo, tenho uma agenda que me leva a ficar em hotéis em um número considerável de noites por ano. Certa ocasião, hospedado num deles, anos atrás, tentei desdobrar por alguns dias e não consegui. Considerei:

— Poxa, mas é um lugar aonde todo mundo chega; pessoas diferentes vêm, entram aqui, deixam sua energia, seus pensamentos e suas emoções. Isso interfere, logo, devo fazer uma limpeza energética!

Sendo assim, ao me instalar num hotel, atualmente, como ajo? Faço uma limpeza de vibriões mentais, de larvas e bactérias astrais, de tudo que foi produzido pelas formas-pensamento geradas por quem se hospedou ali. Fortaleço minhas irradiações, que imprimem no ambiente minha característica própria. Projeto uma bola de energia em torno do quarto com o objetivo de que, ali, não haja nenhuma intrusão psíquica, mental ou emocional de quem quer que seja. Algum procedimento dessa ordem é muitíssimo importante; crucial, diria. Em última análise, aliás, deve acontecer em casa também, porque geralmente não vivemos entre pessoas harmoniosas e serenas; ao contrário, os familiares costumam ter cada qual seus problemas, seus dilemas e suas angústias. Todos esses fatores acabam poluindo a psicosfera do ambiente, sem contar que, às vezes, o próprio cônjuge ou parceiro está desvitalizado ou, pior, pode ser um vampiro de energias. Esse é um tema à parte, no entanto, muitos já viveram situações em que a pessoa que mais amavam por fim se revelou um grande vampiro.

Antes de transmitir técnicas adequadas para a limpeza ambiental extrafísica, aconselho que faça uma oração em favor de quem habita seu lar. Não precisa ser aquela prece "espiritólica", que demora, nem uma Ave-Maria com as 21 mil virgens; nada disso. Seja direto! Com Deus, devemos falar somente assim, senão não funciona. Antes de ensinar aos discípulos o Pai-Nosso, Jesus os advertiu: "E quando orarem, não fiquem sempre repetindo a mesma coisa, como fazem os pagãos. Eles pensam que por muito falarem serão ouvidos. Não sejam iguais a eles, porque o seu Pai sabe do que vocês precisam, antes mesmo de o pedirem".[1]

1. Mt 6:7-8 (NVI).

Tal como na hora de dedicar-se aos exercícios, o pensamento é tudo no ato de orar; inclusive, os miasmas e os parasitas energéticos só serão diluídos pelos procedimentos de limpeza se você usar seu pensamento e sua força de vontade. Então, faça a prece com fervor! Afinal, a harmonia é um ideal distante... só existe caso não conheça o próximo o bastante ou, por outro lado, você não se conheça suficientemente bem para perceber aquilo que é capaz de produzir em torno de si mesmo.

> "A principal qualidade da prece é ser clara, simples e concisa, sem fraseologia inútil, nem luxo de epítetos, que são apenas enfeites de lantejoulas. Cada palavra deve ter seu alcance próprio, despertar uma ideia, mover uma fibra. Numa palavra: *deve fazer refletir*. Somente sob essa condição a prece pode alcançar o seu objetivo; de outro modo, *não passa de ruído*. Entretanto, notai com que ar distraído e com que volubilidade elas são ditas na maioria dos casos. Veem-se os lábios a mover-se, mas, pela expressão da fisionomia, pelo som mesmo da voz, reco-

nhece-se, um ato maquinal, puramente exterior, ao qual a alma se mantém indiferente."[2]

MERGULHO NO MUNDO ALHEIO

Convém aprender a identificar, no quadro em torno da base física, os elementos que povoarão ou até que interferirão nas experiências psíquicas. Entre eles, muitas vezes, estão os efeitos mentais impregnados no ambiente por familiares ou hóspedes. Inadvertidamente, nós penetramos no sonho de outras pessoas ao desdobrar, seja quem for que estiver ao redor. Vou ilustrar a situação com uma história particular.

No período em que eu me tratava de um câncer, estava ultrassensível, psiquicamente sensível. Sempre tive esta característica: quando estou doente, é a fase em que mais produzo, tanto na psicografia quanto nos desdobramentos; é o período no qual são mais ricas as experiências, não me pergunte por quê. Tenho uma teoria, apenas, ainda passível de comprovação: acredito que, quando estou mais cansado e

2. "Coletânea de preces espíritas". In: KARDEC. *O Evangelho*... Op. cit. p. 477, cap. 28, item 1.

abatido, os laços que me prendem ao corpo físico se afrouxam e, por isso, os fenômenos se manifestam com mais detalhes, com mais intensidade.

Não obstante, certa noite, no apartamento onde eu morava, comecei a ver uma série de formas e de seres estranhos durante o período em que estava prestes a desdobrar. Havia me submetido a uma sessão longa de quimioterapia naquele dia e, quando comecei a relaxar, percebi os vultos estranhos. Divisei seres que me lembravam escorpiões e aranhas se movendo pelas paredes do meu quarto, mas não me fixei nas percepções o bastante para compreender a sua causa. Voltei ao corpo assustado e, ao abrir os olhos, pedi ajuda imediatamente a um guardião que me auxilia de maneira mais pessoal e direta. O espírito me esclareceu:

— Robson, o que encontrou resulta do comportamento dos seus vizinhos. Você mergulhou no panorama mental das pessoas dos apartamentos de cima e de baixo, então, faça uma bolha de energia e se isole vibratoriamente.

Eu não dispunha de energia nem para me isolar! Imagine, com quimioterapia, se eu conseguiria me isolar dos outros sem ajuda... Pedi, então, uma consulta com aquele médico chamado "Dr. Rivotril" para que aquilo acabasse logo. Três gotinhas dele me bastaram para "desmaiar" na hora, certo de que eu não desdobraria em sequência. Apaguei e acordei só no outro dia. Isso é uma maneira brincalhona de dizer que eu não aguentava erguer a proteção adequada, então, era melhor que eu nem tentasse desdobrar. Havia mergulhado nas formas-pensamento dos meus vizinhos... Sem a devida assepsia mental e emocional antes de decolar, imagine o risco que eu corria de me lançar na experiência do outro, e não na minha própria, podendo me tornar presa daquele elemento daninho que lhes pertencia.

EXERCER O DISCERNIMENTO

Ao longo dos exercícios deste método, um dos objetivos é aprender a identificar, com relação às imagens mentais e aos sonhos, aquilo que pertence a você e aquilo que está ligado a quem está a seu lado ou a membros da sua família. Muitos falam em viajar para o plano extrafísico com o intuito simplesmente de sair do corpo, de ir e vir, como se fosse um ato banal ou uma brincadeira visitar outra dimensão, outra pátria — neste caso, a astral. Contudo, considerando o conhecimento disponível àquele que decide não agir com leviandade, é perfeitamente possível se informar sobre o que se encontrará naquele novo local.

Imagine uma pessoa que viaja para o exterior. O paralelo com a viagem astral é inevitável. Ela provavelmente estudará antes e se planejará; sobretudo com a facilidade da internet, verá a qual restaurante pretende ir, quais bairros são seguros e interessantes... Isso é mais ou menos o que faço toda vez que uma viagem se aproxima. Pesquiso: "Onde ficarei? Como é esse lugar? Como são as ruas? Quais as habitações disponíveis? Há segurança? Onde quero almoçar e onde quero jantar?". Quando chego ao destino, tenho tudo preparado. Aliás, é um jeito de curtir a viagem antes mesmo que ela comece, propriamente, ainda que seja a trabalho.

Ora, como viajar para o plano extrafísico sem saber como são os habitantes de lá? Só existem desencarnados? Grande equívoco! Só haverá o mentor o esperando? Isso é mais fantasioso ainda! Como lidar com as eventuais intromissões psíquicas, mentais, emocionais e com as formas-pensamento? Estudaremos esses aspectos neste método para, pelo menos, haver conscientização sobre esse outro mundo. Estamos diante de um universo! O plano extrafísico, na verdade, é um universo paralelo — com seus habitantes, seus mundos, seus planetas, suas hiperdimensões e multidimensões. Então, é crucial saber com o que lidamos: "Essas formas mentais presentes no ambiente ou a meu lado são minhas? Ou são de quem?". Portanto, a fim de planejar essa viagem, urge conhecer o que faremos, como faremos, com quem depararemos, quais elementos farão parte dessa viagem, de modo que nada nos seja prejudicial nem contemple expectativas descabidas.

RELAXAR E CONCENTRAR-SE

Um tópico bastante importante relacionado aos preparativos da projeção astral diz respeito às técnicas de relaxamento físico e psíquico. Essa habilidade precisa ser assimilada por você até o ponto em que possa simplesmente inspirar, expirar e alcançar a tranquilidade almejada. O ideal é fechar os olhos e, em segundos, ser capaz de instaurar o estado de relaxamento, mesmo estando em público, por exemplo, diante de uma plateia. Isso soa difícil, à primeira vista, com tamanha agitação, mas não há problema; gradativamente, a cada exercício, aumente o desafio. Memorize cada detalhe do roteiro de relaxamento que eleger, pratique e, depois, desenvolva sua própria técnica. Atualmente, consigo relaxar com relativa facilidade.

Existem várias técnicas de relaxamento; cabe procurar aquela a que você se adapta melhor. Relaxar também se traduz pela capacidade de isolar-se do ambiente externo e dar total atenção àquilo que ocorre dentro de você; é estabelecer silêncio na alma. Muitos pensam que o estado de concentração necessário para realizar qualquer atividade de caráter mediúnico ou paranormal está associado a "espremer" o cérebro, isto é, a esforço tenaz, a rigidez. Não, não é isso! Equivale, na verdade, a emudecer o exterior, como efeito de uma barreira erguida com firme resolução, e, desse modo, direcionar toda a atenção ao que se passa em seu interior, até o momento em que o próprio íntimo começa a se silenciar. Fará silêncio na própria alma, a fim de perceber os estados alterados de consciência, bem como os habitantes extrafísicos e as sombras internas, assim identificando se o que vivencia é fruto da imaginação e da visualização ou se, realmente, é uma experiência extracorpórea e extrassensorial.

Inicialmente, algumas pessoas usam música para favorecer o relaxamento, mas eu questiono: "Se eu condicionar o cérebro a relaxar com música, quando não houver um equipamento perto de mim, isso significa que não desdobrarei?". Por isso, do meu ponto de vista, prefiro não usar música, para não criar dependência. Alguém que trabalha em nossa casa espírita, por exemplo, costuma afirmar:

— Não sei conduzir a reunião se não houver uma música de fundo bem suave, de preferência, um repertório *new age* como o de Enya.

Claramente, habituou-se assim. Se porventura, em dada ocasião, ela não dispuser de um aparelho musical, por qualquer motivo, não se concentrará e abdicará do trabalho porque condicionou o cérebro a esse tipo de coisa? Por isso, recomendo realizar as tentativas de variadas maneiras, com música, sem música, e alcançar êxito em qualquer situação.

Lembro certa vez, quando cheguei a uma casa espírita nas cercanias de Recife — deve ter sido na primeira vez que fui à capital pernambucana. Havia grande barulho e agitação naquela manhã: eram centenas de pessoas circulando pelos dois andares, entre a livraria, a lanchonete e o salão; muitas crianças na creche, que funcionava nas dependências da instituição; o estrondo de aviões em decolagem, os quais obrigavam o palestrante a interromper a fala em intervalos regulares por alguns instantes, já que a casa era bem perto do aeroporto; além do calor típico do Nordeste brasileiro... Um alvoroço só. Havia intensa intrusão mental e emocional, e eu me dedicaria às cartas consoladoras, isto é, à psicografia de mensagens de familiares desencarnados, em frente ao público, portanto, precisava entrar em conexão firme com os benfeitores espirituais. O dirigente da casa falou:

— Você não irá conseguir aqui.

Eu redargui:

— Preciso de um minuto, é só disso que eu preciso.

Calei-me, isolei-me do ambiente e estabeleci sintonia. A psicografia transcorreu por três horas consecutivas, com todo o estardalhaço, com a algazarra das crianças e, até, com pessoas gritando. Quando terminei, ele falou:

— Como você fez isso?

Respondi:

— Como você não consegue?

De fato, é uma questão de treino; o que apresento é um trabalho de reeducação do pensamento e dos hábitos, de reeducação emocional e mental.

UMA ETAPA DE CADA VEZ

Agora o convido a avaliar como tem praticado ou pretende praticar o que aprendeu até aqui. Antes do relaxamento, se puder, recomendo determinado cuidado para dissolver as imagens mentais, por meio do passe. Era isso que os grandes magnetizadores do passado utilizavam para sensibilizar os corpos etérico, espiritual e mental. O passe consiste principalmente nos longitudinais, ministrados ao longo da coluna e também à frente do corpo, onde os chacras se abrem. A sensibilização será de grande ajuda para promover a limpeza e, então, desdobrar.[3]

3. Cf. "Passes magnéticos". In: PINHEIRO, Robson. Pelo espírito Joseph Gle-

Já que intentamos promover a faculdade do desdobramento, devemos fazê-lo benfeito, de maneira responsável. Para tanto, há certas etapas a cumprir, por mais vagaroso ou incômodo que pareça. Por mais que alguém pense: "Ah, mas podia passar logo para outra coisa", o problema é que essa "outra coisa" não funcionará. É por isso que muitos permanecem longo tempo na tentativa e, a despeito dos cursos que fazem com fulano, com beltrano ou com sicrano, não alcançam seu objetivo, porque não deram a devida atenção a aspectos tão determinantes para o sucesso, os quais se impõem já no início da experiência. Depois que estiver treinado, você até poderá dispensar alguns procedimentos, tal como me dou ao luxo de fazer hoje, mas a trajetória para descobrir como fazer isso não foi sem percalços. Você pode assistir a vários vídeos, fazer cursos a respeito, conhecer a

ber. *Medicina da alma*. 2. ed. rev. ampl. Contagem: Casa dos Espíritos, 2007. p. 189-199.

Cf. "Os passes magnéticos". In: PINHEIRO, Robson. *Energia*: novas dimensões da bioenergética humana. 2. ed. Contagem: Casa dos Espíritos, 2008. p. 206-229.

teoria, entretanto, existem medidas de segurança as quais você precisa dar atenção. Como pode notar, o ritmo que adoto neste método é proposital e tem razão de ser.

Sendo assim, não se aventure a pular etapas, porque, além de se frustrar, você acabará dizendo: "Ah! O Robson está me enganando". Não! Ensino um passo a passo; compete a você segui-lo ou não. Não adianta menosprezar esta ou aquela parte, querer desdobrar de uma vez, de forma açodada. Os guardiões atuam do lado de lá de acordo com nossa habilidade, com aquilo que nos prontificamos a fazer, que empenhamos neste trabalho. De minha parte, quero que obtenha êxito e fique satisfeito, em vez de terminar com um monte de tarefas e não cumprir nem a maior parte delas. Portanto, quero que comece a pôr em prática o que vimos até este ponto tão logo possível.

MÃOS À OBRA

CAPÍTULO XII

Logo apresentarei, principalmente a partir do próximo capítulo, algumas estratégias que o auxiliarão a atingir nosso fim, que é sermos viajores, conscientes ao máximo de nossas responsabilidades. Antes de prosseguir, sugiro que faça uma avaliação a respeito de sua expectativa e de que maneira tem se empenhado para atingi-la. Afinal de contas, nada no universo vem de graça, para mim, tampouco para você ou para qualquer ser humano; tudo é resultado de esforço, é fruto de experiência, de dedicação, de um passo a passo inteligente, que deve ser seguido a fim de atingir as metas. Até que ponto tem empregado seus esforços, seu tempo, sua energia para atingir esse objetivo, que é desdobrar ou se transformar em um volitador consciente a serviço das causas superiores da humanidade?

O segundo ponto no qual gostaria que você pensasse é: "Qual é o momento apropriado para experimentar, de acordo com o que tenho vivido atualmente?". Procure um horário, um dia, um intervalo adequado para que possa começar suas experiências. Elas são diárias e intransferíveis. Que significa isso? Quando você resolve atingir um resultado positivo, com empenho constante, procurando ser um trabalhador dos espíritos superiores, você assume um compromisso e ele é diário, intransferível. Não há como simplesmente dizer assim: "Ah, quero que vocês venham aqui me ajudar de quando em vez, quando eu puder, ou na hora que der". Ora, a lei espiritual atua a nosso favor, desde que nós também nos adequemos, com a devida disciplina, para dar os passos necessários e o mais inteligentes possível, empenhando nossa energia naquilo que queremos.

Colocamo-nos como instrumentos das forças soberanas da vida, e não há como termos a presença espiritual responsável se falarmos assim: "Ah, vocês vêm no dia em que eu tiver tempo! Tentarei no horário tal hoje, amanhã em outro, depois, no outro dia, acabará sendo fora dos horários combinados". Pode-se até tentar, mas convém considerar que as entidades extrafísicas nos rondam, tanto os seres esclarecidos quanto os da oposição, de toda sorte. Ora, aqueles mantêm compromissos, então, não é possível que atendam a qualquer hora, em qualquer lugar, de qualquer jeito. É exigido determinado grau de compromisso ao estimular as próprias potencialidades psíquicas, seja na mediunidade, seja na prática anímica, como no desdobramento. Por isso me vem à memória a célebre frase: “A mediunidade é uma coisa santa, que deve ser praticada santamente, religiosamente”.[1]

Com relação à metodologia, é impossível que uma só técnica seja eficaz com todos os projetores, nem ao menos com todos os que seguem este método, ou qualquer outro. Não existe um único exercício, simplesmente porque há uma variedade imensa de seres humanos, com problemas, dificuldades, desafios e lutas pessoais que lhes são próprios, cada qual dotado de uma identidade energética singular. Assim sendo, cada um escolherá uma técnica das que apresentarei aqui, aquela que mais tem a ver consigo, com o seu jeito de ser.

Por outro lado, não há sentido em ajuizar de forma precipitada: “Ah, isso não funcionou”. Eu questionaria: “Será que o método não atingiu o resultado esperado simplesmente porque você deixou de seguir todos os passos?”. Darei um exemplo. No que tange

1. KARDEC. *O Evangelho*... Op. cit. p. 452, cap. 26, item 10.

ao trabalho mediúnico, algumas pessoas me perguntam: "Como você lança tantos livros? Como encontra tempo?". Ora, somos nós que fazemos o tempo. Durante muitos e muitos anos, psicografei a maior parte dos dias da semana, bem cedo pela manhã, na companhia dos espíritos que se inscreveram previamente para aquele horário.[2] Com alguns períodos de exceção, ainda hoje é esse o esquema. A depender da necessidade, escrevo em dois horários: pela manhã e à noite, por volta das 23h30. Há, ainda, os desdobramentos, das 2h30 às 5h da manhã, isso quando, em estados emergenciais, os espíritos não nos chamam em outros horários. São tarefas levadas a cabo há mais de 30 anos, diariamente.

Não quero sugerir, com esse relato, que façam algo do gênero. De forma alguma! Quero atestar é que não se conseguem resultados práticos, confiáveis e es-

2. "É bom que [os médiuns] adotem [...] o sistema de só trabalhar em dias e horas determinados, porque assim se entregarão ao trabalho em condições de maior recolhimento; além disso, os Espíritos que os queiram auxiliar, estando prevenidos do horário das reuniões, se disporão melhor a prestar esse auxílio" (KARDEC. *O livro dos médiuns...* Op. cit. p. 325-326, item 217).

táveis se não houver dedicação àquela habilidade que se pretende desenvolver. Para aqueles que já têm persistência, talvez não seja tão árduo assim, mas, se queremos alcançar efeitos satisfatórios, não há inovação quanto ao método: disciplina, disciplina e muita ação.

Alguns procedimentos funcionam para grande quantidade de pessoas; outros, para quantidade menor. Compartilharei alguns deles aqui, os quais enfeixei em dois blocos, a fim de que possa eleger o que mais se afina com você. Descobrirá somente experimentando-os. Considero ambos bastante eficazes — não somente eu, mas vários pesquisadores. Há um grande pesquisador na Rússia que utiliza métodos bem próximos. Temos amigos de Bruxelas que empregam essa técnica, bem como na Dinamarca. Entretanto, há um número reduzido de pessoas que não alcançam sucesso e falariam, quem sabe: "Por que não consegui? Será que não fiz o passo a passo e não segui as regras?". Não são regras rígidas, porém, no meu caso, eu me estudei realmente, descobri qual é o passo a passo que funciona comigo; dediquei-me de fato, na hora certa. Não vejo outro caminho.

Afinal, determinação é o contrário do que alguns

dizem: "Gente, hoje não dá; estou cansado demais e tenho que namorar". Namore, mas faça o exercício! Tente ser o mais rigoroso possível quanto à determinação e à disciplina. Isso não impede que você viva outras coisas.

CRENÇAS

Uma das questões à qual quero chamar a atenção é fundamental para que os passos deste método funcionem: evite o misticismo exagerado, sobretudo aquele que é envolto num fantasma de medos e de crendices. O que quero dizer com isso? Nós interiorizamos determinadas crenças ao longo do tempo, contra as quais devemos nos precaver. Pensamentos como este são comuns: "Ah, eu não acredito que possa colaborar porque isso é demais para mim, está além do meu alcance". A crença na falta de capacidade e de merecimento é um dos maiores impedimentos. Outros falam: "Será que algum dia conseguirei trabalhar com os espíritos? Será que eu mereço?". Se você duvida já no início, a questão em jogo não é apenas merecimento, mas empenho. Eis a diferença: há quem se empenhe bastante, há quem se empenhe pouco. Aliás, alegar incapacidade é cômodo, em certo sentido, e pode justificar a preguiça a pretexto de suposta humildade.

Quanto ao merecimento, Jesus não falou nada a respeito quando abordou as concessões na hora da oração. Afirmou ele: "Peçam, e lhes será dado; busquem, e encontrarão; batam, e a porta lhes será aberta. Pois todo o que pede, recebe; o que busca, encontra; e àquele que bate, a porta será aberta"[3] — e ponto final! Foram vertentes do meio espírita que elevaram o fator merecimento a tamanha estatura, como se fosse o critério norteador de todas as oportunidades. Você pede e obtém, bate à porta e o resultado vem, desde que se esforce de maneira coerente com o objeto do pedido.

Dessa forma, muitos se empenham e atingem seu intento; já outros precisam analisar o porquê de não conseguirem. Algumas pessoas advertem: "Ah, isso pode prejudicar você, sua mediunidade, seu psiquismo". Que nada! O que existe é o medo, que pode

3. Mt 7:7-8 (BÍBLIA Leitura Perfeita. Nova Versão Internacional. Rio de Janeiro: Thomas Nelson Brasil, 2018).

prejudicá-lo. O medo e os fantasmas que você cria podem, sim, afetá-lo negativamente. O medo deteriora todas as áreas da sua vida, seja a área profissional, emocional, espiritual, financeira; qualquer uma. Rompa com o medo e tenha coragem de se dedicar, mas, ao fazê-lo, procure agir com consciência, para que você domine tanto o tema quanto o fenômeno ao qual pretende se entregar. Nada é de graça para ninguém! Somente se desenvolve uma capacidade quando há o devido empenho.

A esse respeito, costumo brincar em palestras que todo médium quer ser como Chico Xavier, no sentido de ter uma faculdade extraordinária como a dele, mas ninguém quer passar pelos tormentos que ele enfrentou — e que o transformaram em quem ele foi. Queremos ser a coisa pronta, o sucesso consumado, tentar meia dúzia de vezes e já conseguir, mas a vitória é resultado do dia a dia, de vivência, de dedicação, de persistência, de abrir mão de algumas comodidades — se for o desdobramento seu objetivo verdadeiro, porque talvez não seja... A pessoa talvez queira apenas fazer algumas experiências ou simplesmente estudar o tema para praticar quando tiver oportunidade, quando estiver mais madura. Ela provavelmente esperará indefinidamente, mas sua proposta pode ser só conhecer... Se for assim, que isso esteja claro.

TREINAR É PERSISTIR

Em regra, os métodos facilitadores que ensinarei exigem que você experimente, no mínimo, quatro vezes por semana. Portanto, sugiro que se dedique aos exercícios de segunda a sexta-feira, por exemplo, e, em cada um dos dias, tente de quatro a seis vezes. São ao menos quatro vezes seguidas repetindo cada metodologia. Se porventura não funcionar, se perceber que não foi sensível a ela, somente então passe à outra, insistindo por mais quatro vezes, idealmente em um único dia. Então, são quatro a seis práticas por semana, cada ocasião com quatro a seis tentativas. É importante repetir o roteiro até lograr um resultado tangível. Caso a primeira técnica não dê certo, mude para outra, mas não imediatamente; espere alguns minutos, respire antes de iniciar a nova série.

Ao identificar a técnica à qual você notou ser mais sensível, estabeleça uma rotina em quatro a seis dias na semana, pois, com menos do que isso, não se imprime o ritmo geralmente necessário para alcançar os resultados almejados. Apesar da minha recomendação, considero o ideal a dedicação diária, para quem desejar um regime mais intensivo. Algumas técnicas são feitas à noite ou no período em que se consagra ao sono, logo após acordar. Então, decida, por exemplo, que hoje tentará quatro vezes determinada técnica; se tiver êxito e conseguir perceber algo, então, repita durante a semana, em dias e horários predeterminados.

É preciso compreender que determinação, periodicidade e disciplina fazem parte de tudo o que realizamos na Terra, inclusive nas questões espirituais. Não há como pensar: "Na hora em que eu tiver tempo, em que estiver descansado... ah, quando minha mente estiver mais vazia, eu me dedicarei ao trabalho espiritual...". Assim, não se dedicará nunca. E é fundamental a periodicidade; não adianta ser de maneira eventual, porque a vida funciona em ritmo.

Se você acreditar que é capaz, empenhará todos os esforços para atingir seu objetivo. Se estiver convencido de que não merece, não pode ou é custoso demais, estará fracassado já no primeiro passo. Todas as vezes que colocamos a dificuldade à frente do sucesso, começamos nos derrotando. Então, alguns falam: "É penoso demais me dedicar a essas técnicas. Vou psicografar, que é mais fácil, pois fulano psicografa só uma vez por semana no centro espírita e pronto". Ora, dificilmente a mediunidade produtiva se desenvolverá nesse ritmo; de forma equivalente, é requerida a prática diária em casa, nos dias e horários predeterminados. Não se conhece outro caminho para o êxito. Na casa espírita, se verá tão somente a coroação daquele esforço empreendido dia após dia.

Sob o título *Formação dos médiuns*, o codificador do espiritismo analisa esse tema tomando por base a psicografia, no entanto, é lícito extrapolar suas palavras para o desenvolvimento de outras faculdades. Sobre a dúvida que assombra o sensitivo, esclarece:

> "Tendo consciência do que escreve, o médium é naturalmente levado a duvidar da sua faculdade; não sabe se o que lhe sai do lápis vem dele mesmo, ou de outro Espírito. *Não tem absolutamente que se preocupar com isso e deve*

prosseguir apesar de tudo. Se observar a si mesmo com atenção, facilmente descobrirá no que escreve uma porção de coisas que não passavam pela sua mente e que até são contrárias às suas ideias, prova evidente de que tais coisas não provêm do seu Espírito. *Que continue, pois, e a dúvida se dissipará com a experiência*".[4]

Toda técnica de controle mental, de pensamento e de investimento nas questões de ordem energética, espiritual, extrassensorial e extrafísica exige empenho. Decerto há quem me considere um chato até aqui, porque bato na tecla do trabalho, da dedicação, e é exatamente isso! Não existe milagre no universo. Não prometi milagre; prometi que a técnica benfeita, realizada com zelo e sensatez, funcionará, tal como se dá com várias pessoas no mundo todo. Para libertar-nos do maia, a ilusão da vida criada pela realidade material, há que se engajar num processo composto por várias etapas, sem subestimar a importância de nenhuma delas.[5]

4. KARDEC. *O livro dos médiuns*... Op. cit. p. 324, item 214. Grifos nossos.

5. "*Médiuns feitos ou formados* — Aqueles cujas faculdades mediúnicas es-

MAGNETISMO

Não constitui uma exigência, mas é desejável submeter-se à limpeza energética por meio do passe magnético, aplicado por magnetizador experiente; eis o ideal. Não necessariamente no mesmo dia. A título de exemplo, procuro receber o passe magnético semanalmente. Gosto, porque me torno mais sensível; ocorre a liberação de fluidos que, às vezes, absorvo dos ambientes aonde vou desdobrado e até mesmo dos locais que frequento e onde trabalho durante a

tão completamente desenvolvidas [...]. Compreende-se que este resultado *só pode ser conseguido pelo hábito*" (Ibidem, p. 298-299, item 192. Último grifo nosso).

"Algumas pessoas, impacientes com o desenvolvimento de suas faculdades mediúnicas, que consideram muito demorado, tiveram a ideia de pedir o auxílio de um Espírito qualquer, pensando em despedi-lo logo em seguida. Muitos foram servidos como queriam e escreveram imediatamente. Mas o Espírito evocado, pouco se incomodando por ter sido chamado nessas condições, mostrou-se menos dócil na hora de sair do que na hora de chegar" (Ibidem, p. 322, item 212).

vigília. Trata-se de uma medida tanto de caráter profilático, pois previne maiores complicações, quanto terapêutico, pois ajuda a me libertar do cascão ou do peso astral que me prende ao corpo físico. Por isso, prefiro algo regular, semanal, usufruindo do passe magnético independentemente se experimentarei o desdobramento naquele dia ou não.

O passe ministrado por outra pessoa ainda traz o benefício de lhe deixar numa atitude mais tranquila, de modo que sua mente esteja receptiva à bioenergia ou ao magnetismo. No momento em que o magnetizador atuar, ele deve permanecer concentrado, especialmente voltado à intenção última de sensibilizar o seu perispírito. Naqueles instantes, o pensamento do operador será tudo, pois ele direcionará e modulará os fluidos. Então, ao ministrar as técnicas sobre o sistema nervoso central, ao longo da sua coluna, ele deverá mentalizar: "Estou sensibilizando o organismo para favorecer o desdobramento desta pessoa...". Ao atribuir à energia esse propósito, ela será direcionada para tal objetivo, de acordo com a força e a determinação do pensamento de quem a manipulou.

"Posso fazer isso em mim mesmo?", há quem pergunte. Pode! Mas veja bem: a técnica é um tanto delicada e estabelece até limitações de ordem física... Não é possível dar um passe magnético em si mesmo ao longo da própria coluna, por exemplo. Se não houver alternativa, cabe lançar mão do autopasse, porém, só poderá ser na parte frontal do seu corpo. Faz-se uma prece, entra-se em conexão consigo mesmo e com o Alto, e passam-se as mãos ligeiramente à frente de si mesmo, lembrando que o passe magnético tem efeito dispersivo quando é rápido e concentrador quando é lento. No aspecto técnico, a diferença é que, enquanto o magnetizador o aplica sobre a coluna — onde está enraizada a base dos chacras, na contraparte astral —, o automagnetismo é ministrado na face ventral, o que os sensibiliza de maneira pouco mais lenta.[6]

PRIMEIROS PASSOS

O objetivo inicial é desenvolver a habilidade de sair do corpo sem buscar nada além disso. Não se preocu-

6. Cf. "Passes magnéticos". In: PINHEIRO. *Medicina da alma*. Op. cit. p. 189-199. Cf. "Os passes magnéticos". In: PINHEIRO. *Energia*. Op. cit. p. 206-229.

pe em ver espírito, muito menos em realizar alguma missão no astral. Durante os experimentos, na medida em que se dispuser a estudar do outro lado, em regra os espíritos conduzem o candidato a aulas, desde que tenha realmente esse propósito, com finalidade de se esclarecer para melhor colaborar com eles. Nesse caso, será sensibilizado pelos espíritos familiares ou protetores que o tutelam.

Essa é uma disposição que se pode ter independentemente do dia e do horário, porém, se puder ser em todas as noites, quando for se deitar, melhor ainda. Não obstante, ela é composta por etapas a serem observadas. Primeiramente, compete à pessoa elaborar a própria vontade e expressá-la em forma de oração, dirigindo-se a seu mentor ou orientador. Em segundo lugar, ela deverá provar que o interesse é genuíno, colocando-se com certa frequência à disposição quando for dormir. Na fase seguinte, após se exercitar algumas vezes por semana — pois muita gente tenta apenas uma ou duas vezes e desiste —, ela passa a ter leves recordações da participação em grupos extrafísicos. Somente depois, no quarto momento, caso persista, começa a lembrar-se de imagens, paisagens e outros aspectos do processo de aprendizado.

Procure sair do corpo por meio das técnicas propostas ao longo dos próximos capítulos, sentindo cada uma das etapas. Tente de quatro a cinco vezes na mesma noite. Por quê? Não há como você se conhecer se fizer o processo rápido demais. Terminou? Repouse e entregue-se ao sono. Se porventura acordar, invista outra vez; se não conseguir desdobrar, durma novamente. Nos dias subsequentes, repita esses procedimentos, pelo menos quatro vezes por semana. Pode se enganar com as impressões, no entanto, ao reiterar o esforço, você se sensibiliza e gradualmente afasta o maia, a ilusão, a fim de que o pensamento se liberte.

A mente deve se habituar à ideia do desdobramento, e, para isso, você deve estudar sempre, conversar com pessoas interessadas no mesmo assunto, discutir temas que alimentem o intelecto com a informação de que é possível, sim, sair do corpo. Isso é quebrar a hipnose dos sentidos. Quanto mais pesquisar e mergulhar nesse universo, mais natural será aquela hipótese e mais fáceis serão as experiências ao longo da jornada.

Não fique somente nestas técnicas, tente outras assim que perceber que está na hora, mas esgote primeiro esses passos preliminares. Quem sabe você até utilize o método de outro instrutor? Há quem fale: "Ah, aquela técnica funciona mais". Se funcionar, faça pelo menos quatro vezes seguidas por noite, até a exaustão. Caso durma durante a tentativa, não há problema; pelo menos seu cérebro aos poucos se habitua, sua mente se volta mais e mais ao tema da vida multidimensional.

Ao despertar em meio a essas experiências, procure não abrir os olhos; em vez disso, abra-os de maneira espiritual, vamos assim dizer, com o intuito de perceber-se internamente. Ao acordar à noite, em vez de sondar o que está no entorno, vasculhe o que está na intimidade. Busque enxergar pela terceira visão; o célebre terceiro olho corresponde ao olhar interior, não exterior. É crucial querer se ver internamente, prestar atenção ao que há dentro de si.

Essa dica é válida para todo este método: tão logo desperte à noite, crie o hábito de não abrir os olhos. Procure permanecer acordado por alguns minutos. Hoje isso é automático para mim; tão automático que, às vezes, acordo e vou tomar água com os olhos fechados, pois já sei onde a água está. Sem abri-los, faço os experimentos para sair do corpo. Estipule isso como meta, programando o cérebro.

O segundo cuidado é evitar o movimento corporal. Quanto mais tranquilo e inerte permanecer, melhor será para a eficácia dos exercícios deste método.

Reitero, por fim: a tentativa de decolagem, de entrar em relação com o mundo extrafísico, deve ser realizada passo a passo. Não se aventure a estabelecer: "Vou tentar ver espírito, vou me ver fora do corpo". Não! Absorva cada fase que tenho transmitido a você; não pule etapas. Busque ser o mais disciplinado possível. Domine as recomendações feitas nestes últimos parágrafos para, só depois, avançar para a próxima fase.

MÉTODO FACILITADOR

CAPÍTULO XIII

O resultado da correta experimentação, de ter disciplina para fazer esse passo a passo, é o desdobramento. Antes de adormecer, você deve aprender a relaxar cada parte de seu corpo, dos órgãos internos às extremidades, por fim contemplando toda a musculatura. Submeter-se ao magnetismo regularmente, como já foi dito, é muitíssimo importante, pois promove tanto limpeza energética como sensibilização dos corpos sutis.

Tão logo acorde, no meio da noite, lembre-se do método facilitador, que denomino assim porque propõe técnicas para se chegar mais rapidamente à saída do corpo. Mediante certas programações feitas em vigília, nesse exato instante, será relativamente fácil, quando adormecer de novo, converter o sono ou o sonho em desdobramento. É que as horas de repouso precedentes já aprofundaram o estado de relaxamento e, em virtude disso, o organismo e a mente atuarão com mais liberdade. Ao contrário do que muitos pensam, é propício realizar o exercício durante o período noturno — quero dizer, mais precisamente, durante o período de sono (para fins didáticos, deste ponto em diante, tomarei ambas expressões como equivalentes).

Assim que começar a perceber o efeito de qualquer uma das técnicas de desdobramento apresentadas ao longo deste livro, provocando seja um leve formigamento, seja uma percepção física ou tátil, ainda que tênue, ou mesmo uma impressão sutil, de natureza fluídica, invista naquela técnica. Repita-a quantas vezes puder, até que o resultado produzido adquira a máxima intensidade. Este preceito é essencial: não se dedique a outra antes de esgotar aquela que o fez apresentar bom desempenho.

Durante o treino, é esperado que se observe leve despertar dos sentidos psíquicos, surgindo percepções de ordem extrafísica ou energética — são comuns tremores, arrepios ou formigamentos; a impressão é que uma espécie de corrente elétrica sobe dos pés à cabeça. Chamo indistintamente qualquer um desses fenômenos de vibração, apenas para fins didáticos. Trata-se de algo bem perceptível, só que nesse ponto muita gente para de medo, ao invés de continuar. Se algo assim lhe suceder, logo funcionou! Não há o que temer! Você é sensível a essa técnica, por mais leve que seja a sensação obtida. Assim, dedique-se ao processo, contribua mentalmente para amplificá-lo, dando ênfase ao fenômeno; aumente a vontade, concentrando-se naquela percepção extrafísica e na vontade de desdobrar.

Repita a técnica quatro, cinco, seis vezes por noite, afinal, as tentativas não são demoradas — talvez você gaste dez minutos, no máximo, para executá-las. Quando falo seis vezes, pode parecer que ficará uma hora sem dormir, mas não é isso, de modo algum. Se surtir efeito, repita o exercício e não espere resultados mirabolantes, porque a progressão é gradual, degrau a degrau — o que é ótimo, pois assim se pode constatar o avanço a cada etapa.

Mencionei, anteriormente, a importância de registrar tudo, sugerindo o uso de um caderno como diário. A cada tentativa, anote os resultados obtidos com detalhes. Amanhã você anotará, por exemplo: "Repeti o mesmo processo e não funcionou, mas, com aquela técnica, eu me senti mais à vontade; minha mente e meu organismo espiritual responderam melhor".

O método facilitador indireto consiste em acordar durante a noite, programando o cérebro para aquele momento sem o uso do despertador. É tudo uma questão de querer, de emitir a ordem mental para si mesmo e dedicar-se ao treino até que haja a resposta desejada. Tente isto três, quatro, cinco vezes e se habituará: interrompa o sono e não abra os olhos. Nesse momento, procure ficar o mais calmo possível, mas ciente de que se trata de uma atitude proativa — e não passiva, ainda que acarrete certa passividade aparente, porque a mente agirá para que a metodologia opere. É favorável despertar após um período dormindo, pois, assim, o corpo já se terá refeito, em boa medida, e você tende a estar mais sereno e bem-disposto, além de menos ansioso pelo desfecho do exercício.

EXPERIÊNCIA DAS IMAGENS

O procedimento a seguir funciona com um número expressivo de pessoas. Ao acordar e permanecer com os olhos fechados, buscando manter-se inerte e sem tensão nenhuma, somente com o cérebro e a mente trabalhando, você relaxa e começa o seguinte empreendimento, chamado experiência das imagens.

Tão logo desperte, independentemente do horário, quero que procure distinguir imagens com os olhos fechados. Não sei se já notou: quando permanecemos com os olhos assim, uma série de pontos luminosos ou de vultos parecem cruzar o olhar — ao menos é o que a maioria das pessoas reporta. À noite, durante a madrugada, após algumas horas de sono, esse fenômeno sofre grande incremento, pois acordamos com o cérebro "vazio", descansado.

Fique o mais inerte possível, tranquilo, com os olhos cerrados. Perceba as imagens dentro da mente, projetadas na face interna das pálpebras. Provavelmente, verá um ou mais focos de luz sobre uma tela escura, algo bem sutil, como se fossem pontinhos iluminados. Procure identificar essa imagem. Muitos relatam, também, um zunido intracraniano, como se houvesse um zumbido ao longe; às vezes, lembra o som de estática, que escutamos em televisores e aparelhos de rádio fora de qualquer canal ou estação. Ao guardar o completo recolhimento na madrugada, desde o exato instante em que o sono cessa, você será capaz de detectar ambos os fenômenos. Busque reconhecer ao máximo esses sinais.

Diga para si mesmo: "Ficarei em silêncio aqui, só para que eu me perceba". Nesse momento, um ruído interno surge, geralmente descrito como um zumbido. Persiga esse som, tente aumentá-lo; amplie a atenção sobre ele e vá avante com o pensamento. Lembre-se de que, neste propósito, é necessário que o pensamento participe.

Em paralelo, é esperado que perceba os contornos de um rosto ou de uma paisagem, mais ou menos como ocorre quando miramos cúmulos nos céus. Tão logo distinga a imagem, comece a se aproximar. Insira-se nela. Procure fixar-se nela, mas não nos mínimos detalhes; observe-a de maneira generalizada e se achegue. Aos poucos, traga essas feições ou essa figura em sua direção.

Por exemplo: "Fechei os olhos agora. Vejo uma casa e uma cerquinha toda branca". Deve se aproximar dessa casa, penetrando-lhe gradualmente, dando à cena mais e mais contornos de realidade. Em breve, estará se vendo dentro dela, num processo de visualização criativa. Com frequência, nesse estágio do exercício, acontece o que denominamos *efeito de arraste*. A pessoa acaba por se transportar em corpo mental até a paisagem e, com a prática, em certo número de casos, também em perispírito. Então, integra-se inteiramente ao ambiente criado — o qual, aliás, pode passar a existir no astral, a depender da persistência no treino e, em circunstâncias diferentes, se a visualização for feita em conjunto com outros indivíduos.

Além das imagens e silhuetas, às vezes terá a impressão de que passam riscos cintilantes à sua frente, entretanto, não se distraia. Fixe a atenção na imagem mais nítida que aparecer diante de si, ou seja, aquela que conseguir identificar mais claramente — muito embora não seja útil se ater a pormenores como a cor deste ou daquele objeto. No início dos experimentos, o objetivo são percepções gerais; deixe as particulares para depois, quando a mente já estiver acostumada ao processo aqui descrito. Assim, olhe de maneira geral, sem perder o todo da cena de vista. Caso ela se esvaia, identifique outra; mantendo os olhos fechados, não será difícil.

A grande maioria das pessoas costuma ter êxito em divisar essas imagens. Há até quem tenha experimentado tal fenômeno na infância, muito provavelmente sem saber que consiste em excelente auxiliar para promover a decolagem.

Assim que perceber a cena, contemple sua realidade e, logo mais, deixe que ela o envolva, que o absorva. Se for uma paisagem, entre nela. Esse momento em que se sonda a imagem com os olhos fechados — que pode durar apenas alguns poucos segundos — será quando notará suas próprias reações. Passados ao menos cinco a dez segundos, então avance em direção à cena. Aproveite para trazer à memória, caso o tenha escutado, aquele zumbido de que falei anteriormente, concentrando-se nele também. Para medir o transcorrer do tempo, uma simples contagem resolverá: um, dois, três... cada contagem é um segundo.

Esse exercício funciona muito bem, mas as etapas descritas acima por vezes se sucedem apenas com a insistência e a repetição. Se porventura distinguir aquela imagem e vivenciar todos os processos até integrar-se a ela, podem ocorrer duas coisas: ou você adormece outra vez, vencido pelo sono, ou pode iniciar o exercício novamente. Em ambos os casos, a ideia é que, com a prática, chegue o momento em que você se projete no astral tão logo volte a conciliar o sono.

Repita em todas as noites possíveis — no mínimo, quatro, ainda que o ideal seja de seis a sete durante a semana. A progressão dos resultados, com o incremento da percepção tanto das cenas quanto dos sons, servirá como estímulo importante para empreender nova tentativa.

Aliás, mediante algum traquejo obtido com a prática, há quem prefira fazer o exercício em período diurno, o que requer mais concentração e esforço, conforme os motivos expostos. Nesse caso, trata-se de um método facilitador *direto*, ou seja, que independe do sono prévio, por oposição ao *indireto*, que sucede imediatamente o repouso. Experimente! Sugiro empilhar alguns travesseiros atrás de você, na cama, ou acomodar-se numa poltrona confortável, permanecendo entre sentado e recostado, com os olhos fechados, enquanto realiza o treino. É, também, uma maneira de verificar qual posição corporal mais o favorece visando ao desdobramento: recostado ou deitado.

MOVER-SE SEM MOVER-SE

Depois de explorar bastante essa fase da imagem e

do som, ao longo de várias sessões, é chegada a hora de dar um novo passo. Sem recorrer ao esforço muscular, procure virar-se, como quem se vira na cama, mudando de lado para dormir. Perceba a imagem, ingresse nela; registre o som e dê total atenção a ele. Em seguida, tente virar-se, como se estivesse girando no próprio corpo, porém, um movimento sem ação dos músculos. Nesse momento, o pensamento deve agir sobre o espírito. Veja-se movendo-se para o lado e para fora de si; sobretudo, sinta o movimento, não só visualize. Desse modo, exercerá uma ação mental sobre o perispírito, que tenderá a girar de forma lenta e incipiente em torno do próprio eixo, por isso, insista nesse processo quantas vezes forem necessárias.

Que experimento extraordinário! Ocorreu comigo na infância, quando eu tinha uns nove a dez anos de idade. Foi o primeiro fenômeno parapsíquico que vivenciei antes de ver espírito ou perceber qualquer coisa. Lembro que me deitava e minha mãe sentava-se ao meu lado, numa cadeira. Eu começava a prestar atenção no barulho, um barulho estranho, distante, no qual me concentrava. Pouco depois, era como se eu estivesse numa rede a balançar, daquelas tão populares no Norte e no Nordeste do Brasil. Era prazerosa a leve tontura que me dominava; eu era criança, então, começava a me imaginar girando, girando... Quando me assustava, saía numa trajetória em espiral, para cima e também para trás, na diagonal; ao abrir os olhos, não comandava mais os órgãos físicos, mas os perispirituais, conforme aprendi bem mais tarde. Via-me sobrevoando uma paisagem repleta de margaridas, com uma única árvore frondosa, e aquela plantação parecia não ter fim. Fiz esse exercício durante anos, porque achava gostoso na época. Quando iniciei os estudos, anotei, refleti: por que funcionava comigo naquela época?

Voltando ao exercício proposto, tente se mover, mas sem acionar músculo nenhum. O movimento é do psicossoma, e não do corpo físico. Para facilitar, vamos recapitular: logo que despertar do sono, permaneça sem se mexer — isso é essencial; basta ficar tranquilo pelo máximo de tempo possível. Repito para que você fixe, já que isto é uma metodologia de aprendizado, não uma aventura qualquer. Mantenha os olhos fechados a todo custo — habitue o cérebro a mantê-los assim —, muito embora esteja acordado.

Sabe aquele dia em que acordamos com tanta preguiça que não queremos abrir os olhos? Eu vivo isso. Aí penso: "Ah, não! Não vou abrir os olhos, senão não durmo de novo". A sensação é semelhante.

Devemos habituar nosso cérebro ou, talvez, condicionar nossos reflexos a acordarmos e não abrirmos os olhos. Atualmente, pego o copo d'água ao lado da cama, por exemplo, valendo-me somente do tato, até porque sei onde o pus. Levanto-me à noite, com os olhos fechados, e me locomovo pela casa com tranquilidade. Treino para viver às cegas, no corpo físico, porque é uma habilidade a mais que desenvolvo. Adoro fazer isso! Vou ao banheiro sem abrir os olhos, durante a noite, e o desafio é encontrar o caminho sem esbarrar na parede. É uma maneira de aguçar outros sentidos e adestrar as faculdades. Na sequência, volto preguiçosamente, deito-me na cama, encosto devagar e tento sair do corpo. Começo a me visualizar girando no meu corpo, girando, girando, girando...

Gradativamente, habitue seu cérebro; logo, conseguirá caminhar pela casa sem recorrer à visão. Ora, as pessoas cegas o fazem, então, imaginemo-nos com a intenção de imitá-las e de educar nosso cérebro para tanto. Você conseguirá mediante poucas tentativas.

PERSEGUINDO SINAIS

O que quero que faça em sequência a esse conjunto de experimentos? Tão logo desperte do sono, ainda durante a noite, procure ficar inerte. Não se mexa, não abra os olhos. Repita o relaxamento, quem sabe, envolvendo-se numa luz com sua cor predileta e adotando o roteiro abaixo.

Mentalize essa luminosidade colorida banhando-o e penetrando-o desde os pés, passando pelos tornozelos, pelas pernas até os joelhos, deixando-o cada vez mais leve, mais tranquilo, e assim percorrendo todo o corpo, até o couro cabeludo. Use qualquer método de relaxamento que facilite para você; essa é apenas uma sugestão. Preste atenção ao completo silêncio mental, às imagens e aos sons intracranianos; veja como se repetem. Esse é um método que aprendi em programação neurolinguística (PNL), o qual é uma das medidas para combater a hipnose à qual nosso cérebro está sujeito — a hipnose que a vida na matéria, o maia e a *matrix* causam em nós. O espírito

Joseph Gleber chegou a me explicar que, apesar de parecer singelo o gesto de visualizar a luz e conseguir perceber nitidamente sua coloração, quando a pessoa o faz com plenitude e treina a ponto de ser capaz de "sentir" a cor, é acionada uma programação subjacente à do maia, em camadas profundas da mente. Gradativamente, a *matrix* vai se erodindo.

Qualquer vibração que for sentida, por mais leve que seja, é sinal de que o método está funcionando. Talvez seja uma impressão ligeira ou um mero arrepio... Caso sinta algo, pode indicar aumento de energia no perispírito ou no duplo etérico — no caso deste, geralmente é percebido como calor em apenas um lado do corpo, mais frequentemente no esquerdo. Logo advém uma sensação de formigamento muito leve, como se estivesse retida a circulação. Outras vezes, certos membros descoincidem, dando a impressão de que inflam e, em seguida, voltam ao normal. O movimento pendular do corpo astral, como uma leve oscilação, também é comumente relatado. Em suma: qualquer mudança que lhe ocorra, fixe-se nela e persiga esse sinal.

Por menor que seja a sensação produzida, prossiga na empreitada, mesmo que não perceba aquela vibração, mas detecte algo suave, como um sentimento agradável a envolvê-lo, por exemplo. Busque aumentá-lo; detenha-se nele. Instantes depois, estará tão absorto que começará a sentir aquele balanço — imagine-se numa rede de descanso; tal é a sensação. À medida que se concentrar, o corpo sutil intensificará esse movimento pendular, que é acompanhado de uma impressão de leveza.

Se sentir qualquer resultado, repita mais quatro vezes em sequência o que vem a partir de "Busque aumentá-lo", no parágrafo anterior, substituindo o referido sentimento por quaisquer dos sinais sentidos, se for o caso. Cada tentativa demora de cinco a quinze segundos. Com pouco mais de treinamento, talvez o aumente para trinta segundos, então para um minuto e, assim, fará o mesmo exercício repetidamente, com intensidade progressivamente maior. Depois de alguma prática, não defendo que perca vinte ou trinta minutos de sono nisso, todavia, na hora em que acordar, faça pelo tempo que sua mente determinar. O importante é perseguir o objetivo de desdobrar de modo repetitivo.

O que devemos fazer quando experimentamos as primeiras vibrações? Urge exercitar o poder da vontade. A vibração vem em ondas, então, cabe tentar, mediante o uso da vontade, recriar e ampliar essas ondas. Em regra, são ondas que vêm, que lembram uma série de arrepios que vão subindo. A maioria das pessoas os sentem dos pés até a cabeça; poucas relatam-nos no sentido contrário, ou seja, da cabeça aos pés. Afinal, estamos encarnados, assim é natural que a energia telúrica, que é a da Terra, tenha mais força e, portanto, as ondas venham de baixo para cima.

Como foi dito, no entanto, não são todos que sentem do mesmo modo, portanto, tente repetir a façanha, reiniciando o treino, se necessário, desde o relaxamento. Empregue a força do pensamento para aumentar a frequência e a intensidade com que as vibrações ocorrerão, sem mexer o corpo. Obtendo resultados nessa etapa, passe àquele outro passo explicado anteriormente: girar em torno do próprio eixo, sem acionar os músculos.

OUTROS APONTAMENTOS

O lema nessa hora deve ser: "Eu posso, eu quero, eu

consigo". Veja bem: "Eu posso, eu quero, eu consigo". Ao repetir isso, você educa o cérebro e transmite as ordens do espírito, de tal modo que não será o cérebro comandando a mente, mas a mente, que é imaterial, comandando o cérebro: "Eu posso, eu quero, eu consigo". Recomendo até mesmo anotar a seguinte frase, num papel em casa, como exercício: "Eu posso desdobrar, eu quero desdobrar, eu consigo desdobrar".

Como já foi dito, os ruídos intracranianos nessa fase são comuns, pois advêm de um fenômeno objetivo: resultam da vibração do perispírito e do duplo etérico nos entrechoques naturais com o corpo físico, na caixa craniana, ou seja, não constituem algo imaginário, subjetivo. Esse barulho discreto que se ouve, no silêncio completo, é a vibração da natureza, do próprio perispírito, pois é ele que se movimenta. É extraordinário atentar-se a esses sons e "voar nas asas do vento".

Ao fazer os exercícios, eis uma atitude eficaz: concentre-se naquele balanço do duplo etérico e do psicossoma. Permaneça atento ao movimento e, ao mesmo tempo, impulsione-o mentalmente. No início, poderá conseguir uma oscilação pequena; pouco depois, será maior; com a prática, ficará ainda mais ampla.

Perceba como o método é um passo a passo, é um treino, e todo treino consiste em repetição visando ao aperfeiçoamento. Gradualmente, tudo se dará sem o esforço das primeiras tentativas, ou seja, com mais facilidade. Mais uma vez, reforço esse aspecto a fim de inculcar em você como é fundamental persistir e perseguir seu objetivo.

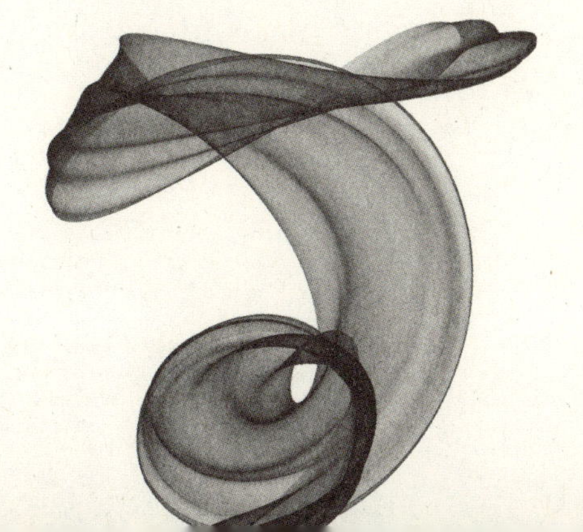

EXPERIMENTOS DE DESCOIN-CIDÊNCIA

CAPÍTULO XIV

Prosseguindo com a próxima etapa do método, vamos tratar de três exercícios muito simples e altamente eficazes. De antemão, permanecem válidas as advertências e os preparativos já citados. Nada de ambicionar fenômenos frívolos, como ver espíritos por mera curiosidade. Obedecendo ao passo a passo, conserve os olhos fechados ao acordar, conforme explicado, e faça um relaxamento, procurando manter-se inerte.

EXERCÍCIO 1: O DA MÃO

No primeiro exercício, o foco será uma das mãos. Coloque a atenção sobre qualquer uma delas, muito embora seja mais natural que destros usem a direita e canhotos, a esquerda. Concentre-se e procure sentir cada aspecto da mão escolhida, percebendo-a por inteiro e, ao mesmo tempo, em cada pormenor, como se fosse possível tomar consciência de cada célula.

A experiência consiste em tentar movê-la sem acionar um músculo sequer. Não é a mão física, portanto, o alvo do movimento. Você já está relaxado, acordou após dormir por algumas horas, e tudo converge para o êxito deste treino. Concentre a vontade sobre sua mão e force o cérebro, mediante comandos mentais firmes e resolutos, colimando que ela descoincida — pois descoincidir é separar-se do corpo físico.

Dentro em breve, a mão extrafísica começará, devagar, a movimentar-se de um lado para outro, lentamente, antes mesmo que desacople. Você deve sentir a mão se mover — não só desejar, mas sentir —, empregando a força da vontade e do pensamento. Tente durante três a quatro minutos e, após breve intervalo, repita o exercício mais duas a três vezes. No início, surgirá apenas uma vibração, talvez; não espere grandes feitos de imediato. Pouco tempo depois, o cérebro acatará a ordem dada pela mente, e o perispírito, na parte correspondente à mão, fará menção de oscilar. Logo, a mão descoincidirá, balançando-se para cima e para baixo.

Com alguma insistência, você acabará dominando essa técnica. Transcorrido curto período, passará para a descoincidência do braço, até que, logo mais, será o corpo astral que desacoplará. Repare que o exercício foi concebido, sobretudo, a fim de educar a mente e o cérebro a pensarem fora da dimensão material tanto quanto a obedecerem às ordens do espírito. Por isso, como tudo que tenho ensinado, trata-se de algo progressivo, que conduz a resultados gradativos... nada tem de miraculoso. É você quem quer sair do corpo, e assim o corpo sutil cedo ou tarde responderá, sem recorrer à musculatura, a começar da mão, passando pelo braço até o psicossoma como um todo.

Uma vez mais, destaco que este é um método que consiste em seguir etapa por etapa, de modo que você não se engane, não espere nada abrupto, que o lançaria numa experiência fora do corpo imprudente, mesmo que porventura completa. Gradualmente, vamos consolidar o processo. Eis o grande segredo: dominá-lo a fim de poder repeti-lo quantas vezes puder. E eis a função da repetição: habituar o cérebro com parâmetros novos.

Espero que pratique o exercício rigorosamente, por três a quatro vezes seguidas. Aguarde uns instantes, relaxe ou, quem sabe, você se verá dormindo e será projetado durante o próprio sono.

Novamente, aplica-se a observação feita no capítulo anterior, no último parágrafo antes da seção "Mover-se sem mover". Isto é: você pode praticar esse exercício — e também o seguinte — como parte de um método facilitador *direto*, ou seja, sem ser precedido por sono, muito embora eu perceba que, para a maioria das pessoas, o método *indireto* alcance melhor resultado. Experimente e avalie!

Existem três casos, de pessoas próximas a mim, que me procuraram e disseram: "Ah, Robson, sempre tive dificuldade em desdobrar". Uma delas, na quarta tentativa seguindo este método, conseguiu se projetar; a outra também, e com pouca prática; a última, na décima vez, viu-se ao lado do corpo, porém se apavorou e *boom*, voltou na hora.

CORAGEM E DEDICAÇÃO

O medo é mesmo um obstáculo danado! Urge vencê-lo, principalmente o receio de cunho doutrinário, que se impõe assim: "Pode atrapalhar a mediunidade, pode prejudicar o psiquismo, pode atrair o obsessor, pode isso...". Cultiva-se medo em excesso no meio espiritualista — e não sou somente eu quem afirmo. Os espíritos superiores advertem a esse respeito ao menos desde Kardec: "*Por que, neste mundo, a influência dos maus geralmente sobrepuja a dos bons*? Por fraqueza dos bons. Os maus são intrigantes e audaciosos; os bons são tímidos".[1] Sendo assim, a religião do medo deve ser vencida já, sobretudo se você quer ser uma pessoa resoluta e consciente daquilo que faz.

Caso você durma durante qualquer uma dessas experiências, não se preocupe. É comum que, vez ou outra, relaxe a tal ponto durante o período de treinamento que venha a *capotar*.

Dedique-se ao menos três vezes por semana a esses experimentos, então, precisará forçar a sua mente no sentido de automatizar todos os processos possíveis. Suponhamos que, por qualquer motivo, não tenha se consagrando ao treino em determinada semana. Recomece do zero, repita todos os passos, até que os memorize e se tornem naturais; então, passará a ser rotina.

Há muitos anos, desenvolvi um hábito, quando recebo visitas, de preveni-las quanto ao fato de que, em determinado horário, quero a casa vazia, pois vou trabalhar em desdobramento. Então, elas já sabem; olham umas para as outras no horário estabelecido

1. KARDEC. *O livro dos espíritos*. Op. cit. p. 565, item 932.

e dizem: "Vamos indo embora, Robson!". Eu respondo: "Obrigado, pessoal! Qualquer dia convido vocês de volta".

A célebre Yvonne Pereira foi uma médium extraordinária, com notável atuação em desdobramento. Chico Xavier, como eu disse antes, a tinha na conta de a mais completa entre todos os médiuns que ele conhecia. Ela era rigorosa ao extremo. Não pretendo chegar a tanto, mas, às 18h, recolhia-se em casa e, podia bater à porta quem quisesse, ela não atendia, pois era seu horário de se dedicar ao desdobramento. Fazia isso diariamente, o que decerto foi decisivo para torná-la uma das pessoas mais vibráteis de que temos notícia. Entre seus livros, *Memórias de um suicida* resulta de desdobramentos sucessivos que ela experimentou e descreveu, com a ajuda dos espíritos. Não foi psicografia; os demais livros, sim, mas esse não. Ela desdobrava, mergulhava nas cenas, voltava e escrevia — e isso só era possível porque ela se dedicava.[2]

2. "Refiro-me a Léon Denis, [...] a quem tenho os melhores motivos para atribuir as intuições advindas para a *compilação* e a *redação* da presente obra. [...] Porém, muito mais frequentemente, arrebatavam-me, ele e outros

Note o que tenho repetido desde o primeiro momento: a disciplina no treino é essencial. Experimente e busque perceber se funciona ou não com você. Houve alguma falha durante o processo?

EXERCÍCIO 2: O DO PENSAMENTO

Compartilharei outro exercício; se no primeiro usamos a mão, agora, vamos nos concentrar sobre o pensamento. De modo geral, este é o que produz mais resultado — todavia, parte-se da premissa de que todos os testes e experimentos anteriores tenham sido largamente praticados. Ainda apresentarei outras técnicas neste método, e você descobrirá a que lhe será mais eficaz.

amigos e protetores espirituais, do cárcere corpóreo, a fim de, por essa forma cômoda e eficiente, ampliar ditados e experiências. Então, meu Espírito alçava ao convívio do mundo invisível e as mensagens já não eram escritas, mas *narradas, mostradas, exibidas* à minha faculdade mediúnica para que, ao despertar, maior facilidade eu encontrasse para compreender aquele que, por mercê inestimável do Céu, me pudesse auxiliar a descrevê-las, pois eu não era escritora para fazê-lo por mim mesma! Estas páginas, portanto, rigorosamente, não foram psicografadas" ("Introdução". In: PEREIRA. *Memórias de um suicida*. Op. cit. p. 7, 9).

O procedimento inicial é o mesmo. Assim que acordar, mantenha os olhos fechados; pode ser no meio da noite ou pela manhã, pouco importa. À medida que cumpre esses e os demais preparativos, estimule o pensamento, programando-o e imprimindo-lhe ordens sustentadas por uma resolução firme de desdobrar. É a mente comandando o cérebro, induzindo-o a produzir o estado vibracional propício, o qual repercutirá sobre o corpo físico. Trata-se de aguçar ao máximo a concentração — esse é o ponto fulcral do exercício. Fustigue suas faculdades e, pouco depois, sentirá alguma reação, talvez um leve arrepio nas pernas.

Respire profundamente, pois o incremento na quantidade de gás carbônico circulando impele à maior oxigenação do cérebro, o que é uma maneira eficaz de estimular a decolagem. Tente mais e mais, acentuando a respiração. Surgirão imagens, assim como algumas sensações corpóreas, e o cérebro descarregará uma energia poderosa, dissociativa, atenuando as barreiras que o prendem ao corpo. Caso você perceba a iminência dessa vibração — isto é, a impressão de que a mente adentra um estado alterado de consciência —, seja ágil e concentre-se no fenômeno, a fim de amplificá-la. Ative sua determinação ainda mais, usando a percepção física como ponte para chegar à extrafísica. Convém repetir o exercício ao menos quatro vezes a cada empreitada.

TRANSPIRAÇÃO E DESTEMOR

Em questões espirituais, prevalece o que já foi dito muitas vezes a respeito de artistas, particularmente escritores e compositores: o resultado é 10% de inspiração e 90% de transpiração, ou seja, treino e mais treino, disciplina e mais disciplina. Se estiver inspirado, mas não se empenhar, dificilmente alcançará o que almeja.

Gosto muito desse exercício. Conheci pessoas em Madri, Barcelona e outras cidades europeias que o empregaram e obtiveram resultados positivos em pouco tempo, porém, entre elas há uma cultura que dá menos ênfase ao medo e aos tabus do que a nossa, por vezes cercada de impedimentos doutrinários, psicológicos, emocionais e de variada ordem.

Confie na sua imunidade energética, na proteção e na sabedoria dos seus mentores e guardiões. Há quem pense que vai desencarnar ou ficar louco[3] em virtude do desdobramento, ou que incorporará ao lado do esposo ou da esposa. Tampouco haverá obsessor. Então, faça uma prece valendo-se do preceito bíblico: "Peçam, e lhes será dado; busquem, e encontrarão; batam, e a porta lhes será aberta".[4]

Às vezes, ainda hoje lanço mão desta técnica, apesar da experiência de anos em desdobramento. Certa ocasião, soube de um evento catastrófico que ocorreu na Europa Oriental por meio de uma amiga desdobrada, que veio até mim e me recomendou:

— Robson, não se envolva; continue concentrado nas atividades no Brasil para não dispersar sua atenção.

Reagi:

3. "*A mediunidade poderia produzir a loucura?* 'Não mais do que qualquer outra coisa, desde que não haja predisposição para isso, em virtude de fraqueza cerebral. A mediunidade não produzirá a loucura, se esta já não existir em estado rudimentar. Porém, se o seu princípio já existe, o que facilmente se reconhece pelo estado moral da pessoa, o bom senso nos diz que devemos ser cautelosos, sob todos os pontos de vista, pois qualquer abalo pode ser prejudicial'." (KARDEC. *O livro dos médiuns...* Op. cit. p. 334-335, item 221.5.)

4. Mt 7:7. (BÍBLIA. Nova Versão Internacional [NVI]. Op. cit.)

— E sou lá homem de não me envolver?

Então, um guardião que estava perto de mim falou:

— Não faça isso, Robson. Fique aí; é um conselho.

— Não quero nem saber! Estou indo agora — respondi.

— Mas e se eu disser que não vou permitir? — redarguiu o guardião.

— Acontece que o corpo é meu, o espírito é meu e, então, estou indo.

Usei aquele método do cérebro. Insisti e, quando estava ao lado dele, disse:

— Tchau!

Chegando a meu destino, um espírito exclamou:

— Você é louco!

Virei para ele e lhe perguntei:

— Você não é meu guardião particular? — ao que ele assentiu. — Então, se acontecer algo comigo, o problema é seu.

Note bem, trata-se da minha vontade direcionada a empreender o bem. Cabe ao guardião me proteger; senão, que entre outro em cena, pois não fui eu quem o escolheu, mas vice-versa. Vamos experimentar com firmeza e confiança resoluta, porque, se praticamos o bem verdadeiro, o bem será nossa defesa. Logo, nada de temer espírito e dirigente espírita que diz: "Ah, o mentor falou para ter cuidado". Cuidado com o quê, especificamente? A proposta apresentada neste método não é nada leviana; pelo contrário, é centrada na preocupação com a segurança. Tomadas as devidas precauções, vamos em frente com destemor!

Sabe qual é um grande obstáculo? Em grande número de casos, espíritas ou espiritualistas são pessoas demasiadamente medrosas. Dizemos que a alma é imortal, que ela atua fora do corpo, mas queremos apenas *ver* espírito, jamais *se tornar* um — desencarnado, é claro. Quando falece alguém próximo, frequentemente reagimos inconformados: "Ah, meu Deus, por que aconteceu isso?". Entretanto, não morreremos todos? Aliás, nossos mentores não estão, exatamente, mortos? Por que se desesperar com o curso natural das coisas, afinal? Muitos dizem: "Quero sair do corpo!", mas sentem medo e até pavor quando o fenômeno se prenuncia. Que coisa paradoxal é esta: quer desdobrar, mas teme, na hora agá? Tente, persista, sinta o regozijo de ser útil às forças do bem e da luz.

Tranquilize-se: você desdobra e volta; não morrerá no exercício. Enquanto estiver ligado ao cordão de prata, a vida física se mantém. Do contrário, seria preciso voltar ao corpo a fim de que o cordão fosse rompido e, somente então, aconteceria o desencarne. Não existe registro de alguém que tenha desencarnado enquanto estivesse fora do corpo.

Infelizmente, há pessoas e dirigentes espíritas que dizem: "Ah, se você se dedicar à projeção da consciência, abre a porta para a obsessão". Mande a obsessão para bem longe! Meu Deus! O próprio Kardec estudou largamente o fenômeno e encorajava a prática do sonambulismo, como era denominado à época.[5] Você objetiva fazer algo em benefício do pró-

5. "No estado de desprendimento em que se acha, o Espírito do sonâmbulo *entra mais facilmente em comunicação com os outros Espíritos encarnados ou não encarnados*. Essa comunicação se estabelece pelo contato dos fluidos que compõem os perispíritos e servem de transmissão ao pensamento, *como o fio elétrico* [clara alusão ao cordão de prata]. O sonâmbulo não tem, portanto, necessidade de que o pensamento seja articulado por meio da palavra: ele o sente e adivinha. É o que o torna eminentemente impressionável e acessível às influências da atmosfera moral que o envolve." ("Resumo teórico do sonambulismo, do êxtase e da segunda vista". In: KARDEC. *O livro dos espíri-*

ximo, então, seja autêntico, audaz, resoluto. Confie que as forças superiores do bem e da luz estão ao seu lado e aja de acordo. Você deseja capacitar-se visando ao bem, ao melhor que pode realizar, portanto, mande o obsessor para o diabo que o carregue! No ambiente sagrado do seu lar, esforça-se porque quer ser útil à humanidade, e assim será! A propósito, sabia que o mandamento mais preconizado na Bíblia é "Não temas"[6] e suas variações?

EXERCÍCIO 3: O DO PONTO FIXO

Esta é uma técnica exclusiva para método direto, que deve ser precedida apenas por breve relaxamento. Convém ter tido a última alimentação algumas horas antes, isto é, não ter a sensação de estômago cheio. Em regra, se estiver vazio, melhores serão os resultados, desde que a fome não o atrapalhe.

Acomode-se numa poltrona, preferencialmente reclinada, ou, na cama, recoste-se em dois ou três tra-

tos. Op. cit. p. 318, item 455. Grifo nosso.)

6. Mc 5:36 (cf. Gn 15:1; Dt 31:6; Is 40:9; 41:10,13; Js 1:9; Sf 3:16; Jl 2:21; 2Rs 6:16; Jr 1:8; Ez 2:6; Mt 10:28; Lc 1:30; 5:8; At 18:9; Ap 2:10 etc.).

vesseiros, caso sua coluna permita. Permaneça nessa posição, de forma a relaxar bastante o corpo, estendendo seus braços, deixando-os bem apoiados. Isso é muito importante. Quanto à luminosidade, o ideal é a mais discreta possível, apenas uma penumbra, que não incida diretamente sobre seu rosto, mas lhe permita enxergar detalhes do ambiente.

Em seguida, procure um ponto na parede em frente, a poucos metros, e fixe-se nele. O ideal é que não seja tão próximo. Pode ser um prego, um parafuso ou uma marca pequenina, que talvez você mesmo possa fazer com esparadrapo ou fita colorida. O ponto de referência deve ser capaz de capturar sua atenção; mire-o até que a visão dele possa impressionar a sua tela mental. Crave os olhos sobre ele, de maneira que qualquer outra coisa no entorno se perca ou desapareça do foco visual. Somente o ponto restará. Deixe-se ser induzido, absorvido pela imagem diante de seus olhos; não desvie o olhar nem o pensamento. O número de minutos necessário para chegar a esse estágio está ligado a seu poder de concentração e à prática, porém, estimo que seja entre três e cinco minutos.

Quando estiver totalmente impressionado pelo

ponto de referência, então pode ocorrer uma ou outra coisa: você sentir-se automaticamente atraído para fora do corpo, a princípio em direção àquela imagem; ou, então, ensaiar levantar-se rumo ao marco, contudo, sem empregar a força muscular, mas os corpos espiritual ou mental. O pensamento e a vontade o impulsionam e logo se desloca em direção à marca na parede.

A repetição, como em todo treino, é essencial para obter êxito e averiguar se esse exercício lhe é favorável. Considere ao menos quatro tentativas, em dias diferentes.

Amigos que conheci há anos, no interior de Minas Gerais, utilizavam uma vela acesa como ponto de referência, no quarto totalmente escuro. Para mim, não funcionou, pois a chama me era muito luminosa, em meio à escuridão. No entanto, aconselho experimentar e, assim, verificar o que mais convém a seu psiquismo.

ALGUMAS NOTAS

Quando você fizer o exercício acima — ou qualquer um dos que prescrevo ao longo do método —, procure associá-lo a outro, e seu organismo começará a produzir mais elementos químicos. Isso aumentará as vibrações tanto do corpo físico como do etérico, resultando numa decolagem mais fácil.

Permaneça atento: durante a prática, podem-se ouvir sons, ruídos, talvez uma sirene ou alguém o chamando. Essas reações são naturais e decorrentes do que denomino de esforço continuado da mente. Caso você ainda perceba algum tipo de vibração entre aqueles elencados anteriormente, fixe o pensamento e deixe seu cérebro trabalhar, sob o comando mental. Afinal, ele é o órgão físico que interpreta a mente — órgão extrafísico, por sua vez — e emite ordens para o corpo, por meio do sistema nervoso.

Note que este método guarda, o tempo inteiro, uma correlação com o fator educação da mente. Ele não ensina tão somente a viagem astral; nada disso. Trata-se de educar o pensamento, a mente e as emoções para viver a experiência de desdobramento de maneira voluntariosa, porque, sem esse aspecto, é até possível deixar o corpo, mas se estará diante de uma viagem qualquer, sem propósito claro. O que queremos é algo com objetivo sério, determinado, altruísta; algo em benefício da humanidade. Seja trabalhando por conta própria, em casa, seja na casa espírita, na tenda de umbanda ou na roça de candomblé, seja onde estiver, você pode ser útil.

Quero que guarde isto na memória: tente quantas vezes forem possíveis e preste atenção a todos os detalhes que ocorrem durante os experimentos. Observe seu ritmo de evolução nesses treinos, bem como as percepções em si e em torno de si. A todo momento, o ritmo, a obstinação e a vontade, aliados à disciplina de praticar o método, são características que determinam a vitória. Em qualquer área da sua vida, funciona desse modo, não só para o desdobramento, não é verdade?

HABITANTES DO ASTRAL: ENTIDADES HUMANAS

CAPÍTULO XV

Quais entidades se podem encontrar no mundo além da matéria? Decerto não se depara apenas com espírito superior. Mas será somente com seres humanos desencarnados? Quem mais habita essa dimensão? O que se esconde por trás do véu de Ísis, esta película psíquica que delimita a realidade extrafísica e o plano material?

A realidade extrafísica é a representação da forma exterior compatível com as entidades humanas que vivem em dado local; é o reflexo da intimidade de seus habitantes. Ocorre com a população sombria — que às vezes nem é ruim, mas apenas desprovida da noção de progresso — algo semelhante ao que vemos nas cidades da Terra. Ocasionalmente, constrói-se um conjunto de apartamentos, e transferem-se para ali pessoas habituadas a uma situação precária, quando não de penúria e miséria, até então moradores de zonas deterioradas, por exemplo. Entretanto, tais iniciativas são levadas a cabo sem considerar a preocupação de educá-las sobre como viver em comunidade. Transcorrido certo tempo, no espaço de meses ou de poucos anos, o novo bairro se vê transformado e adquire aspecto em grande medida similar ao anterior, pois o espaço no entorno de todos nós nada mais é que a expressão do que está no íntimo do espírito. Sendo assim, o plano astral inferior é o reflexo mais sombrio, das sombras mais profundas do ser humano, de todas as épocas.

Neste método, estudamos a faculdade psíquica denominada projeção astral, que é a habilidade de produzir a descoincidência entre corpo e espírito, de voar além. Agora, examinaremos o que se dá a conhecer quando ingressamos na dimensão extrafísica: entidades, seres, situações e o que mais existe nesse mundo paralelo desafiam a criatividade até da pessoa mais imaginativa.

DISSIPANDO ILUSÕES

Observemos o seguinte texto: "Satã jamais foi tão somente um personagem bíblico ou mitológico. Antes, é o resultado de forças contrárias à ordem universal, ao progresso dos povos. [...] O processo intitulado diabo e satanás nada mais é que o império de forças cegas, titânicas e tirânicas, que podem significar a derrocada da consciência no mais alto grau."[1]

Há quem se assuste quando menciono o diabo, porém, faço-o deliberadamente, no intuito de chamar a atenção para o gênero de seres que encontraremos do outro lado. Sensitivos de variadas épocas depararam com criaturas amedrontadoras em suas incursões psíquicas, que foram apontadas como o diabo, o demônio. Releia a citação acima a fim de compreender a existência e a natureza dessas forças antagônicas, com as quais, muitas vezes, será necessário travar contato. Que ninguém se iluda pensando que vai interagir somente com mentores! Ao contrário, no plano imediatamente consecutivo ao âmbito físico, pululam entidades em estado moral deplorável, seja porque estão perdidas, seja porque representam forças opostas à evolução e antagônicas a Cristo e aos princípios do Reino.

Contudo, independentemente do estágio no qual essas entidades e as energias a elas associadas estiverem, o modo como as encontraremos — se re-

1. PINHEIRO, Robson. Pelo espírito Ângelo Inácio. *Os nephilins*: a origem. Contagem: Casa dos Espíritos, 2014. p. 17. (Crônicas da Terra, v. 2.)

fém delas ou com autoridade sobre elas — está relacionado à nossa frequência vibratória. Mas ninguém se engane: para conquistar uma frequência superior não basta "vibrar", seja fazendo ioga, seja meditando, seja até mesmo rezando; a fim de sintonizar-se com as forças superiores do bem e da luz, é preciso desenvolver uma conduta, um comportamento moral. Afinal, sabemos que "a fé sem obras é morta".[2]

Enfatizo que deparamos, do outro lado, com a extensão do que há em nós. Às vezes, nós nos ligaremos com as questões malresolvidas da humanidade e, naturalmente, com aquela parte dela que vive o auge do tumulto emocional ou, quem sabe, mantém-se distante da realidade espiritual a que muitos aspiramos. Frequentemente, abrigamos em nós certo grau de antagonismo contra a realidade espiritual superior e contra os princípios do reino de Deus, o que nos enreda nas sombras.

PENETRANDO O ASTRAL

2. "Porque, assim como o corpo sem o espírito está morto, assim também a fé sem obras é morta" — Tg 2:26.

Ao sair do corpo, primeiramente nos conectamos com o panorama extrafísico imediato, repleto de desequilíbrios e atribulações próprios da população que vive ali. Afinal, o plano de realidade contíguo àquele onde habitam os encarnados não equivale à esfera espiritual, como muitos equivocadamente acreditam. Com efeito, a dimensão espiritual ou superior localiza-se a partir do âmbito mental; dali para cima, principiam as regiões sublimes. O universo astral onde circulamos — como plano das emoções que é — constitui uma zona de transição, impermanente; por conseguinte, tudo o que ali encontrarmos será também impermanente: os seres inumanos, as situações, as construções e a paisagem. Podem até durar séculos e milênios, mas apenas enquanto não cessar a fonte de pensamento que os gerou. A nomenclatura consagrada em boa parte da literatura espírita para designar essa região é *umbral*, que corresponde, em última análise, àquilo que a tradição católica denomina de purgatório.

Geralmente, as temperaturas das regiões mais inóspitas do astral são baixíssimas, tanto que, nas ocasiões em que animistas comparecem desdobrados aos planos inferiores, costumam relatar quão gélido o ambiente é. Quando, numa reunião mediúnica, tem-se acesso a espíritos daquela dimensão, os presentes costumam ser acometidos da sensação de frio, dada a conexão fluídica estabelecida. Ao contrário do que reza a tradição, do ponto de vista espiritual, o inferno não é quente. Aliás, a situação psíquica que ali impera é favorável ao frio, pois as baixas temperaturas resultam das baixas frequências.

Ilustra muito bem o dilema das camadas dimensionais a que estamos jungidos aquilo que sucede ao espírito ao abandonar o corpo físico por via da morte. Como é de se deduzir, a não ser em casos muitíssimo excepcionais, ninguém dá um salto e aporta diretamente no mundo espiritual. Tanto é que, entre diversos exemplos possíveis, cito o relato daqueles entes desencarnados dos quais recebo mensagens, psicografadas a pedido de seus familiares. É comum escreverem assim: "Minha mãe querida! Sou eu que estou aqui novamente, agora através da mediunidade. Não me sinto à vontade para escrever, por isso, outro espírito toma de mim os pensamentos e as emoções e materializa no papel aquilo que penso". Geralmente, isso significa que o autor não está nada bem do outro lado. Ainda não se recuperou, do ponto de vista psicológico, e não se encontrou minimamente; por conseguinte, não é capaz de coordenar pensamentos e emoções, certamente conturbados. Por óbvio, não ascendeu à dimensão espiritual, mas habita a região astral.

Às vezes, o espírito escreve: "Ah, minha mãe, ainda sinto as impressões do corpo que deixei". Para quem lê de forma superficial, é somente isso que ele diz; todavia, quem extrai do texto um pouco mais, compreende que o autor da mensagem permanece sentindo fome, sede, calor, frio, desejo sexual... Todas essas sensações só são possíveis porque ele não ingressou no plano espiritual; ao contrário, permanece numa faixa bem próxima à da matéria e ainda sujeito aos condicionamentos que trouxe da vida de encarnado. Nesse caso, geralmente a mente do indivíduo está impressionada por tudo que viveu; de modo gradual, porém, conseguirá se libertar dessas questões. Quando deixar de alimentar essas e outras paixões materiais, ele adentrará o mundo espiritual, onde inexiste a sensação puramente carnal.[3]

As coisas são de tal sorte que é correto afirmar que a realidade astral é a dimensão das emoções — mais ainda, das emoções desequilibradas, malresolvidas. Cientes disso, e de que depararemos com os habitantes dessa esfera, perguntamos: quem são? Discorrerei sobre diversos deles logo adiante.

Convém esclarecer, antes, que nem sempre encontramos espíritos superiores — aliás, na maioria das vezes, não. Então, não alimente a ilusão de que desdobrará para excursionar por cidades do plano espiritual, de forma nenhuma. Talvez seja essa uma das últimas experiências que terá, e somente muito de vez em quando, mesmo assim, para atender a propósitos claros e específicos, em regra ligados à

3. "*Como é então que alguns Espíritos se têm queixado de sofrer frio ou calor?* '[...] Frequentemente, é uma comparação que fazem, mediante a qual exprimem a sua situação", pois "experimentam uma espécie de impressão semelhante à de alguém que, havendo tirado uma capa, julga ainda estar com ela algum tempo depois'." (KARDEC. *O livro dos espíritos*. Op. cit. p. 224, item 256.) Cf. "Ensaio teórico sobre a sensação dos Espíritos". In: KARDEC. Ibidem, p. 224-231, item 257.

sua instrução. Frivolidade não tem abrigo entre espíritos verdadeiramente esclarecidos. Há médiuns, diga-se de passagem, que trabalham a vida inteira e não desfrutam do contato com os altiplanos celestes, simplesmente porque nosso trabalho é de saneamento do umbral.

Sendo o astral, pois, um plano crosta a crosta — crosta é onde vivemos, isto é, na superfície terrena —, ali encontraremos situações intricadas e desafiadoras, bem como seres compatíveis com esse estado de coisas. Apenas vez ou outra notaremos alguém esclarecido nos auxiliando, não obstante na maioria dos casos contemos com isso. É lógico que cada qual temos nossos guardiões, nossos orientadores evolutivos, mas conseguir vê-los ou percebê-los depende muito da sintonia vibratória estabelecida. Importa não se deixar levar pelas questões íntimas conturbadas e malresolvidas, sob pena de se conectar, imediatamente, a uma situação avessa à atuação deles.

Portanto, compete-nos aprender quais elementos povoam a vastidão do mundo extrafísico e tudo o mais quanto for possível a seu respeito. Afinal, ele é todo um universo paralelo, com suas leis e características próprias; penetrá-lo é como visitar uma nação estrangeira.[4] Imagine que você seja retirado, de repente, do contexto histórico, cultural, socioeconômico e político do país onde mora; se algum mistério ou força qualquer o coloca num canto desconhecido do globo, onde idioma, costumes, alimentação e tudo o mais são diferentes... Quanto tempo demorará até sanar o choque inicial, que provavelmente o deixaria desnorteado? Só não se sentirá assim caso já tenha familiaridade com o lugar ou com alguma experiência semelhante. Por isso, partir para o país da eternidade exige estudo, além de dedicação à prática. Não digo isso para desencorajá-lo; ao contrário, para preveni-lo e, acima de tudo,

4. "Penetrar uma nova dimensão equivale a visitar um universo diferente, dotado de leis, problemas, paisagens e população próprios. Não bastam dados superficiais quando se trata de trabalhar nesse novo mundo, nessa dimensão. Como em qualquer lugar, depara-se com desafios, perigos e fenômenos insólitos, aonde quer que se vá, seja para viver ali por tempo indeterminado, no chamado período entre vidas ou erraticidade, seja por necessidade de trabalho, por meio da projeção da consciência." (PINHEIRO. *Os viajores*. Op. cit. p. 291-292.)

atestar quão encantador é desbravar essa terra estrangeira, que permanece à espera de bandeirantes com senso de dever e de responsabilidade.

GAMA DE PERSONAGENS

Entre os habitantes do plano astral, podem-se listar três grupos básicos: entidades humanas, entidades não humanas e, ainda, as que classifico como artificiais. Enquanto os dois primeiros tipos são naturais, o terceiro decorre de criação mental e, portanto, é forjado em matéria extrafísica.

As entidades humanas são compostas, acima de tudo, pelos desencarnados, os espíritos daqueles que viveram sobre a Terra, que cruzaram o rio da vida nas mais diversas épocas e de inúmeras maneiras. Seres, às vezes, profundamente adoecidos, que passaram para o outro lado e nem sequer têm consciência disso, que se veem deformados, como espírito, em decorrência dos abusos de toda espécie e dos males que perpetraram quando no corpo físico. Deparamos com grande variedade de tipos humanos, tal como ocorre aqui, na Terra, porém, a maior parte deles é desencarnada e ignora seu estado.

Entre os espíritos em situação lamentável, há os que dependem de nossa habilidade mental e também aptidão emocional para se conectar com sua faixa vibratória, pois reclamam auxílio. Afinal, uma vez adestrados minimamente na faculdade do desdobramento, não nos deixamos prender pelo medo; ao contrário, objetivamos ajudar espíritos que apresentem condições para tal. Por essa razão, à semelhança do papel desempenhado por médicos e enfermeiros, é fundamental se aprofundar no conhecimento da anatomia, da fisiologia e da demografia desse mundo extrafísico, compreendendo como operam as leis do âmbito astral adjunto à dimensão dos encarnados.

Menção grave merecem os espíritos especialistas, ao menos as categorias principais. Dos magos negros com seus discípulos até os cientistas das trevas, passando pelos vampiros com seu séquito, todos eles são entidades perigosas e largamente temidas no submundo, ou seja, nas regiões inferiores do astral. Revelam mais uma razão pela qual é essencial certificar-se da proteção espiritual antes de ousar incursões em certos recantos obscuros.

De outro lado, há os discípulos de espíritos superiores, que trabalham enquanto esperam o momento de reencarnar. Geralmente, congregam-se em cidades etéricas-espirituais — denominação proposta com o fim de assinalar que são comunidades mais próximas da dimensão densa, etérica, que das de ordem espiritual propriamente ditas. O exemplo mais conhecido de uma localidade desse tipo é o célebre Nosso Lar, descrito em livro homônimo de Chico Xavier.[5]

Nosso Lar é apresentada como uma *colônia* — a publicação data de 1944, mas sobretudo a nomenclatura faz alusão à colonização portuguesa —, a qual se situa dentro da zona umbralina, pois é composta apenas por espíritos esperando a oportunidade de reencarnar e preparando-se para tal. É comum ouvir a avaliação de que os mentores que desfilam nas páginas de *Nosso lar* são espíritos iluminados, mas essa concepção está bem distante da verdade. Caso se observe a história de cada um dos personagens com atenção, nota-se que todos eles têm dilemas malresolvidos na Terra, tanto que falam de culpa e do an-

5. XAVIER, Francisco Cândido. Pelo espírito André Luiz. *Nosso lar*. 3. ed. esp. Rio de Janeiro: FEB, 2010. (A vida no mundo espiritual, v. 1.)

seio pelo regresso com frequência, aspirando à chance de reparar os enganos cometidos e os males pelos quais foram responsáveis.

CAMPO DE APRENDIZADO

A propósito da situação vibracional de Nosso Lar, convém refletir sobre a expectativa de muitos projetores iniciantes acerca daquilo que vão encontrar no plano extrafísico. De modo geral, as grandes escolas do outro lado da vida se situam na zona umbralina — ao menos aquelas a nosso alcance. Pode ser até que, movidos por uma necessidade evolutiva, os instrutores espirituais nos retirem desta dimensão e nos conduzam a outra mais elevada, contudo, é um procedimento de caráter bastante excepcional. Por conseguinte, ao dizer sobre estudos realizados durante o sono, não me refiro a nada que se passe na esfera superior, mas a momentos de refúgio em cidades ou aldeias erguidas em meio às regiões conturbadas do astral, aonde são levados médiuns em processo de aperfeiçoamento.

Não aprenderemos em esferas superiores; aprenderemos, justamente, neste plano emocional ao qual nos vinculamos. Aliás, nem sequer temos noções a respeito da dimensão espiritual verdadeira, porque as coisas, quanto mais altas são em matéria de vibração, mais diferem do estilo de vida na crosta; quanto mais próximas de nós, mais semelhanças guardam. A título de exemplo: caso visitemos uma cidade astral do tipo de Nosso Lar ou mesmo situada em região mais densa, encontraremos mesas, cadeiras, copos, utensílios, talvez animais, sistemas de transporte e uma infraestrutura urbana similar à que conhecemos. Elevando-nos vibratoriamente, já não veremos tais objetos, pois será outra matriz de pensamento, outro universo, outra percepção das coisas, com outras leis que regem aquele panorama, de tal sorte que, à medida que ascendemos na dimensão mental, escasseiam-se os elementos de comparação com nossa realidade.

Mas isso não é tudo. Para alçarmos o espírito a uma região mental superior, é necessário fazer muito, trabalhar e crescer bastante. A questão não é merecimento; trata-se de desenvolver capacidades e estabelecer pontos de contato, bem como sintonia e familiaridade com aquela dimensão, e isso somente se conquista por meio da escola do Evangelho, nas lidas e nas atribulações da vida na matéria, ao longo dos milênios.

Com efeito, considerando toda a humanidade terrena, de ambos os lados da vida, existe grande número de espíritos que já conseguiu se elevar, muito embora ignoremos quantos séculos ou milênios demoraram para atingir tal estágio. Sabemos, porém, que não é nosso caso. Pessoalmente, quando desdobro, quase na totalidade das vezes permaneço na zona contígua à material ou em níveis inferiores — e por uma razão muito simples: porque é ali o lugar onde se demanda trabalho. Nesse aspecto, que faríamos na morada de espíritos superiores?

VAZIO NO CÉU

Entre as entidades humanas, há os guias e os protetores, espíritos que não habitam as regiões superiores; ao contrário, militam nas furnas umbralinas, trabalhando bravamente. Que fariam eles nos planos celestiais, de braços cruzados? Teresa de Calcutá afirma que "os céus estão vazios",[6] porque

6. "Os céus estão vazios, pois aqueles que são os verdadeiros servidores do Pai retornaram para dar as mãos àquelas almas que vivem na desilusão, na

aqueles que são bons desceram para ajudar os que permanecem na escuridão. Na Bíblia, existe uma passagem que assinala: "fez-se silêncio no céu quase por meia hora"[7] — silêncio esse que representa a evasão do céu. Na hipérbole de Teresa, a ausência de habitantes na dimensão superior se explica porque todos vieram ajudar na crosta e no submundo. Desse modo, há claro objetivo ao estudarmos os temas relacionados ao desdobramento: nomeadamente colaborar para a restauração de nosso mundo, promovendo-lhe uma limpeza no escopo daquilo que os espíritos têm definido como reurbanização extrafísica.[8]

Quero lembrar um pensamento do espírito Teresa de Calcutá. Nele, à semelhança do que fazia quando encarnada, ela afirma: "Se eu alguma vez vier a ser santa, serei certamente uma santa da 'escuridão, na carência absoluta de educação." (PINHEIRO, Robson. Pelo espírito Teresa de Calcutá. *A força eterna do amor.* Contagem: Casa dos Espíritos, 2009. p. 63.)

7. Ap 8:1.

8. Cf. "Reurbanizações". In: PINHEIRO. *O fim da escuridão*. Op. cit. p. 72-131.

curidão'. Estarei continuamente ausente do Céu — para acender a luz daqueles que se encontram na escuridão".[9] Mas ela vai além, desenvolvendo outra frase notável que outrora escreveu: "o Céu nada significa — para mim parece um lugar vazio".[10] Continua ela:

> "Deixem o céu para os papas, para os cardeais e religiosos, porque o meu lugar é nas trevas, onde há pranto, onde há choro, onde há gente necessitada. Eu não me concebo em um céu inútil e vazio, ouvindo coro de anjos e com os braços cruzados, enquanto nas trevas milhões pedem

9. Carta de M. Teresa ao Pe. Neuner, em 6 de março de 1962. ("Se alguma vez vier a ser santa...". In: CALCUTÁ, Teresa de; KOLODIEJCHUK, Brian (org.). *Venha, seja minha luz*. 4. ed. Rio de Janeiro: Petra, 2016. cap. 10. Livro eletrônico.) A primeira edição do livro no Brasil, publicada pelo selo Thomas Nelson Brasil, data de 2008 e traz o título como no original: *Madre Teresa: venha, seja minha luz*; consiste exatamente na mesma obra. A quarta edição foi lançada no ano de canonização da autora.

10. Carta de M. Teresa ao Arcebispo Périer, em 28 de fevereiro de 1957 ("Feliz por não ser ninguém — nem mesmo para Deus". In: CALCUTÁ. Op. cit. cap. 8).

por socorro, milhões estão necessitados, então, ali permanecerei".[11]

É para isto que existe o trabalho com os guardiões: para penetrar nas regiões sombrias, que refletem a sombra íntima de cada componente da humanidade, e para tentar fazer luz onde há escuridão. Estes são nossos maiores objetivos: ajudar aqueles que demonstram condições de serem ajudados; apresentar-lhes um processo de reeducação, resgatando-os dos antros ou dos quistos umbralinos visando ao tratamento espiritual.

MAIS PERSONAGENS

Retomando o tema das entidades humanas que povoam o astral, também devemos citar os encarnados em circulação por meio da projeção consciencial.

11. Pensamento captado pelo autor, por meio da mediunidade, durante a exposição das aulas que deram origem a este livro. Como de costume quando se trata de comunicações de Teresa de Calcutá, contou com o concurso de outro espírito a auxiliá-lo, a escritora e médium espírita potiguar Adelaide Câmara, conhecida sob o pseudônimo Aura Celeste (1874–1944).

Grande número de pessoas transita nessa condição — nem sempre em aprendizado. Afinal, no desdobramento natural, durante o sono, deixamos o corpo sem notarmos, e boa parte acaba fazendo, fora dele, aquilo de que se privava ou mesmo que não tinha coragem de fazer em vigília. Vão para os antros a fim de "aproveitar" o umbral em boates e assemelhados das zonas inferiores, uma vez temporariamente libertos dos freios que talvez lhes imponham a família, as convenções sociais, os ditames da religião ou outro motivo.

Encontramos pessoas desdobradas como alunas nas escolas do mundo extrafísico, aprendendo a servir mais, a lidar com os próprios sentimentos e emoções, a fim de serem mais úteis. Entre elas, um grupo menor composto pelos agentes da justiça, que visa impedir a propagação do mal, sob a tutela dos guardiões. Ao lado deste, citamos os representantes da misericórdia, pouco mais numerosos, alistados em tarefas de auxílio, consolo e socorro, os quais fomentam e aguardam o amadurecimento dos seres de ambos os lados da vida. São, todos, entidades humanas encarnadas atuando em desdobramento.

É importante notar, entretanto, que existem aqueles que permanecem dormindo mesmo durante o desprendimento à hora do sono físico. Acham que todo médium desdobrado tem consciência? Não! Alguns desdobram e continuam dormindo do outro lado, saem do corpo e adormecem em cima dele; às vezes, tão somente querem descansar. Por outro lado, há outros que doam energia num estado de aparente sono extrafísico e contribuem em corpo mental, permitindo que suas energias psicofísicas sejam usadas para fins diversos.

Observe que lidamos com uma ampla gama de entidades humanas. Há pessoas desdobradas que agem, geralmente sob a orientação de espíritos benevolentes — não digo superiores, porque, afinal, nem sempre o são as inteligências que nos dirigem; podem advir de laços de afeto pretéritos. Allan Kardec falava em espíritos familiares,[12] sobre os quais pouco se comenta hoje, isto é: parentes ou amigos

12. "Há muitas gradações na proteção e na simpatia. [...] O Espírito familiar é antes o amigo da casa." ("Anjos da guarda, Espíritos protetores, familiares ou simpáticos". In: KARDEC. *O livro dos espíritos*. Op. cit. p. 347, item 514.)

de outras vidas e que, muitas vezes, atuam como nossos orientadores.[13]

MENTORES *VERSUS* FARSANTES

Grande número de médiuns vai se decepcionar com seus mentores após o desencarne. Muitas vezes, revestem-nos de títulos e atributos que nunca detiveram, pois são apenas espíritos comuns, familiares.

Além do mais, não é raro deparar com espíritos fingindo ser aquilo que não são. Convém estudar, mapear o plano astral e seus habitantes, o que nos permitirá distinguir a verdadeira identidade das inteligências com as quais nos envolvemos. Tal como na Terra, lá há muitos charlatões; são numerosos os que se fazem passar por espírito superior, e há médium que acredita porque quer. Existem pessoas tão imprevidentes, e tão suscetíveis às manobras que têm no orgulho e na vaidade seus maiores aliados, que fa-

13. "*Os parentes e amigos que nos precederam na outra vida têm mais simpatia por nós do que os Espíritos que nos são estranhos*? 'Sem dúvida, e quase sempre vos protegem como Espíritos, segundo o poder de que dispõem'." (Ibidem, p. 336, item 488.)

zem jus àquela expressão popular: elas pagam para serem enganadas, para serem iludidas. Assim, minhas advertências têm por finalidade inspirar o cuidado em relação aos espíritos que dizem orientá-lo. Questione sempre, até formar funda convicção! Nunca é demais.

O espírito Erasto afirma, em dissertação na qual exalta a prudência, passagem que se tornou célebre: "É melhor repelir dez verdades do que admitir uma única falsidade, uma só teoria errônea".[14] Sendo assim, cabe-nos questionar a natureza, os meios e as

14. "Quando aparecer uma ideia nova, por menos duvidosa que vos pareça, fazei-a passar pelo crivo da razão e da lógica e rejeitai corajosamente o que a razão e o bom senso reprovarem. *É melhor repelir dez verdades do que admitir uma única falsidade, uma só teoria errônea.* Efetivamente, sobre essa teoria poderíeis edificar um sistema completo, que desabaria ao primeiro sopro da verdade, como um monumento edificado sobre areia movediça, ao passo que, se rejeitardes hoje algumas verdades, porque não vos são demonstradas clara e logicamente, mais tarde um fato brutal ou uma demonstração irrefutável virá vos afirmar a sua autenticidade." ("Dissertação de um espírito sobre a influência moral do médium". In: KARDEC. *O livro dos médiuns*... Op. cit. p. 371, item 230. Grifo nosso.)

motivações dos espíritos em geral, e dos que nos orientam em particular. Isso porque, no panorama astral, é fácil se enganar. Afinal, é o mundo da emoção, e não estamos desencarnados, mas atrelados à realidade material — e nela imersos, em grande medida —, portanto, nossa percepção não é tão acurada assim.

É preciso conhecer, ponderar tudo muito bem ao longo dos anos, da experiência, pois um espírito nos pode enganar durante anos para, depois — em muitos casos, só quando do desencarne —, enfrentarmos uma decepção acachapante, já que aquele que considerávamos ser um mentor elevadíssimo não existe, era fruto da imaginação. Quando não, era um José, uma Maria, um Pai João, um Pai Antônio, uma Mãe Josefa, e você queria que fosse um anjo, um arcanjo ou um querubim, cheio de glória e majestade.

Vivi uma experiência rica em aprendizado, tendo sido eu mesmo enganado por um espírito que, desde 1997, dizia-se transformado e se passava por sentinela. Anos mais tarde, "descobrimos que o mau espírito que apareceu no hospital durante minha internação enganou-nos durante longos anos. Supostamente abalado após fazer juras de vingança e dizendo-se convertido 'pela força do amor', sua verdadeira história nos foi revelada apenas cerca de 10 anos após os eventos registrados nesta obra. No ano de 2008, [...] o tal espírito foi desmascarado e suas relações conosco [...], finalmente expostas".[15]

Por outro lado, no plano astral, também encontramos muitos trabalhadores do Além disfarçados de simplicidade, nenhum dos quais com aquele brilho todo que ouvimos dizer. Exceto em situações esporádicas, quando se mostram como são, costumam passar despercebidos nas paragens onde atuam. A menos que exista a necessidade de uma ação mais contundente, que requeira revelar sua identidade espiritual, o bom espírito evita se destacar ou aparecer. De forma análoga, médium que é médium não se presta a propagandear seus atributos pessoais. O mesmo vale para animistas. Conhecemos o paranor-

15. "Nota à 15ª reimpressão". In: PINHEIRO. *Medicina da alma*. Op. cit. p. 23-24. Para compreender as implicações e os pormenores desse episódio, consulte meu livro de memórias (cf. "A medicina da alma". In: PINHEIRO, Robson. *Os espíritos em minha vida*. Contagem: Casa dos Espíritos, 2008. p. 356-364).

mal pelo trabalho que realiza,[16] tal como conhecemos um homem de bem segundo o princípio da famosa máxima: "Reconhece-se o verdadeiro espírita pela sua transformação moral e pelos esforços que emprega para domar suas inclinações más"[17] — bem como para a construção do bem, que se torna visível pelo rastro que deixa.

PERSPECTIVAS

Deparamos também, no plano astral, com entidades humanas classificadas como mestres e discípulos. Existem espíritos considerados mestres, os quais ensinam e conduzem trabalhadores do outro lado. Não me refiro, necessariamente, a mestre no sentido esotérico, de missionário ou de espírito adiantado. Não. Trata-se de alguém dotado de maior experiência, à

16. "Nenhuma árvore boa dá fruto ruim, nenhuma árvore ruim dá fruto bom. Toda árvore é reconhecida por seus frutos" — Lc 6:43-44. "Eu sou o Senhor que sonda o coração e examina a mente, para recompensar a cada um de acordo com a sua conduta, de acordo com as suas obras" — Jr 17:10 (NVI). Cf. Jr 32:19; 2Co 5:10; 1Pe 1:17; Ap 2:23 etc.

17. KARDEC. *O Evangelho*... Op. cit. p. 340, cap. 17, item 4.

frente de um grupo de pessoas pelas quais tem responsabilidade. Grupos do gênero reúnem-se em diversas ocasiões, não só para estudar, mas para experimentar e levar auxílio, interferindo nas zonas umbralinas.

A propósito das percepções e das concepções que alimentamos acerca dos orientadores evolutivos, é oportuno examinar o seguinte: imagine um caboclo como benfeitor. Ao ser descrito, há quem diga: "Ah, está cheio de luzes prateadas em torno dele...". Quando alguém com formação umbandista mirar o espírito, provavelmente dirá: "Vi um penacho, todo de prata, sobre a cabeça dele". Se é o esoterista quem o percebe, talvez afirme: "Observo uma aura luminosa, que se irradia para o alto, compondo um turbante...". Trata-se do mesmo ser, porém contemplado a partir de diferentes ângulos por pessoas dotadas de culturas espirituais diversas, que descrevem um mestre, um mentor.[18] Pode até ser um espírito comum, um amigo de outra encarnação, um pai ou uma mãe que guia certo grupo familiar em tarefas de aprendizado.

18. Cf. "Percepção *versus* interpretação mediúnica e animismo". In: PINHEIRO. *Consciência*. Op. cit. p. 95-103, itens 28-31.

Seja como for, é imprescindível estudar bastante a respeito de como saber a identidade do espírito,[19] estudar com detalhes sobre os espíritos mistificadores, porque alguns deles tentarão nos enganar, apresentando-se como mestres evoluídos.[20] No submundo mais denso, encontramos espíritos malévolos e maus, porém, no astral, é comum cruzar com almas familiares e de vidas pregressas.

Aliás, depois que morrem, todos parecem se tornar santos. Já notaram? Pouco depois do desencarne de um parente, muitos afirmam: "Sei que ele está bem no plano espiritual". Em inúmeros casos, o infeliz sofre com as lutas internas, com as dores e com os traumas que levou daqui. A dimensão astral é povoada por pessoas malresolvidas, acometidas de um sofrimento não físico, mas moral, mental e emocional, porque tudo ali aflora de maneira intensa. Às vezes, rumamos até lá a fim de auxiliá-las. Em certas oca-

19. Cf. "Identidade dos espíritos". In: KARDEC. *O livro dos médiuns*... Op. cit. p. 411-439, itens 255-268.

20. Cf. "Contradições e mistificações". In: KARDEC. Ibidem, p. 507-521, itens 297-303.

siões, não nos veem; noutras, não as percebemos, mas somos percebidos. Assim, cabe a nós adestrar os pensamentos, as emoções e as habilidades psíquicas, mentais e emocionais, no intuito de aprimorar os sentidos extrafísicos para perceber os espíritos em geral, inclusive os familiares.

Sobretudo, admitamos que nossos entes queridos, por mais que os amemos, não habitam esferas sublimes; em regra, permanecem na faixa próxima à da crosta, em processo de aprendizado ou não, de acordo com sua natureza íntima. Conhecemos deles apenas a faceta que se permitiram revelar, pois todos escondemos certa parte que não desejamos demonstrar. Quando os encontramos no Além, tais como são — sem a máscara da ilusão e do corpo físico —, podem causar surpresa.

EXU, O GUARDIÃO

Ao penetrar o Além, contemplamos um elemento fenomenal, que pode ser chamado de *sistema de defesa energética espiritual* e é representado pelos guardiões, tanto os de patente inferior quanto os de hierarquia superior. Aqueles que integram os comandos inferiores têm como especialidade e jurisdição as coisas do dia a dia, do âmbito terra a terra; seu campo de ação é horizontal, digamos assim, na medida em que protegem ruas, caminhos, instituições e pessoas. Enquanto isso, os de alta patente atuam em nível vertical, e sua competência alcança até mesmo o processo de transmigração planetária, supervisionando a seleção de espíritos que irão para outros orbes, entre outras atribuições de macroabrangência. Do outro lado, portanto, existem várias espécies de guardiões, com especialidades diversas, contudo, aprofundar-se no tema foge ao escopo desta obra.[21]

Em nossas incursões, deparamos com aquele tipo de guardião designado pelo termo *exu*. Os exus não são espíritos maus ou atrasados, tal como é largamente difundido até mesmo em meio a estudiosos. Os verdadeiros exus — e não os quiumbas mistificadores, que tomam de empréstimo o nome dessa

21. Cf. "Os guardiões". In: PINHEIRO, Robson. Pelo espírito Ângelo Inácio. *Legião*: um olhar sobre o reino das sombras. 2. ed. rev. Contagem: Casa dos Espíritos, 2011. p. 413-441. (O reino das sombras, v. 1.) Os comandos dos guardiões são descritos um a um nesse texto, notadamente a partir da página 423.

categoria de espíritos honrados — são soldados do plano astral, são aqueles responsáveis pela ordem, pelo equilíbrio e pela segurança. Primam pela elegância em sua imagem; nada têm dos atributos que médiuns ignorantes lhes imputam, tais como unhas grandes, rabo, chifres e maus modos. Exus são soldados no campo de batalha, envolvidos com questões muito próximas dos encarnados, as quais dizem respeito à frequência e à segurança energéticas das casas espíritas e umbandistas, por exemplo. Protegem-nas dos marginais do astral, que estão sempre dispostos a invadi-las e, em última análise, a tomar as ruas também, o que instauraria o caos e faria o número de crimes alcançar números ainda mais alarmantes na dimensão física. O exu é aquele que vigia, é um sentinela do bem a serviço da humanidade encarnada e desencarnada. Vários deles, notadamente os chefes de falange, são emissários da justiça divina.

Da mesma maneira que uma corporação militar terrena conta com integrantes muito comprometidos e outros não, do outro lado, verificamos isso também, em alguma medida. Há desde o subalterno inconsequente, que está ali movido por benefício próprio, mas ainda assim acaba aprendendo, até o outro mais graduado, que sabe o que quer e tem clareza acerca de suas responsabilidades. Este sabe colocar em prática as leis e, portanto, galga postos: é o comandante, o chefe de legião, o líder de guarnição. Existem outros experientes como poucos, os quais assumem as mais altas posições na hierarquia.

AVANTE COM PROPÓSITO

Note, então, que é preciso estudar essa ampla realidade em que mergulharemos fora do corpo. Ainda há que se aprender sobre o ambiente carregado das formas mentais desconexas, das formas-pensamento densas dos habitantes da crosta, com as quais esbarraremos diuturnamente. Vez ou outra arraigadas e cristalizadas, afiguram-se grande ameaça, pois nos rondam e tendem a corroer nossa defesa energética e espiritual caso certas providências sejam negligenciadas.

Meu propósito é que você conheça detalhadamente aquilo que enfrentará ao sair do corpo físico. Lidamos com situações determinadas pela afinidade, porém, sem jamais perder de vista que treinamos para sermos instrumento do bem nas regiões astralinas, auxiliando os benfeitores na reurbanização extrafísica, no saneamento da atmosfera espiritual e na consequente transformação do mundo em um lugar cada vez melhor.

HABITANTES DO ASTRAL: ENTIDADES NÃO HUMANAS E ARTIFICIAIS

CAPÍTULO XVI

O mundo astral, com todos os seus mistérios, os seus habitantes, as suas sombras e as suas luzes, é o mundo sobre o qual nos debruçamos, o plano onde nos situamos tão logo desdobremos. Depois da dimensão física, trata-se da primeira instância cujo caráter é imaterial ou semimaterial, considerando-se que a realidade etérica ainda é parte da faixa perecível. Alguns o chamam de quarta dimensão, de umbral, no entanto, para além do nome, importa ser ele o local pelo qual todos transitamos, onde vivemos e convivemos ordinariamente. Não constitui um mau lugar; ao contrário, é toda uma realidade, todo um universo, com seus encantos e desencantos, dotado de atrações, de fenômenos e de seres que alimentam fantasias e emoções nem sempre bem-resolvidas. Após termos examinado as entidades humanas que o habitam, é hora de abordarmos as de natureza não humana.

OS ELEMENTAIS

Inicialmente, encontraremos o que denomino essências astrais de seres elementais. Trata-se do puro fundamento daqueles seres classificados como *espíritos da natureza*, mas não no sentido de espírito evoluído. São fadas, gnomos, duendes e outros mais, percebidos por sensitivos no âmbito astral como raios ou clarões, devido à diferença de vibração entre essa dimensão e a etérica, de onde tais seres se originam. Muitos deixam uma espécie de rastro magnético que, eventualmente, perpassa os animistas.

Tal como já foi dito, em certo capítulo do livro *Aruanda*, o espírito João Cobú, como personagem, discorre a respeito dos elementais. Especialmente diante da escassez de literatura recomendável acerca do assunto, o texto ganha relevo. Em dada altura, lê-se:

> "A existência dos elementais, meus filhos, segundo os antigos anciãos e sábios do passado, explicava a dinâmica do universo. Como seres reais, eram responsabilizados pelas mudanças climáticas e correntes marítimas, pela precipitação da chuva ou pelo fato de haver fogo, entre muitos outros fenômenos da natureza. Apesar de ser uma explicação mitológica, própria da maneira como se estruturava o conhecimento na época, eles não estavam enganados. Tanto assim

que, apesar de a investigação científica não haver diagnosticado a existência concreta desses seres através de seus métodos, as explicações dadas a tais fenômenos não excluem a ação dos elementais. Pelo contrário."[1]

O tema *elementais* também não escapou à investigação espírita e não é estranho à sua filosofia, não obstante a codificação não empregue esse termo. Já no livro inaugural do espiritismo, consta:

> "*Os Espíritos que presidem aos fenômenos da Natureza formam categoria à parte no mundo espiritual? Serão seres especiais ou Espíritos que foram encarnados como nós?* 'Que o serão, ou que o foram'."[2]

A resposta dada a Kardec, embora breve, não deixa margem à dúvida: a expressão usada por ele

1. PINHEIRO. *Aruanda*. Op. cit. p. 90, cap. 7.

2. "Ação dos Espíritos sobre os fenômenos da Natureza". In: KARDEC. *O livro dos espíritos*. Op. cit. p. 359, item 538.

— *espíritos da natureza* — abrange tanto espíritos superiores, que administram os fenômenos, quanto aqueles em estágio primário de evolução: "Que [humanos encarnados] o serão". O vocábulo *elementais* traz a vantagem de designar exclusivamente este último grupo. Tal informação é reiterada na questão subsequente:

> "*Esses Espíritos pertencem às ordens superiores ou inferiores da hierarquia espiritual*? 'Depende do papel mais ou menos material ou mais ou menos inteligente que desempenhem. Uns comandam, outros executam. Os que executam coisas materiais são sempre de ordem inferior'."[3]

Sendo assim, os elementais são *espíritos elementares* ou *protoespíritos*, individualidades em etapa evolutiva precedente à humana. São seres que saíram do reino animal, ou seja, já esgotaram toda a experiência evolutiva nesse reino, e que aguardam a Providência determinar o momento de encarnarem como seres

3. Idem, item 538a.

humanos. Passaram pelo aprimoramento do princípio inteligente nos reinos mineral, vegetal e animal; agora, estagiam no reino intermediário elemental. Situam-se em período de transição entre as fases animal e hominal, e seu estágio como elementais cumpre as devidas funções na elaboração do seu psiquismo, no limiar das dimensões etérica e astral onde habitam.

Futuramente, quem sabe daqui a milhões de anos, os elementais terão sua iniciação na experiência humana, quando lhes eclodir em plenitude a luz da razão e do sentimento. Não encarnarão na Terra, que não está preparada para eles, porque nosso planeta já ultrapassou o nível correspondente à recepção de seres tão primários na superfície. Assim, encarnarão em mundos primitivos,[4] análogos àqueles

4. "Embora não se possa fazer, dos diferentes mundos, uma classificação absoluta, pode-se [...] dividi-los, de modo geral, como se segue: *mundos primitivos, destinados às primeiras encarnações da alma humana*; mundos de expiação e de provas, onde predomina o mal; mundos de regeneração, nos quais as almas que ainda têm que expiar haurem novas forças [...]; mundos felizes, onde o bem sobrepuja o mal; mundos celestes ou divinos, morada dos Espíritos depurados" ("Diferentes categorias de mundos habitados". In:

onde viveram nossos antepassados, previamente aos habitantes das cavernas.

A FAUNA EXTRAFÍSICA

Há quem se espante ao obter informações ou mesmo ao verificar a concretude de que é dotado o plano astral — análoga àquela que o mundo material oferece ao homem. A surpresa ao constatar quão palpável a realidade extrafísica se mostra a quem a penetra só não supera a reação diante das enormes semelhanças e dos inúmeros paralelos que ela revela em relação à esfera dos encarnados. De forma paradoxal, ressalva feita às características e às leis próprias de cada uma, é a similitude geral entre ambas as dimensões que assombra. No entanto, essa proximidade, que soa insólita aos olhos de quem imagina o mundo dos espíritos como um reino encantado e fantasmagórico, tem tanto fundamento que está inscrita nos primeiros textos espíritas: "a correlação entre ambos [os planos da vida] é incessante".[5]

KARDEC. *O Evangelho*... Op. cit. p. 79, cap. 3, item 4. Grifo nosso).

5. "Mundo normal primitivo". In: KARDEC. *O livro dos espíritos*. Op. cit. p.

Não é só. Ao esclarecer que "os seres materiais constituem o mundo visível ou corpóreo, e os seres imateriais, o mundo invisível ou espiritual, isto é, dos Espíritos",[6] Kardec explica, também, que "o mundo espiritual é o mundo normal, primitivo [isto é, original], eterno, preexistente e sobrevivente a tudo".[7] Acrescenta, ainda: "o mundo corpóreo é secundário"[8] — o que permite inferir que este deriva do primeiro, que lhe serve de referência e modelo.

De posse desse conhecimento, compreendemos com certa naturalidade a existência da fauna no plano extrafísico. Deparamos com animais vivendo em corpo e âmbito astral em nossas incursões, pois seu princípio inteligente adquire determinada forma naquele mundo. Todavia, como não gozam da faculdade do pensamento contínuo, não apresentam a capacidade de manter tal aspecto, o que é feito por espíri-

123, item 86.

6. "Introdução ao estudo da Doutrina Espírita". In: KARDEC. *O livro dos espíritos*. Op. cit. p. 36, item VI.

7. Idem.

8. Idem.

tos mais esclarecidos e especializados. Muitas vezes, também concorre para tanto a força mental própria de seus donos, por meio da memória que conservam deles, em conformidade com as leis do pensamento.

Mesmo eu tenho a felicidade de ter um animal que deixei no plano extrafísico antes de encarnar. Lido com ele vez ou outra, porque um amigo do outro lado lhe mantém a forma, e me diz: "Tomo conta dele para você aqui, até quando você retornar". Trata-se de um gato bem grande, aquele gato de estilo egípcio.

OS CASCÕES E AS SOMBRAS

Em meio à paisagem astral vivem, também, os cascões, os quais se subdividem entre cascões vitalizados e desvitalizados, conforme veremos a seguir. Trata-se do resíduo aglutinado de corpos etéricos em decomposição, antes que sejam absorvidos pela natureza astralina. Assemelham-se a cascas ou crostas de fluidos sedimentados, os quais adquirem aspecto maciço, tal como pedaços de rocha, resultado, em sua maioria, da consolidação do pensamento desorganizado. Há outro tipo de cascão astral, que deriva de espíritos que conseguiram progredir em relação à sua situação deplorável, elevar-se um pouco mais e deixar abandonada ali, descartada, a carcaça de fuligem que havia se jungido a seu envoltório perispiritual, até se dissipar no ambiente etérico-astral.[9]

Os cascões vitalizados resultam da perda do perispírito por parte de indivíduos em grave sofrimento moral, os quais passam a apresentar uma forma degenerada do corpo mental — e provavelmente assim permanecerão até reunirem condições de reencarnar. É comum que a matéria vitalizada entre em estado de putrefação, e tais inteligências se ressentem disso. Já os cascões desvitalizados se produzem quando mentores aglutinam a matéria do plano astral para assumir certa aparência, visando às atividades nobres, e,

9. "As criaturas que observamos no entorno derivam de pessoas desencarnadas, isto é, são larvas mentais produzidas por desencarnados em sofrimento. São constituídas a partir de detritos e de matéria pútrida de corpos espirituais em decomposição — ou seja, em estado de deterioração da forma —, bem como de outros, descartados quando o processo se consuma e o ser é, enfim, reduzido à situação de ovoide. Os resíduos perispirituais resultantes dessa degeneração, em ambos os casos, são chamados de cascões astrais" (PINHEIRO. *Os viajores*. Op. cit. p. 130-131).

cessada a missão, abandonam-na na natureza extrafísica, que cedo ou tarde a reabsorve.

Importa citar também as sombras, criaturas que podem ser conceituadas da seguinte forma:

> "Existem conteúdos emocionais que, de tão empedernidos, amalgamam-se e dão origem a uma espécie de massa fantasmagórica, a qual adquire contornos ou arremedos de humanidade, mesmo sem ser dotada de vida própria. Massas desse tipo são as *sombras*, nome dado em alusão às características que imitam o espírito humano, de modo imperfeito. É comum vê-las se arrastando no submundo, repletas de imagens mentais associadas a emoções de cunho erótico, sexual ou colérico. (Importante não confundir com *os sombras*, espíritos que compõem as milícias dos magos negros, segundo Ângelo Inácio os descreve na trilogia *O reino das sombras*.)".[10]

10. Ibidem, p. 214. (A trilogia *O reino das sombras* é composta pelos seguintes livros: *Legião*, *Senhores da escuridão* e *A marca da besta*, todos citados na bibliografia.)

OS SERES ARTIFICIAIS

As criações que emergem da força do pensamento, como clones, bactérias, vírus astrais, entre muitos outros, agrupamos sob a classificação de seres artificiais. No âmbito extrafísico denso, dada sua natureza peculiar, frequentemente travamos contato com o produto da mente de cientistas desencarnados, de magos negros e de outros espíritos das trevas. Contudo, há muitos seres artificiais que também são criados por nossos orientadores espirituais. Isso mesmo! Não raro o fazem visando ajudar em algumas tarefas ou com outro objetivo. Afinal, não faria sentido imaginar que esse recurso estivesse ao alcance apenas dos espíritos das sombras.

Um aspecto interessante a observar é o fato de o mundo astral ser largamente povoado por elementos formados inconscientemente pela força do pensamento. Isto é, o pensamento não cria apenas quando é comandado de maneira deliberada por quem o gera; ao contrário, o produto individual e coletivo de mentes menos ou mais desordenadas age de modo incessante sobre a atmosfera fluídica, emprestando-lhe características compatíveis com sua origem. Portanto, pensamentos adquirem aspecto, consistência, teor e tenacidade próprios, quando não vida, se porventura contarem com um acréscimo de vitalidade e de emoção.

Logo, a soma do que produzem as usinas mentais — conhecidas como espíritos —, de ambos os lados da vida, determina e modela a estrutura psicofísica que vaga pelo orbe, em última análise, bem como pelos redutos mais sombrios do plano astral. Nesse caso, destacam-se as criações mentais mórbidas, as formas energéticas parasitárias, os fluidos malsãos que ganham vida fictícia e temporária, os quais envolvem a morada dos homens. São as chamadas formas-pensamento daninhas, cujo coletivo se denomina egrégora. Sobretudo os lugares mais escuros do plano astral, onde não há incidência da luz solar — motivo pelo qual os chamamos de umbral inferior —, são repletos desses elementos.

Não só no mundo astral, mas também nos níveis mais trevosos estão presentes os seres artificiais: no umbral superior; na faixa crosta a crosta ou umbral médio, que é onde nós vivemos; na subcrosta ou umbral inferior, abaixo da superfície terrena; nas regiões das trevas, do abismo, povoadas por espíritos tão mais materializados e dedicados ao mal quanto mais se mergulha na escuridão.

Entidades artificiais são subterfúgios a que muitas vezes recorrem espíritos da oposição, contrários à política de Cristo, a fim de prejudicar a vida de uma pessoa de modo severo, notadamente em processos de subjugação e de obsessões complexas.[11] Mentes sombrias intencionalmente manipulam fluidos e pensamentos, aglutinando recursos da natureza astral com a finalidade de elaborar criações parasitárias, infecciosas e patogênicas.

11. A classificação tradicional do processo obsessivo (cf. KARDEC. *O livro dos médiuns*... Op. cit. p. 355-358, itens 238-240) — que distingue o fenômeno em obsessão simples, fascinação e subjugação — o faz com base na gravidade da patologia espiritual, sem entrar no mérito da metodologia empregada no intento. A nomenclatura *obsessão complexa*, por outro lado, considera justamente a técnica utilizada, isto é, assinala que há perícia ao realizá-la. É, pois, uma classificação complementar, que vem se somar às demais, cada qual com suas vantagens (cf. "Obsessão simples e complexa". In: AZEVEDO, José Lacerda de. *Espírito/matéria*: novos horizontes para a medicina. 9. ed. Porto Alegre: Casa do Jardim, 2007. p. 211-213, item 9.3.4).

A título de explicação, com alguma frequência, chegamos à casa espírita e encontramos pessoas acometidas por processos obsessivos gravíssimos, porém, ao primeiro exame, não se detecta nenhum espírito perto dessas pessoas. Isso acontece porque o artífice do fenômeno arquiteta a estratégia, cria ou patrocina a elaboração de um elemental artificial e permanece à distância enquanto este age. Mediante uma varredura psíquica menos atenta, não se identifica a causa do mal no consulente, pois o responsável pelo problema se esquiva, e a entidade artificial cumpre a função de provocar o desequilíbrio planejado.

Então, é preciso compreender que, no plano astral e no plano extrafísico de modo geral, nós encontramos, com muita frequência, os seres artificiais, a respeito dos quais muitos médiuns não estudam. Como consequência, não sabem distinguir um ser artificial de um natural, um ser humanoide de um ser humano e, em decorrência disso, embarcam em processos obsessivos nem sempre de fácil solução.[12]

12. "Médiuns há que se agrilhoam às *sombras* [seres não humanos] — durante o desdobramento, em virtude de extrema oscilação moral e emocional

Outro tipo de fenômeno obsessivo que emprega seres artificiais é aquele no qual espíritos das trevas criam um clone de alguém, uma cópia fiel de determinada pessoa encarnada, e operam essa duplicata em seus laboratórios, com os mais variados fins. Manipulam o alvo magneticamente, à distância, imantando-o ao clone; à medida que cresce a conexão, mais avassalador o efeito do processo se torna, pois se amplia o leque de possibilidades na mão dos algozes. Até os pensamentos do obsidiado passam a ser largamente influenciados.

Um paralelo válido para ilustrar o princípio que rege a atuação dos clones é o que se fala a respeito de vodu, ou seja, a prática ancestral de criar um boneco — nesse caso, nem se trata de uma réplica fidedigna — que represente o alvo da feitiçaria, de modo que tudo o que se faz com o avatar repercute sobre a pessoa visada. Trata-se de uma espécie de obsessão sofisticada, mas nem por isso tão incomum como se-

—, as quais impregnam seu corpo astral a tal ponto que eles chegam a incorporá-las em reuniões, tomando-as, equivocadamente, por inteligências ou espíritos" (PINHEIRO. *Os viajores*. Op. cit. p. 216. Grifo nosso).

ria de se esperar, como se pode constatar quando se analisam os casos à luz do desdobramento induzido por meio da apometria.[13]

13. A técnica da *apometria* é descrita pelo pesquisador que cunhou este termo (cf. AZEVEDO. Op. cit.).

REPROGRAMAÇÃO MENTAL

CAPÍTULO XVII

O momento antes de dormir exerce influência crucial sobre os resultados que colheremos durante o período do sono. Muitas pessoas — assim como eu mesmo em determinada época da vida —, a depender de como foram o dia e as atribulações, chegam em casa, despencam em cima da cama e dormem logo. Todavia, para lograr êxito na tentativa, a mente precisa ser programada ou reorganizada em diversos níveis. Certa vez, ocorreu algo comigo que ilustra essa necessidade.

Durante anos eu me levantava pela manhã e, dado o grande volume de afazeres, acabava por deixar minha roupa de cama de qualquer jeito ao sair para trabalhar. Lembro até de pensar assim: "Para que arrumar se, à noite, vou desarrumar tudo de novo ao me deitar?". Veja que lógica... Mas ocorre muito esse tipo de raciocínio ao homem, sobretudo se mora sozinho, de maneira geral mais do que às mulheres. A consequência dessa atitude extrapola e muito os lençóis amarrotados; simbolicamente, demonstra que a pessoa não se preocupa a contento com o lugar onde repousa. E isso é, a um só tempo, revelador e grave. Com o tempo, notei estar sempre descontente com o resultado do meu dia. À noite, achava-me desgastado, pois tinha me agitado bastante e corrido demais, tomando várias providências. Gerava grande movimento, mas bem menos substância do que deveria. Chegava ao fim do dia repleto de coisas por fazer ou, pelo menos, nada satisfeito.

Em um belo dia, perguntei aos espíritos — e são raras as vezes em que lhes pergunto algo. Brinco que tenho medo de lhes apresentar dúvidas porque sempre a resposta envolve mais trabalho... Porém, estava tão incomodado que indaguei quem conhece bem os meandros da alma e da mente humanas, além de me auxiliar enormemente: o espírito Zarthú, o Indiano.[1] Respondeu ele:

— Meu filho, você dá uma ordem eloquente para seu cérebro todas as manhãs.

Após breve pausa, dada para eu digerir o anúncio inusitado, ele prosseguiu:

1. Alex Zarthú é um dos espíritos responsáveis por orientar o trabalho do autor. Por seu intermédio, escreveu quatro livros até o momento: *Serenidade: uma terapia para a alma*; *Quietude*; *Superando os desafios íntimos*; e *Gestação da Terra*, todos indicados na bibliografia.

— Considere o seguinte: você sai do corpo à noite e o cérebro fica em repouso, sem a presença do seu hóspede. Ao retornar à vigília, qual é das primeiras ordens que você emite para esse órgão? Como quer imprimir organização em sua vida se um dos primeiros comandos que lhe dá reafirma uma atitude mental e um visual de desorganização? Como, se quando abre seus olhos e se levanta, aquiesce com a bagunça da cama, do quarto, a bagunça de tudo... Tenha em mente que o cérebro é um biocomputador perfeitamente programável, o qual responde a todas as ordens que você lhe dá.

O argumento teve impacto enorme sobre mim. A partir de então, resolvi me organizar mais e mais. Hoje, passados muitos anos, gosto de arrumar a cama e o faço até quando hospedado em hotel. Levanto-me, arrumo a cama e organizo as coisas antes do banho. Não ficará perfeito, como faz a camareira, mas deixo tudo organizado: se há sapatos ou roupas no canto, já acomodo no lugar certo; não permito nada desarrumado.

À noite, também criei esse hábito. Recordo-me de uma vez em que recebi uma visita, que viera conversar comigo, mas acabou dormindo antes. Não consegui relaxar naquela noite, porque alguma coisa me incomodava. De repente, dei-me conta: havia muita coisa espalhada. O hóspede tinha largado uma bolsa aqui, um objeto ali, outro acolá, então, organizei tudo. Não quero dizer faxinar a todo momento; não me refiro a exageros nem mania de limpeza ou quaisquer outras. É tão somente dar ao próprio ambiente um ar ordeiro. Quando o fiz, pensei: "Agora sou capaz de tranquilizar a mente um pouco".

Agindo desse modo, minha mente já se acostumou à organização. Desenvolvi outros hábitos domésticos nesse sentido, porque, sobretudo morando só, não dependo de convencer ninguém. Atualmente, mantenho até uma rotina, que já é quase uma neurose mineira, baseada no que Zarthú me disse: termino de arrumar a cama, faço a higiene matinal e vou diretamente até o forno assar pão de queijo. Precisa ver que maravilha! Um minipão de queijo congelado que demora exatamente 20 minutos para ficar pronto. Durante esse tempo, organizo outras coisas e anoto ideias no papel; sempre listo o que tenho a fazer durante o dia, de modo ligeiro, em tópicos. Quando concluo, o pão de queijo está pronto. Esse costume de planejar os afazeres por escrito contribuiu muito, tanto para a minha produtividade quanto para a minha satisfação no cotidiano.

Algo que me dá prazer é fazer refeições à mesa com ela devidamente arrumada; mesmo sozinho, ponho a mesa como se fosse receber a melhor das visitas. Ao me levantar, recolho tudo no ato. A bênção de ter uma lava-louças vem nessa hora: você guarda a bagunça lá dentro, fecha a porta da máquina e, num instante, tudo ganha aspecto de ordem. Quando estiver cheia, é só ligá-la e pronto.

Procedimentos assim me ajudaram a organizar uma série de coisas na minha vida mental. Desse modo, quando me recolho para me dedicar ao desdobramento, não há nada desarrumado em casa. Qualquer pessoa que porventura chegue, encarnado ou desencarnado, encontrará tudo mais ou menos em ordem.

Leve em conta que nosso projeto visa atuar sob a coordenação dos bons espíritos, então, imagine que, à noite, você receberá visitantes ilustres. Se o quarto ou os demais cômodos estiverem tumultuados, avalie como se sentirão ao estabelecerem contato com sua casa mental e emocional. O espaço físico é reflexo do seu interior, por outro lado, o modo como o mantém emite uma ordem constante para seu cérebro.

NEUROLINGUÍSTICA

A primeira técnica para levar a cabo a reprogramação mental e emocional proposta consiste em enunciar com precisão seus objetivos, redigindo-os. Escrever mesmo, no papel, e não confiar na memória, que pode ser volúvel e até volátil. Elabore um planejamento: o que quer, em quais dias trabalhará a sua memória, como e para que o fará. Todavia, para cumprir essa missão com eficácia, convém refletir sobre alguns aspectos abordados pela neurolinguística.

Ainda antes de prosseguir, uma ligeira pausa visando delimitar o quadro a ser enfrentado. Nascemos vinculados ao corpo carnal; desde a gestação, recebemos uma série de informações que, gradualmente, modelam ou engessam nossa consciência. Todos os fatos da vida material reforçam a noção de que esta é a verdadeira vida. O desenvolvimento infantil reitera, para o espírito reencarnante, a preponderância do corpo sobre a alma, pois captura sua atenção e seus esforços. Na escola, o teor do aprendizado destoa do das disciplinas conhecidas no plano astral, e a instrução formal aprofunda a convicção de que a matéria é o cerne de tudo. Logo passamos à fase mais atribulada: dividimo-nos entre estudar, trabalhar e sustentar-se, buscando conquistar nosso lugar na vida.

Em cada etapa, o cérebro ganha força e tolhe mais e mais quaisquer concepções que o transcendam. O auge é considerá-lo como a própria sede do pensamento, por conseguinte convertendo a mais nobre faculdade humana em mero subproduto do órgão material. Equivaleria a defender que, tal como as glândulas secretam hormônios, o cérebro mana pensamento.

Como se percebe, nossa mente reclama ser embebida e entranhada na constatação de que a realidade captada pelos sentidos é o maia, a ilusão, caso queiramos desenvolver aptidões extrafísicas. Tal mergulho tem por objetivo expandir os horizontes do indivíduo — e, para alcançar a finalidade que colimamos, uma reprogramação mental eficaz é o meio ideal. Examinemos, pois, algumas contribuições que a programação neurolinguística (PNL) oferece para essa empreitada.

AFIRME AO INVÉS DE NEGAR. Vamos instilar ideias novas em nossa mente, entretanto, o cérebro opera de uma maneira interessante: ele não funciona com a palavra *não*. É como se a palavra *não* inexistisse; para o órgão do pensamento, tudo é recebido como afirmação, jamais como negação. Basta examinar um exemplo tolo. Imagine um orador em frente à plateia que a instrua: "Não prestem atenção ao barulho dos ventiladores". Qual será a reação imediata de todos ao comando? Evidentemente, voltar os sentidos para aquele ruído, que, talvez, já nem estivesse sendo percebido por alguém mais concentrado na palestra em curso.

Portanto, a formulação da ordem mental não deve ser: "Ah, a vida material não é a única", uma vez que a neurolinguística demonstra que o cérebro interpretaria a mensagem com o sentido oposto ao do enunciado. A declaração correta é: "A vida espiritual é a vida verdadeira". Ou seja, sempre se usam somente sentenças afirmativas.

A ORDEM DOS FATORES ALTERA O PRODUTO. Ainda no que concerne à neurolinguística, há outra observação sobre comandos mentais que vale a pena considerar. Às vezes, o indivíduo utiliza um mote que, inadvertidamente, acaba por reforçar a programação anterior, selando as comportas cerebrais para a nova informação, ao invés de abri-las. Isso se deve ao hábito de usarmos palavras como *mas* ou *porém*, isto é, as chamadas "conjunções adversativas". Segundo a neurolinguística demonstra, tudo que vem depois de termos assim ganha destaque no cérebro. Portanto, na frase: "Estou aprendendo o método de projeção astral, mas é muito difícil", o que se torna mais importante é a dificuldade, pois sucedeu *mas*. De fato, na comunicação cotidiana, quem pronuncia uma frase como essa costuma enfatizar o *muito* até na entonação, realçando aquilo que o embaraça e quão penosa é a empreitada.

Se você quer começar a se reprogramar, então deve formular o pensamento da seguinte maneira: "Sei que é muito difícil fazer tais coisas, mas vou conseguir vencer esse desafio". Repare que o tom, resoluto, é outro nessa construção, apesar da concessão inicial. Lembre: o que se segue a *mas* adquire peso bem maior no modo como a mente interpreta a comunicação. Tal princípio é válido em todas as instâncias da vida, caso se queira efetuar mudanças. Empregamos essa lição a fim de adestrar o cérebro, remodelando a antiga forma de pensar. Sentenças encerradas com *mas vou conseguir, mas vou fazer, mas terei êxito* e expressões análogas carregam bastante força.

NO PRINCÍPIO ERA O VERBO. Uma questão ainda mais elementar relacionada à programação neurolinguística diz respeito à virtude que a palavra guarda. Tudo aquilo em que você declara acreditar, toda afirmativa repetida verbalmente encerra enorme poder — afinal, o verbo é a expressão máxima e a consagração do pensamento. Tão somente o ato de pensar já envolve uma força considerável, mas se, além de pensar, você vocaliza determinada ideia, ela se reveste de uma potência monumental.

Como exemplo, utilizo esse princípio a fim de ativar a força do perdão. Quando tenho dificuldade de perdoar ou recebo casos assim em consultório de terapia, recomendo que se escreva: "Eu perdoo fulano" ou "Eu me perdoo" repetidas vezes. Pode ser dito em alta voz também, porque a palavra articulada constitui uma ordem que penetra o ser e a registra na memória espiritual. O cérebro absorve o comando e acaba por introjetá-lo. Já pude observar como efeito, ao prescrever tal prática, que a memória fica ultrassensível e começa, em poucos dias, a se libertar da culpa, que a domina em muitos casos. Esse é um exercício de neurolinguística para desipnotizar ou reprogramar o cérebro, bem como sua maneira de pensar e de interpretar as coisas. Lembro, a propósito, que há farta comprovação de que digitar não desempenha, no que concerne à memória e às faculdades cognitivas, função análoga à da escrita manual; portanto, sugiro executar à mão o exercício.

Trata-se do mesmo recurso que usamos na reprogramação do sonho lúcido. Você se deitará e dirá em voz alta, algumas vezes: "Eu vou me recordar, eu vou me recordar, eu vou me recordar dos meus sonhos...". Se porventura temer que seu marido ou sua esposa ache que está enlouquecendo, declame os comandos no banheiro, antes de se deitar. Feche os olhos e repita, tal como se fosse uma oração, ordenando ao cérebro — isto é, você, espírito, manifesta a instrução mental por meio da palavra.

Não é fortuita a abertura do Evangelho de João, que declara solenemente: "No princípio era o Verbo, e o Verbo estava com Deus, e o Verbo era Deus".[2] Por que isso? Porque a palavra é a manifestação do pensamento divino, ainda que não exclusivamente, e, além do mais, você tem a autoridade similar à de um deus dentro do seu corpo. Você é uma espécie de deus no que tange à sua mente, então, se você emitiu uma ordem, a tendência é o cérebro cumpri-la indefinidamente, até que fique entranhada.

ANOTAR, REMEMORAR E PLANEJAR

Algumas pessoas gostam de escrever os eventos ocorridos durante o sono ainda na mesma noite. Como já recomendei, um caderno de anotações é peça fundamental no *projetarium*, mas de preferência sem pautas, dando-lhe a liberdade de desenhar tópicos confortavelmente, como aqueles modelos organizacionais que citei.

2. Jo 1:1.

Atualmente, utilizo outra ferramenta. Depois de pilhas e mais pilhas de cadernos com notas sobre desdobramentos, chegou o momento de aprimorar; considerei digitar, porém, sou lento na digitação e não deu certo. Então me ocorreu: "Vou gravar!".

Hoje uso o gravador por ser mais fácil, no entanto, para quem está no início do processo, o ideal é anotar à mão, como já expliquei. Assim, a mente se habitua ao modelo organizacional dos tópicos e dos quadrados que ensinei. Depois de dois anos, você poderá migrar para o recurso eletrônico, mas somente quando decorrido esse prazo mínimo, a fim de que sua mente adquira ou incremente a função de reter fatos na memória e trazê-los para o consciente, recordando o que se passou durante a noite ou durante o desdobramento.

Nessa mesma linha, recomendo procedimento similar àquele que faço enquanto espero o pão de queijo assar. Ele é útil porque ativa a memória em vigília, o que acarreta reflexos sobre essa faculdade na esfera extrafísica. Quer fazer um teste simples para comprovar sua eficácia?

Imagine sua agenda para amanhã. Só imagine,

sem escrever nada, e observe se conseguirá cumpri-la à risca, sem se deixar perturbar pelas intromissões que nos assaltam no dia a dia. Depois, faça o contrário: à noite, antes de se deitar, liste os itens, somente os tópicos, mais ou menos assim:

- barbearia às 9h;
- trabalho às 10h30;
- supermercado no fim do dia.

Somente os itens e nada mais. No outro dia, perceberá que nem será necessário consultar o que escreveu, pois estará vívido na memória. Os tópicos se fixam na mente, porque se transformam em uma imagem.

Durante o treino visando ao desdobramento, tudo depende de organizar e programar o cérebro e a mente para que sejamos capazes de atingir os objetivos o mais rápido possível. Recordar e registrar, tal como o restante das etapas, depende de vontade e determinação. Muitos reclamam: "Ah, Robson, mas chega parente ou visita, tenho muitos compromissos...". A visita só interfere o quanto você permite, tal como o parente; até aos afazeres cabe impor limites. Caso queira realizar algo, estabeleça regras claras para as pessoas da sua convivência. Se não o fizer, também não poderá reclamar do outro, porque será você quem não terá comunicado as regras. Estabeleci isto para mim: tenho um trabalho a fazer; é o que quero, é minha meta e ponto final.

ÂNCORAS E GATILHOS

Empregam-se várias âncoras no método. Uma delas faz alusão ao que algumas pessoas falam: "Fico com medo de não voltar para o corpo". Esse é um receio que não tem razão de ser. É simples: basta lembrar-se de qualquer necessidade fisiológica; enquanto estamos encarnados, mesmo fora do corpo, essa é a maior âncora que nós temos. Se porventura se concentrar em urinar, em comer ou em beber água, imediatamente regressará ao corpo e despertará com aquele ímpeto.

Lembro-me de um exemplo que acontece com o personagem Raul, um sensitivo que aparece nas obras do espírito Ângelo Inácio. Em dado momento em que ele decide voltar ao corpo, nem mentores respeitáveis conseguem fazê-lo ficar do outro lado. Joseph Gleber e Jamar entabulam o diálogo com ele, que reconto com minhas palavras:[3]

— Vamos ao trabalho!

— Não, agora não; vou voltar porque tenho de urinar, e estou com fome...

— Você não precisa urinar... Está fora do corpo!

— Vou voltar; eu não vou passar fome de jeito nenhum.

Ele retorna no ato. Então, essa é uma âncora poderosa que você pode utilizar para fins de acoplamento.

De outro lado, também há gatilhos poderosos. Imagine que você divisa uma casa naquilo que julga ser um sonho — não se prenda à classificação do fenômeno neste momento. Procure ali dentro, naquela casa, naquela imagem, alguma coisa firme, qualquer que seja, que cative sua atenção, e se fixe naquilo. Por exemplo: "Vejo essa casa linda, mas aquela flor me chamou a atenção", então, aproxime-se da flor e sinta seu cheiro. Quando se der conta, estará raciocinando

3. Cf. PINHEIRO, Robson. Pelo espírito Ângelo Inácio. *Os imortais*. Contagem: Casa dos Espíritos, 2013. p. 112-114. (Os filhos da luz, v. 3.)

sobre o processo, dirigindo-o, e isso caracteriza desdobramento, e não mais sonho.

À medida que treinar, verá que realizar tais coisas está a seu alcance. Aliás, é mais fácil adentrar o estado de desdobramento assim, lançando mão do sonho, do que estando plenamente desperto, em vigília. Afinal, em meio às cenas oníricas, você já ingressou em um dos estágios da emancipação da alma, de modo que deve buscar progredir ou avançar nessa direção. A visão daquela casa, segundo o exemplo acima — a qual, até então, era apenas de caráter onírico —, acaba se transformando em um trampolim que o projeta numa situação real. De repente, você se percebe fora do corpo. Aquilo que proporciona esse impulso chamamos de gatilho.

Assim, algo externo ao corpo pode se tornar gatilho para provocar a decolagem, ao passo que sensações fisiológicas constituem âncoras visando à acoplagem. Isso também faz parte dos conhecimentos sobre o processo de desdobramento, e, para desenvolvê-lo, reforço: pense nele de forma ardente e anote os resultados. Se o fizer, estou convencido de que terá êxito.

SONHOS LÚCIDOS OU CONSCIENTES

CAPÍTULO XVIII

Em regra, todos nós, ao dormirmos, experimentamos a emancipação da alma em algum nível, seja por meio de sonhos ou de desdobramentos.[1] Contudo, poucas pessoas trazem, na memória, as histórias, as vivências, as cenas e as interações de que participam do outro lado da vida com benfeitores, parentes, amigos, afetos e desafetos. Pensando em como ativar essa lembrança, tratarei sobre a programação e o condicionamento da memória física tanto quanto extrafísica. Abordarei o sonho e as técnicas que o permitem se tornar lúcido. Já que todos sonhamos, por que não procurar guardar alguma consciência dos sonhos, ao menos de parte deles? Se será grande ou pequena parte, depende de bastante de cada um, mas existem técnicas para aprimorar essa recordação. São atividades e atitudes realmente eficazes que podemos fazer, porém, como ocorre com tudo, devem-se investir tempo e vontade.

1. "Durante o sono, afrouxam-se os laços que o prendem ao corpo e, então, não precisando o corpo da sua presença, o Espírito se lança no espaço e *entra em relação mais direta com os outros Espíritos*" (KARDEC. *O livro dos espíritos*. Op. cit. p. 294, item 401).

Tenho enfatizado a necessidade de disciplina para alcançar aquilo que venho propondo neste método de projeção astral. Não adianta fazer uma, duas tentativas e, na terceira, deixar para lá; na quarta, nem se lembrar mais; não ter quinta nem sexta vez. Quando o objetivo envolve a memória extrafísica, é preciso estar ciente de que o resultado passa obrigatoriamente pela reprogramação mental, que redunda no cérebro, a qual depende de técnica e, também, da repetição ritmada, a fim de que se sobreponha à situação preexistente.

As técnicas não são complexas, aliás, são simples; praticá-las, no entanto, exige vontade e determinação. Há pessoas que assim se manifestam, por vezes já auxiliando os espíritos há certo tempo: "Quero lembrar o que me ocorre durante o sonho". Então, na metade do caminho, dizem: "Ah, cheguei à conclusão de que está bom do jeito que está; vou trabalhar do jeito que eu posso". Ora, cada um tem a liberdade de fazer o que quiser, mas convém avaliar o motivo da desistência, se por acaso foi preguiça ou desorganização. Seja como for, estas sugestões são para quem prioriza tornar-se cada vez mais ativo e consciente fora do corpo.

MÉTODO FACILITADOR INDIRETO

Nesse sentido, retomo um argumento a favor daquela metodologia indireta, utilizada para se projetar fora do corpo, durante o período consagrado ao sono. O pressuposto é que, se ao dormir já sonhamos, fica mais fácil aproveitar a propensão de desprendimento da alma que caracteriza o sono para incrementá-lo até o sonho lúcido e, no passo seguinte, até o desdobramento — o que é feito condicionando o pensamento, em vigília. Quando digo *mais fácil*, quero dizer em comparação com o método facilitador direto, que tem o desenvolvimento mais lento, em boa medida porque, estando plenamente desperto, é mais difícil relaxar o suficiente para que o desdobramento se dê, muito embora haja variação de pessoa a pessoa, a depender do perfil psicológico e de outros fatores.

Imagine que você resolva: "Todos os dias, às 5h da tarde, vou parar para fazer meu exercício". Só que você não manda no telefone, na televisão, nas pessoas que chegarão e em uma série de afazeres e distrações, que tornam tudo mais difícil para administrar. Por outro lado, no método indireto, uma vez recolhido e já tendo dormido, acordará por alguns instantes e praticará algumas técnicas. Após o repouso, a mente tende a se esvaziar de formas-pensamento, as quais, durante a vigília, ficam mais vívidas, já que permanecemos lúcidos e mentalmente ativos em tempo integral (o que não quer dizer que não pensemos dormindo, mas pelo menos não detemos ampla consciência disso).

É muito mais fácil, portanto, impulsionar-se com uma ordem mental que se concretize durante o semitranse onírico, de sorte que o sonho seja convertido em desdobramento, como veremos a seguir. Assim, quando menos esperar, qualquer cenário onírico ou imagem se transformará em algo real, desde que o afinco no condicionamento mental em vigília seja mantido. Logo, você, que era até então apenas um espectador, que apenas visualizava, surpreende-se genuinamente e adentra diretamente essa imagem, essa paisagem, e começa a vivenciá-la. Tal é a realidade do nosso cérebro e da nossa mente.

No sonho lúcido, o objetivo maior é recordar o máximo possível dos fatos sonhados, pois isso propicia o desenvolvimento da tomada de consciência acerca do que se passa na vivência extrafísica, de modo amplo. No limite, aprimorar a capacidade de recordar sonhos acaba favorecendo se lembrar de desdobramentos, quando ocorrerem.

RECORDANDO SONHOS

De fato, existe uma relação estreita entre a quantidade de sonhos que se consegue recordar e o número de desdobramentos que se logra relembrar. Não lhe parece fazer sentido? Se o cérebro é adestrado para trazer à tona, durante a vigília, experiências vividas pela mente durante a emancipação da alma, essa aptidão de rememorar é uma só. Nesse aspecto, torna-se irrelevante se o evento em questão é fruto de uma emancipação tênue, como o sonho, ou mais acentuada, como é o caso do desdobramento.

Alguns dizem: "Eu não sonho nunca". Não! Todo mundo sonha. O grande problema é que nem sempre lembramos e, frequentemente, não dispensamos a devida atenção a eventos tão sutis e, sobretudo, rotineiros. Os pormenores são suaves; ao retornarmos para o corpo e ao acordarmos, não fazemos nenhum esforço para recordar, preocupados com os afazeres cotidianos. Traço paralelo com um assunto correlato.

Em consultório, costumo indagar: "Como tem sido o seu sono? Tem acordado muitas vezes à noite?". Não é incomum que ouça como resposta: "Ah, não me lembro! Não parei para reparar nisso". A pessoa nunca se deteve sequer para avaliar a qualidade do próprio sono... Uma amiga me disse, certa vez:

— Eu acordo quase todas as noites às três da manhã e fico o resto da noite sem dormir. Acho isso normal; não é?

Ora, algo está errado se a anomalia passou a ser tida como natural, tanto que ela começou a se aperceber de determinadas coisas após aquela breve conversa.

A moral da história é: se você não direciona a atenção para dado fenômeno e não o examina — no caso em estudo, o sonho —, acaba nem notando o que lhe acontece. Então conclui: "Não me lembro do sonho, logo, eu não sonho".

Será que até hoje você pode não ter parado para observar como sonha? Talvez seja simplesmente algo que não lhe interessasse, por conseguinte, não tenha empregado esforço para tal. Contudo, a partir de agora, convido-o a dedicar um tempo ao exame do período de sono e dos sonhos. Faça isso todos os dias, tantas vezes quantas possíveis. Registre no diário aspectos sobre a noite, tentando rememorar os sonhos, e, assim, vão se tornar cada vez mais conscientes. Quero acordá-lo da ilusão de que você não sonha! Dessa forma, quanto mais os sonhos vierem à memória em vigília, mais facilmente se lembrará dos desdobramentos também.

ANOTE. Sendo assim, o próximo passo é muito simples e já é um exercício. Consiste apenas em procurar se recordar de todos os detalhes possíveis do que sonhou. Tão logo se levante, pergunte-se: "O que sonhei?".

Quem sabe conseguirá se lembrar de uma imagem pequena e, fixando-se nela, amplie suas impressões. Sonhou, por exemplo, com uma casa. Como era a construção? Não lhe ocorrem os detalhes? Concentre-se e passe a imaginá-la; até esse recurso é válido para acessar reminiscências. Em seguida, você se dá conta de que havia determinada cerca e, depois, um jardim também. Ao se esforçar, num primeiro momento, somente uma pequena parcela assoma à mente. Entretanto, ao recorrer à memória, logo ela começa a ser ativada. Caso adote esse procedimento todas as noites, notará que número extraordinário de pensamentos virá à tona, mesmo ao longo do dia.

Mas considere que tudo deve ser anotado. Quantas vezes, no meio da manhã, damo-nos conta de que nos escapou completamente certa impressão onírica que era vívida logo após o despertar? O esquecimento é natural, conforme estudamos o maia, pois os eventos cotidianos se sobrepõem a fatos de caráter sutil. Desse modo, não confie na longevidade de reminiscências que são, em regra, de natureza fugaz. Relembrar é diferente de reter ou registrar — e deixar tudo circunscrito ao campo das ideias vagas ou abstratas não funcionará. É fundamental trazer esse conteúdo para o mundo concreto, das formas, e a maneira de fazê-lo é por meio da palavra gravada no papel.

Reprograme sua mente a fim de que, ao se levantar, não parta apressado para os afazeres. Gastará de cinco a dez minutos na empreitada: faça a retrospectiva da noite de sono e busque trazer à memória os detalhes, mas sem se preocupar em esgotá-los, de modo obsessivo. Mesmo que não lhe ocorram imagens, inicialmente, mas apenas sensações e emoções, logo progredirá, pois o cérebro se habitua gradativamente à nova rotina. Depois de certo tempo de prática, sequer será necessário anotar, porque lhe assomará a memória integral.

Acompanhei de perto casos de pessoas que persistiram nessa técnica muito simples e conseguiram avanços notáveis no intervalo de dois ou três meses. Todavia, refiro-me a dois indivíduos que agiram com determinação verdadeira.

DÊ COMANDOS À MENTE. Estabeleça o que resolveu em voz alta para si mesmo: "Lembrarei os sonhos e anotarei, ao acordar, o que eu lembrar". Na noite seguinte, mesmo que tenha se esquecido do que se passou, ao ler a anotação, no momento de se recolher, pormenores assomarão à memória. Pode até acontecer que se lembre apenas de três ou quatro aspectos na hora de anotar; vai trabalhar durante o dia e se esquecerá deles... Ao se preparar para deitar, na noite subsequente, lê aqueles poucos tópicos e, de repente, advêm outros seis ou sete. Nesse caso, a leitura age como um gatilho que desencadeia uma reação nos arquivos mentais. O comando associado à anotação eclode, naquele instante, como uma chave que abre as comportas da memória espiritual. Trata-se de uma espécie de muleta psíquica, de alavanca capaz de destravar as recordações subjacentes mediante breve contato. Essa técnica de reprogramação mental é uma técnica de hipnose também; consiste numa auto-hipnose ou no ato de desipnotizar a mente a fim de acessar a sede dos arquivos oníricos, favorecendo a tomada de consciência.

Ainda que disponha de pouco tempo em sua rotina matinal, tenho uma sugestão. Tente ficar tranquilo por um minuto sequer na cama, antes de se levantar, buscando lembrar-se dos detalhes, sempre com o caderno ao alcance da mão. Quando for ao banheiro, não mude o teor de pensamentos; faça a higiene e tome o banho, se for o caso, fustigando as recordações, dando prosseguimento ao exercício de coletar memórias mesmo debaixo do chuveiro e ao se secar. Tome nota durante o desjejum. Essa obstinação agirá diretamente sobre a memória extrafísica; é algo simples e extremamente eficaz.

Releia as notas. À noite, na hora de se deitar, leia as últimas coisas que anotou no diário. Releia o que escreveu naquele dia, suscitando novos elementos, e durma com essas lembranças. Não se dispende nem três minutos para isso, mas é o suficiente para ativar os registros mnemônicos. Esse treino beneficia também a retenção de fatos do dia a dia, sobretudo quem têm dificuldade em gravar nomes, números e feições das pessoas, bem como associar nome a fisionomia. Ou seja, a memória atual e a mente são reprogramadas simultaneamente, recebendo um estímulo rejuvenescedor. Em suma, relembrar sonhos é fazer deles uma ponte para o desdobramento, para viver experiências fora do corpo. De tal modo que compete a nós educarmo-nos para sonhar. Exatamente isto: educar para sonhar!

DIAGRAMANDO SONHOS

Uma maneira alternativa de registrar os sonhos é criar um esboço em forma de diagrama, valendo-se do princípio de que a memória e a mente operam por meio de imagens. Por exemplo, se eu pedir para que pense em um copo, você não pensará na palavra “copo”, mas visualizará a imagem que lhe corresponde. O mesmo se daria com uma mesa ou com qualquer objeto.

Como aplicar essa noção a um esboço que nos seja útil? Tome uma folha de papel em branco. Desenhe um diagrama, deixando o devido espaço para que possa escrever dentro das células, pois as anotações serão feitas em seu interior. Use retângulos, elipses ou o formato que preferir para cada uma delas.

Trata-se de aprimorar a metodologia de projeção astral, empregando técnicas de neurolinguística visando ao domínio do processo. Repare na variedade de ferramentas e de recursos de que dispomos.

Os espíritos e eu chamamos esse método de mapeamento mental, ou mapa de modelo mental. A neurolinguística entende que o mapa é a representação do território, o qual é a realidade. Neste caso, o território é a sua mente. Lançando mão do diagrama com breves informações registradas nas células, que se encadeiam umas às outras visualmente, ofereceremos ao cérebro conceitos rápidos a serem apreendidos, que atuarão como gatilhos eficientes, de modo que, quando dirigir os olhos ao papel, imediatamente a memória será acionada.

Assim, ao se deitar à noite, não terá de ler folhas e mais folhas de um caderno, que serão preenchidas com o tempo, mas apenas os tópicos nas células. Será muito mais rápido e fácil para a mente, induzindo-a a tomar o diagrama e os componentes do mapa como uma só imagem. Imediatamente, ao contemplá-lo por inteiro e fotografá-lo com sua visão, ele se fixa à memória com mais facilidade. A cada dia, empregará menos tempo para recordar um número maior de fatos.

ASPECTOS DO DESDOBRAMENTO

CAPÍTULO XIX

Há vários tipos de projeção astral, e cada qual apresenta características específicas. A visão leiga, um tanto ilusória, geralmente acredita que só se desdobra de uma única forma: a consciência como um todo abandona o corpo físico, o qual restaria desacordado. Nesse esquema simplório, existem apenas dois elementos: corpo e espírito. Allan Kardec introduziu outro fator nessa equação, batizado por ele de *perispírito*,[1] muito embora há tempos já se falasse em *corpo espiritual*,[2] para se ater ao exemplo judaico-cristão, entre tantos outros termos que designam o mesmo invólucro. Logo mais, os contemporâneos do codificador francês sugeriram,[3] também, a existência de um veí-

1. Cf. "Perispírito". In: KARDEC. *O livro dos espíritos*. Op. cit. p. 125-126, itens 93-95.

2. "Se há corpo natural, há também corpo espiritual" — 1Co 15:44.

3. "Porque nós já sabemos que o espírito não pode agir sobre a matéria a não ser por intermédio da força vital. Há, então, íntima fusão entre o perispírito e o fluido vital, este último sendo o motor que determina a evolução encerrada nestes três termos: juventude, idade madura e velhice." (DELANNE, Gabriel. *A evolução anímica*. Tradução de Leonardo Möller [excerto]. [S.l.:

culo condensador do *princípio vital* da terminologia clássica,[4] por isso denominaram-no *corpo vital* ou *duplo etérico* em outras escolas de pensamento, nomenclatura posteriormente adotada na literatura espírita.[5]

Ligeiramente mais controverso é o conceito de setenário, isto é, que faz referência à composição setenária do ser humano, conforme estudada em diferentes ramos do conhecimento espiritualista. O espírito Joseph Gleber aborda a fisiologia humana sob esse prisma,[6] no pleno exercício da função apregoada pelos espíritos na codificação: "Entretanto, para o homem estudioso, não há nenhum sistema antigo de filosofia, nenhuma tradição, nenhuma religião que

s.n.], 2012. Cap. 3. Livro eletrônico.)

4. Cf. "Princípio vital". In: KARDEC. *O livro dos espíritos*. Op. cit. p. 109-115, itens 60-75.

5. "No homem, [...] [há] o conhecido corpo vital ou duplo etéreo de algumas escolas espiritualistas, duplicata mais ou menos radiante da criatura." (XAVIER, Francisco Cândido; VIEIRA, Waldo. Pelo espírito André Luiz. *Evolução em dois mundos*. 27. ed. Brasília: FEB, 2013. Cap. 17, parte 1. Livro eletrônico.

6. Cf. "Os sete níveis e subníveis da consciência". In: PINHEIRO. *Além da matéria*. Op. cit. p. 77-81, cap. 7.

seja desprezível, porque todos encerram germes de grandes verdades que, embora pareçam contraditórias entre si, já que estão dispersas em meio a acessórios sem fundamento, *são facilmente coordenáveis*, graças à chave que o Espiritismo vos dá de uma infinidade de coisas que até aqui vos pareciam sem razão alguma [...]. Não deixeis de tirar temas de estudo desses materiais. *Eles são riquíssimos e podem contribuir bastante para vossa instrução*".[7]

Entre os veículos de manifestação de que a consciência dispõe, interessam a este método, mais propriamente, os quatro inferiores. Numa escala que vai do mais ao menos denso, são eles: o corpo físico, o duplo etérico, o perispírito ou o psicossoma e o corpo mental, mais precisamente, o mental concreto. Assim sendo, ao estudar o desdobramento, nossa atenção repousa sobre um desses três corpos semimateriais ou, em casos mais raros, sobre alguma combinação entre eles. Importa conhecer as carac-

7. KARDEC. *O livro dos espíritos*. Op. cit. p. 407, item 628. Grifo nosso.

Cf. "Letargia, catalepsia, mortes aparentes". KARDEC. *O livro dos espíritos*. Op. cit. p. 304-306, itens 422-424.

terísticas singulares da projeção de cada um deles, o que cada qual faculta e as circunstâncias em que se realiza a decolagem de um ou de outro.

ASPECTOS PARADOXAIS

A viagem astral também é chamada de desprendimento temporário do espírito — *temporário*, em oposição a *definitivo*, termo este que faz alusão à morte. O paralelo é intencional. Afinal, todos os fenômenos de ordem psíquica que se verificam durante a morte também ocorrem, ainda que em menor escala, no momento do desprendimento temporário mais profundo. Como este tem caráter parcial, o cordão de prata não se rompe, fato que evidentemente caracterizaria o desencarne. Não obstante, ambos os eventos guardam bastante semelhança entre si. Por essa razão, muitos são acometidos pelo medo, apavoram-se, principalmente se acontece a catalepsia, que é quando a pessoa se vê incapaz de movimentar o próprio corpo, apesar de estar consciente e desperta. Não é incomum que, nessa hora, tente gritar socorro, mas sem sucesso; permanece inerte, impedida de se expressar, ainda que por breves instantes. Desse modo, a pessoa adentra um estágio de pavor, por desconhecer esse fenômeno natural, que tem incidência mais alta nas fases embrionárias do desenvolvimento da faculdade de desdobrar.

Por outro lado, em certas experiências, o sujeito pensa: "Estarei desdobrado ou delirando? É minha imaginação ou a realidade?". Em alguma medida, a depender de qual dos corpos descoincidiu, dúvidas do gênero podem sobrevir. Questiona-se, também: "Como estou fora do corpo e, ainda, sinto-me acoplado a ele?". Ocorre que, contrariamente ao que o senso comum tende a supor, alguém pode manter um diálogo em vigília e, ao mesmo tempo, estar projetado em outra dimensão. Há inúmeros relatos que dão conta desse fato, seja porque a consciência não é arrastada por este ou aquele corpo que decolou — ao contrário, é ela quem movimenta e conduz os diversos corpos —, seja porque o sujeito permanece conectado à base física, por via do cordão de prata.[8] A

8. "O médium, assim desligado do veículo carnal, afastou-se dois passos, deixando ver *o cordão vaporoso que o prendia ao campo somático*." (XAVIER, Francisco Cândido. Pelo espírito André Luiz. *Nos domínios da mediunidade*.

alma pode dividir sua atenção entre duas frentes de atividade simultâneas. Semelhante situação acontece frequentemente em reuniões mediúnicas, sobretudo naquelas que adotam o desdobramento sistemático da equipe de sensitivos por meio dos pulsos magnéticos, empregando as leis da apometria.

LEMBRANÇA *VERSUS* LUCIDEZ

O desprendimento é temporário e, por mais desenvoltura que tenha determinado animista, ele guardará apenas noções parciais e mais ou menos nebulosas a respeito do outro lado. Afinal de contas, ninguém reencarna com a finalidade de se conectar ao mundo dos espíritos o tempo inteiro; pelo contrário, cá estamos para nos envolvermos com a vida social. Por isto existe a reencarnação: para relocar o indivíduo no contexto da matéria.

Feita essa ressalva, existem pessoas das minhas relações que se lembram da grande maioria dos eventos corridos em desdobramento. Porém, conhe-

35. ed. Brasília: FEB, 2013. Cap. 11. Grifo nosso. Livro eletrônico. (A vida no mundo espiritual, v. 8.)

ço também agentes que trabalham na dimensão extrafísica — sobre quem se pode ler, vez ou outra, em certos livros escritos por Ângelo Inácio — que, quando voltam para o corpo, não conservam nenhuma recordação, embora tenham atuado intensamente do outro lado. Essa diferença, em boa medida, está relacionada a disposições orgânicas do indivíduo; em ambos os casos, no entanto despertam com a certeza de que participaram de algo bom em conjunto com as consciências extrafísicas.

Mas não é somente o fator fisiológico que explica as disparidades. Entre um animista que guarda memória da maioria dos eventos extracorpóreos e outro que não guarda, existe uma ampla gama de possibilidades. Os semiconscientes têm noção de que trabalharam, do que fizeram, mas não retêm detalhes. Há, entre eles, até quem se recorde de certos pormenores, mas não da fisionomia dos espíritos encontrados, por exemplo. Cada um apresenta uma peculiaridade, e isso depende também de qual corpo está desdobrado.

No que concerne à lucidez extrafísica, ou seja, à consciência e à clareza de percepções *durante* a projeção, existe grande número de barreiras e desafios. Até o limite que depende de nosso empenho, é possível desenvolver ao máximo essa desenvoltura, entretanto, pode ocorrer interferência espiritual sobre esse aspecto. Existem casos de pessoas, mesmo ao meu redor, que atuam intensamente em desdobramento, mas cujos mentores não lhes permitem se lembrar de nada, seja porque elas não são capazes de administrar e conciliar tais memórias com os desafios da vigília, seja porque os espíritos enxergam motivos específicos para suprimi-las. Afinal, eles dispõem de recursos magnéticos e de outra ordem para tanto.

Em determinada ocasião, esgotamos as formas possíveis de treinamento e resolvemos convocar o orientador espiritual do indivíduo, que nos informou:

— Não é proveitoso, para esta encarnação, que ele relembre os eventos vividos fora do corpo.

Então, é ponto final. Não há como se opor a uma programação do gênero. Em casos assim, a pessoa continua ativa, outros médiuns até a veem desdobrada, em atuação do outro lado, entretanto, ela mesma sequer se percebe nesse estado, quanto mais se recorda de qualquer vivência extrafísica.

SUSPENSÃO DAS FACULDADES E OUTROS IMPEDIMENTOS

Existem situações, por outro lado, em que as dificuldades não se atêm às recordações, mas ao próprio fenômeno do desdobramento. Devido a processos emocionais malresolvidos, por exemplo, há quem encontre severo obstáculo. Uma vez que um dos nomes do perispírito é corpo emocional, fica assinalado como é suscetível às questões dessa natureza. Ele não consegue decolar; é como se as inquietações, os traumas e as vivências malresolvidas formassem uma espécie de âncora, que impede a alma de se afastar do corpo em caráter temporário.

Além do mais, é preciso considerar que todos os médiuns, animistas e paranormais, em algum momento da vida, por motivo de saúde ou de ordem emocional, enfrentam algum momento em que suas faculdades são suspensas para que possam retemperar-se ou calibrar certos aspetos. Em alguns casos, diante do insucesso ao desdobrar, é como se os espíritos dissessem: "Resolva primeiro estes conflitos, recupere-se e, então, volte à prática".

Yvonne Pereira, que cito tanto, era exímia no desdobramento. Isso não a impediu de viver, segundo conta, um período no qual ficou quatro anos sem experimentar qualquer manifestação da mediunidade: projeção, vidência, audiência ou psicografia.[9] Então, em algum momento, pode ocorrer conosco de a faculdade ser suspensa, e nem sempre sabemos o motivo. Nessa eventualidade, cabe aproveitar o período de silêncio para trabalhar, atualizar e aprimorar o conhecimento. Aproveite esse tempo concedido e estude mais, dedique-se a cursos, capacite-se, porque os fenômenos voltarão.

É válido reproduzir breve passagem na qual os espíritos comentam o assunto, mediante questionário elaborado por Kardec, cuja leitura recomendo na íntegra. A interpolação que se segue, grafada em itálico, é de autoria do codificador; o restante corresponde à psicografia dos seus guias.

9. "Durante cerca de quatro anos vi-me na impossibilidade de manter intercâmbio normal com os Espíritos, por motivos independentes de minha vontade" (PEREIRA. *Memórias de um suicida*. Op. cit. p. 10).

"Além do mais, a interrupção da faculdade nem sempre é uma punição; demonstra, às vezes, a solicitude do Espírito para com o médium a quem se afeiçoou, tendo por objetivo proporcionar-lhe um repouso material de que o julgou necessitado, caso em que não permite que outros Espíritos o substituam.

5. *No entanto, existem médiuns de grande mérito, moralmente falando, que não sentem qualquer necessidade de repouso e que se contrariam bastante com essas interrupções, cujo objetivo não compreendem.*

Serve para lhes experimentar a paciência e lhes pôr à prova a perseverança. É por isso que em geral os Espíritos não fixam nenhum termo à suspensão da faculdade mediúnica; é para verem se o médium desanima. Muitas vezes é também para lhes dar tempo de meditar sobre as instruções recebidas."[10]

10. "Perda e suspensão da mediunidade". In: KARDEC. *O livro dos médiuns...* Op. cit. p. 329, item 220.

PARA QUE DESDOBRAR?

Podemos questionar: afinal de contas, para que existem os fenômenos extracorpóreos? Numa palavra, para nos facultar uma experiência de ajudar os outros, de interagir com o mundo perene de maneira mais intensa e de trabalhar em parceria com bons espíritos. Além disso, a fim de cumprir tais objetivos, para favorecer e fomentar a doação de fluidos, de modo que as pessoas se transformem temporariamente em pilhas vivas.

A propósito, em conversas com os espíritos Jamar, Watab e Ângelo Inácio, entre outros, durante as aulas às quais compareço em desdobramento, eles afirmam que a maior carência dos Imortais, hoje em dia, não é tanto que pessoas se desprendam do corpo de maneira lúcida, pois muitos que assim procedem acabam por atrapalhar as atividades... Isso porque, em vigília, dispomos de uma pequena fração da nossa capacidade mental e, quando do outro lado, entramos na posse de sua totalidade. Por conseguinte, o desprendimento amplifica não só as potencialidades, mas também os desequilíbrios, as manias e as idiossincrasias. Acrescentam, portanto, que a maior necessidade atual é de pessoas dispostas a doarem fluidos e ectoplasma conscientemente, ou seja, de forma sensata, compenetrada e voluntária. Afinal, há poucos candidatos a quem recorrer caso precisarem interferir no plano extrafísico mais denso ou mesmo no físico. De onde tirarão essa energia, já que só os encarnados a possuem?[11]

Felizmente, antes da encarnação, em número razoável de ocasiões, elabora-se um planejamento para desempenhar determinado gênero de tarefa, de sorte que a natureza da programação modula as aptidões orgânicas. Por exemplo, nos médiuns de cura, a tendência mais forte é o desdobramento do duplo etérico, a fim de doarem mais ectoplasma e fluidos em geral, entre outras possibilidades que tal desprendimento faculta.

Por outro lado, há quem diga: "Quero fazer isso e aquilo, lembrar de tudo, participar de batalhas ex-

11. Explica o espírito Erasto: "é que o *fluido vital*, indispensável à produção de todos os fenômenos mediúnicos, é atributo *exclusivo* do encarnado e que, por conseguinte, o Espírito operador fica obrigado a se impregnar dele" (ibidem, p. 148, item 98).

trafísicas...". Não é assim! Devagar com o andor que o santo é de barro, como adverte a sabedoria popular. Convém ter calma e prudência, sem esquecer o que me disse Chico Xavier certa ocasião: "Cuidado com o que você pede, porque pode ser concedido", muito embora saibamos que Deus não confiará a recrutas missões que devem ser desempenhadas por generais. De todo modo, se o desejo de colaborar for sincero, compete a nós estudar, praticar e nos graduar.

Só para se ter uma ideia, exigem-se de um espírito que aspira a participar do efetivo de guardiões superiores, no mínimo, dez anos de dedicação ininterrupta, diária, a fim de que possa postular sua candidatura ao posto de recruta — isto é, submeter-se aos devidos testes e provar que é digno de confiança para ingressar no Colegiado de Guardiões do outro lado. Depois desse período probatório, ele inicia um estágio de quarenta anos de estudos e treinamento para, somente então, ser considerado alguém capaz de interferir e ajudar os guardiões superiores.

Traduzindo essa realidade para nosso contexto, é seguro afirmar que, se o objetivo é agir com desenvoltura e responsabilidade do outro lado, não basta falarmos: "Ah, eu sou bonzinho, sou espiritualista e quero fazer isso". Não mesmo! Existem regras, protocolos de trabalho e uma série de outras situações que se devem observar. Sendo assim, não é começando agora que, na semana que vem, você estará desdobrando. Não! É um passo a passo, e é isso que procuro transmitir, partindo da premissa que você quer fazer um trabalho benfeito, e não de qualquer maneira.

USOS E MITOS ATINENTES AO DUPLO ETÉRICO

O desdobramento do duplo etérico foi bastante experimentado na história. Tem sido alvo do interesse de magnetizadores, porque, por meio dele, conseguiam realizar uma série de proezas. As mesas girantes, precursoras do espiritismo, por exemplo, só podiam se movimentar porque há um elemento — o ectoplasma —, que hoje sabemos ser constituinte desse corpo vital. Desdobravam-no com relativa facilidade mediante aplicação de magnetismo; os médiuns entravam em transe, e o ectoplasma saía e movimentava os objetos em seu entorno. Depois de muitas, inúmeras investigações, os grandes magnetizadores descobriram que determinados passes faziam com que os corpos energéticos se deslocassem com mais facilidade, o que favorecia entrar em transe.

Compreender essa realidade é importante, entre outras razões, porque ajuda a dissipar certos mitos. Há quem diga: "Desempenho um tipo de atividade de cura em que não uso minha energia, mas só a do cosmos". Isso não procede. Se é canalizado pelo homem, fatalmente o fluido se animaliza; não há como ele passar por mãos humanas e permanecer alheio à contribuição dada pelo sujeito. A feição mais elementar da energia existente, segundo nos é dado conhecer, é o chamado *fluido universal*. Deriva dele o fluido magnético, o qual, por sua vez, constitui a energia animalizada, manipulada pelos magnetizadores. Vejamos o que os espíritos ensinam acerca daquele elemento primordial.

> "Esses três elementos [Criador, espírito e matéria] constituem o princípio de tudo o que existe, a trindade universal. Mas ao elemento material é preciso juntar o *fluido universal*, que desempenha o papel de intermediário entre o espírito e a matéria propriamente dita, muito

grosseira para que o espírito possa exercer alguma ação sobre ela. Embora, sob certo ponto de vista, se possa classificar o fluido universal como elemento material, ele se distingue deste por propriedades especiais. [...] Está colocado entre o espírito e a matéria; é fluido, como a matéria é matéria, e *suscetível, pelas suas inúmeras combinações com esta e sob a ação do espírito, de produzir a infinita variedade das coisas de que não conheceis senão uma ínfima parte*. [...] O que chamais fluido elétrico, fluido magnético, são modificações do fluido universal, que não é, propriamente falando, senão matéria mais perfeita, mais sutil e que se pode considerar independente."[12]

Como podemos concluir, mudam-se o nome e a técnica, mas sempre haverá componente humano nos recursos sutis extravasados das mãos, do olhar ou de outra maneira. Quem acredita doar energia puramente cósmica o faz devido ao desconhecimento

12. KARDEC. *O livro dos espíritos*. Op. cit. p. 88-89, itens 27-27a. Grifos nossos.

ou a algum componente místico ao qual se associa.

Em algumas situações, o recurso fluídico pode ser exclusivamente do encarnado; em outros momentos, pode haver auxílio de um ou mais espíritos que amplifiquem e/ou modulem a energia disponível e lhe confira propriedades terapêuticas. Chamamos essa parceria de técnica mista, em que atuam tanto espírito quanto magnetizador. Mesmo nesse caso, o fenômeno passa pelo duplo etérico. Se porventura esse corpo estiver desdobrado, a energia será ainda mais ativada, sendo útil para atividades de cura e até de reconstituição perispiritual, como se lê no exemplo a seguir.

Quando alguém morre por via do suicídio ou de outro evento de natureza traumática — digamos, um atropelamento grave ou a queda do alto de um prédio —, o corpo espiritual aporta do outro lado igualmente dilacerado, porque a mente se forjou naquele momento pungente e a forte impressão causada sobre a memória produz semelhante reflexo, que geralmente é inescapável. Nesses casos, uma ferramenta valorosa, aplicada no contexto das reuniões mediúnicas, é o chamado *choque anímico*. Trata-se de uma terapia que emprega as propriedades do duplo etérico.

O processo consiste em acoplar vibratoriamente o desencarnado, cujo perispírito está arruinado, ao corpo etérico do médium. Ambos sentem um choque imediato, dada a intensa troca fluídica, da qual o maior beneficiado é o espírito, que desperta do circuito fechado de pensamentos vinculados ao trauma recente. Além disso, como o formato do duplo acompanha os contornos da forma humana, ele impele o corpo astral deteriorado a recobrar, no ato, a compleição regular. Dado o aporte abrupto e expressivo de fluido animalizado, denso, que o organismo etérico armazena, a constituição espiritual do desencarnado recebe, também, uma verdadeira injeção ou transfusão de vitalidade. Quando o espírito é desacoplado, instantes depois, tende a se apresentar bastante recuperado, muito embora seja conduzido pela equipe aos hospitais do plano extrafísico para a continuação do tratamento. O choque anímico ainda tem a vantagem de ser uma técnica ligeira, que dispensa muito investimento em diálogo e persuasão. Essa é uma das mais belas possibilidades que envolvem o desdobramento do duplo etérico, na medida em que ajuda os espíritos em sofrimento cruciante a recuperarem sua feição original.

OS CHACRAS

O duplo etérico ainda tem alguns outros atributos. Ele é a sede dos chacras, os quais não se situam no perispírito, mas naquele organismo, que é uma espécie de reservatório de vitalidade.

Os chacras são usinas geradoras, captadoras e transmutadoras, pois absorvem energia da natureza e a transformam em fluido vital. Giram em velocidades diferentes entre si, e seu aspecto varia conforme mais ou menos saudáveis estejam. Vejamos alguns exemplos. O chacra coronário, localizado no topo da cabeça, capta a energia superior, a qual é metabolizada e animalizada no interior do corpo etérico para, então, ser distribuída. O esplênico, situado na região correspondente ao baço, está deslocado à esquerda em relação ao eixo formado pelos demais chacras principais, à exceção do cardíaco, que se alinham à coluna. Absorve as emanações solares de natureza semimaterial, essenciais para a manutenção da vitalidade, bem como possibilita o aumento da imunidade da pessoa, pois está associado à produção de anticorpos.[13]

É relativamente comum que, no fim de uma reunião mediúnica, participantes se queixem de extremo cansaço: "Estou quebrado, não aguento nada; parece que absorvi a energia do ambiente astral denso ou dos espíritos...". Nesse caso, podem-se ministrar passes ou outras técnicas com a finalidade exclusiva de revitalizar o duplo etérico, até mesmo o desdobrando.

DESDOBRAMENTO *VERSUS* DESCOINCIDÊNCIA DO DUPLO

Quando do desdobramento do duplo etérico, o indivíduo se sente ligeiramente tonto e com as pontas dos dedos um pouco diferentes; é acometido de um

13. "O chacra esplênico corresponde com propriedade ao que se denomina de *transformador vivo*, em alusão ao transformador de tensão elétrica. É responsável pela vitalização do duplo etérico e por seu sistema de distribuição energética, realizado por meio das *nadis*. O esplênico absorve energias do Sol, nutrindo e revitalizando o sistema sanguíneo, através da irrigação das suas células" ("Chacra esplênico, o centro da vitalidade". In: PINHEIRO. *Além da matéria*. Op. cit. p. 189-192, item 17.6).

leve mal-estar, algo semelhante, quem sabe, a uma labirintite em grau bem menor. Durante reuniões mediúnicas, muitas pessoas se veem lânguidas, como se estivessem a ponto de adormecer ou desmaiar. Geralmente, observamos esses sinais de vertigem quando a pessoa está doando muito ectoplasma, o que requer um estado mais vibrátil do duplo etérico. Na grande maioria dos casos, ele já desdobrou, ainda que o indivíduo disso não se aperceba. Com frequência, meio grogue, tem o pensamento aéreo; sabe o que acontece no ambiente, ouve os demais, mas os acompanha com dificuldade.

De outro lado, quanto à descoincidência do duplo, um procedimento que utilizo muito no trabalho como terapeuta, quando aplico bioenergia na pessoa, é medir o calor do duplo etérico, o que se faz com as mãos. Essa técnica permite perceber quando o corpo vital de alguém está excessivamente desviado para a esquerda. Nesses casos, nota-se uma oscilação superior àquela de 23 a 30 graus de inclinação que é habitual no homem. Após ser submetido ao relaxamento, o consulente fica mais sensível, às vezes ligeiramente tonto, e não raro relata ter sentido certo balanço, que indica o movimento irregular do duplo. É possível saber até que ponto o organismo fluídico está descoincidente mediante o emprego do chamado tato magnético.

Em contexto terapêutico, tanto a sensibilização como o desdobramento do duplo etérico sempre contribuem bastante, pois quaisquer técnicas de magnetismo surtirão efeito mais amplo nessas condições. Se estiver acoplado, por outro lado, o consulente será beneficiado, mas não de modo tão intenso.

PROPRIEDADES DO DUPLO ETÉRICO

CAPÍTULO XX

O duplo etérico é um corpo material, porém vibra em faixa ligeiramente mais sutil que a da matéria física. Embora habitualmente invisível, não é difícil identificá-lo e até percebê-lo, sob dadas circunstâncias. Convém se debruçar sobre ele, pois muitas pessoas têm a habilidade de desdobrar somente esse corpo, o que leva algumas delas a certa dose de descontentamento, como se pudessem debater com a natureza do próprio organismo.

Cada qual tem determinado conjunto de aptidões — algumas inatas, outras não. Com efeito, não gozamos, sozinhos, de todos os dons. Assim também é nas questões relativas à espiritualidade e à mediunidade; ninguém detém todas as faculdades. Mesmo porque, o que seria do crescimento da comunidade se tudo se resumisse a um só indivíduo? É como observa o apóstolo Paulo: "Há diferentes tipos de dons, mas o Espírito é o mesmo. Há diferentes tipos de ministérios, mas o Senhor é o mesmo. Há diferentes formas de atuação, mas é o mesmo Deus quem efetua tudo em todos. A cada um, porém, é dada a manifestação do Espírito, visando ao bem comum".[1] De sorte que alguns apresentam facilidade em desdobrar o corpo mental; outros, o psicossoma; e outros, ainda, o duplo etérico.

CONSTITUIÇÃO E ORIGEM

Antes de tudo, de que é composto o duplo etérico? Embora conheçamos pouco a respeito, os espíritos contam que ele contém irradiações do próprio campo eletromagnético das células. É constituído também de outras energias advindas do plano físico, bem como da atmosfera, do fluido universal e de algumas origens mais, sendo o ectoplasma o elemento de maior destaque. Começa a ser formado no momento da concepção, isto é, no instante exato da fecundação do óvulo pelo espermatozoide.

Recebeu o nome de corpo vital por ser dotado de determinada cota de vitalidade, que, ao ser designada ao homem, assinala a durabilidade daquela encarnação com razoável precisão, de acordo com o programa reencarnatório ou com fatores inerentes à

1. 1Co 12:4-7 (NVI).

própria lei. Dessa maneira, se alguém deve viver na matéria por um período aproximado de 70 anos, por exemplo, o duplo etérico contará com essa quantidade de energia vital.

Esse corpo fluídico mantém uma conexão muito íntima com o físico, entranhando-se no sistema nervoso por meio dos chacras e plexos. É como se o sistema nervoso fosse a materialização do duplo etérico e de camadas mais densas do perispírito, também.

A TELA ETÉRICA

Não obstante, sabemos que o reservatório do duplo pode ser desgastado em demasia. Geralmente, a perda de energia se dá por meio da tela etérica, que funciona como uma capa, uma manta eletromagnética que o reveste. Podemos rasgar ou danificá-la de diversas formas. Em casos graves, segundo contam os Imortais, ela só poderá ser reconstituída na próxima reencarnação, quando da elaboração de um novo corpo. Ao ser rompida, torna-se permeável e conduz à dispersão de recursos preciosos, que extravasam do duplo apesar de serem indispensáveis à manutenção da integridade física. Além disso, tal disfunção leva à absorção de fluidos existentes no entorno do indivíduo, de qualidade indistinta e em qualquer dose, pois, em maior ou menor grau, debilitou-se a capacidade de filtrar as irradiações encontradas nos entrechoques do cotidiano. As manifestações desse quadro vão desde a baixa de vitalidade até a propensão ao desenvolvimento de certas patologias que acometem o veículo físico. Os espíritos afirmam que a tela etérica desempenha, na organização humana, função análoga àquela que a camada de ozônio exerce em âmbito planetário.

Em meu trabalho profissional como terapeuta, utilizei a fotografia kirlian por cerca de duas décadas e meia e, hoje, uso a câmera computadorizada *Gas Discharge Visualization*, conhecida no Brasil como GDV ou de bioeletrografia. Esses métodos diagnósticos permitem elaborar um amplo laudo a partir da foto do dedo de uma pessoa, feita com equipamento específico capaz de registrar a irradiação eletromagnética desse corpo semimaterial que interpenetra o ser humano. Não é uma foto do perispírito, muito menos do espírito; trata-se de uma estrutura mais densa, que se localiza vibratoriamente entre os corpos espiritual e físico. Em algumas pessoas, a fotografia revela que a tela etérica se encontra rompida.

UM VEÍCULO MATERIAL

Quando o médium desdobra, geralmente é reconhecido com facilidade pelos desencarnados como *vivente* — terminologia própria das regiões densas do astral. Isso ocorre porque os eflúvios perispirituais estão impregnados de conteúdo etérico, provenientes daquela manta eletromagnética à qual permanece ligado.

O duplo pertence à esfera terrena, material. Quando se a abandona, por meio da morte, ele se dispersa num período aproximado de 30 a 40 dias, dissipando-se no próprio ambiente extrafísico da sepultura.[2]

2. "A princípio, seu perispírito ou 'corpo astral' estava revestido com os eflúvios vitais que asseguram o equilíbrio entre a alma e o corpo de carne, conhecidos aqueles, em seu conjunto, como o 'duplo etérico', formado por emanações neuropsíquicas que pertencem ao campo fisiológico e que, por isso mesmo, não conseguem maior afastamento da organização terrestre, destinando-se à desintegração, tanto quanto ocorre ao instrumento carnal por ocasião da morte renovadora" ("Desdobramento em serviço". In: XAVIER. *Nos domínios da mediunidade*. Op. cit. cap. 11. Livro eletrônico).

Como é um corpo constituído de fluido vital, um verdadeiro depósito de energias radiantes, ele é muito cobiçado por magos negros, por cientistas e espíritos das sombras, sobretudo após o desencarne. No plano astral inferior, o ectoplasma tem valor equivalente à moeda mais estável ou à fonte de riqueza mais disputada do plano físico. Os desencarnados não possuem duplo etérico, portanto, não dispõem de ectoplasma próprio. Porém, para que movimentem seus equipamentos e operem qualquer intrusão no plano material, tal energia é combustível imprescindível, sem o qual não se supera a barreira entre as dimensões. Aliás, esse componente é válido também para os espíritos superiores, no que tange a ações sobre as dimensões física e etérica.

Ocorre que os bons espíritos utilizam o duplo etérico e as energias dos encarnados, dos médiuns, num processo de parceria voluntária. Já os inferiores empregam métodos como o roubo de energia; subtraem o ectoplasma também de humanos encarnados, sob determinadas circunstâncias, visando a fins espúrios.

Por isso, entender como funciona o duplo etérico e do que é constituído é um dos passos para evitar que a pessoa seja vampirizada, seja em desdobramento, seja em vigília, e para saber empregar suas energias de maneira consciente e proveitosa, a fim de ajudar quem precisa. Magnetismo, bioenergia e *reiki*, entre outros, são meios de doar fluidos, até mesmo à distância, e auxiliar quem está desvitalizado com recursos provenientes do corpo etérico.

Quando ocorre a morte, muitas vezes — a depender de inúmeros fatores, cuja análise extrapola o escopo deste trabalho —, os bons espíritos dispersam as reminiscências do duplo etérico, através do magnetismo extrafísico, para evitar que esse recurso seja utilizado por vampiros astrais ou por magos negros, que não perdem a chance de dele se apropriar, caso possam. Os bons espíritos manipulam tais energias e as dissipam na natureza para impedir seu reaproveitamento indevido, por parte de entidades comprometidas com o mal. À exceção dessa circunstância, os espíritos superiores só utilizam a energia do duplo etérico durante o período em que a pessoa estiver encarnada, mediante disposição voluntária, sem qualquer constrangimento.

O roubo de nossas energias não acontece somente por artifício de desencarnados que representam a oposição e a maldade, mas também por meio do vampirismo energético perpetrado por pessoas com as quais convivemos e que têm grande habilidade de sustentar a si próprias com fluidos sugados, de forma nociva. Há aqueles de quem nos aproximamos e, dentro em pouco, emanações do duplo começam a se esvair. Sentimo-nos mal, mais ou menos tontos, não obstante a maioria desses encarnados não adotem tal atitude deliberadamente.

ENVENENAMENTO DO DUPLO

O combustível etérico está sujeito à contaminação por substâncias tóxicas como fumo, drogas e álcool. O tabagismo envenena as energias do duplo de maneira tão acentuada e grave que os espíritos desaconselham ao médium fumante o trabalho com cura ou com qualquer área de tratamento espiritual, pois ele transmitiria ao consulente fluidos nocivos. Há quem defenda que os espíritos resolvem semelhante problema, mas não, eles não têm varinha de condão. Afinal, a própria pessoa consumiu tóxicos de modo regular, e as substâncias químicas também agem sobre a contraparte etérica do ser humano. Como os espíritos anulariam tais consequências subitamente?[3] Existem diversas outras atividades em que pode atuar, contudo, não é recomendável a doação de fluidos, que levariam toxinas a quem busca recursos revigorantes, purificadores e regeneradores.

O duplo etérico absorve elementos daquelas substâncias prejudiciais, que passam a circular em seu bojo. Esse fato acaba por acarretar a diminuição do tempo de vida física, pois compromete o princípio vital concedido para determinada encarnação. Em muitos casos, não é exagero falar num processo de suicídio gradual.

E o que ocorre com quem atenta contra a própria vida, quem provoca o autoextermínio? O indivíduo chega à dimensão astral atrelado a uma cota de vitalidade que é pertinente ao mundo físico, ou seja, sem haver esgotado o reservatório etérico inteiramente, durante a encarnação. Entretanto, como o duplo não pode ingressar naquela dimensão — pois suas ema-

3. Cf. PINHEIRO. *Consciência*. Op. cit. p. 143-151, itens 46-51.

nações são, em última análise, de caráter material —, o recém-desencarnado fica preso a um plano intermediário, sujeito às sensações de ordem grosseira, das quais se ressentirá mesmo já tendo se despido da vestimenta de carne. É fácil imaginar o sofrimento causticante que semelhante situação acarreta, nessa espécie de limbo interdimensional.

Em tal circunstância, o espírito continua sentindo frio, calor, fome, dores e tudo mais, porque os fluidos impregnados de vitalidade não foram consumidos adequadamente durante a vida e tampouco dissipados. Impossibilitado de adentrar o mundo astral propriamente dito, onde habitam somente seres destituídos de fluidos animalizados, ele enfrenta o dilema de estar de volta ao plano extrafísico, mas de posse da manta etérica, que o mantém ligado ao corpo físico.

ASPECTO E OUTRAS CARACTERÍSTICAS

O duplo etérico, como o nome indica, é uma duplicata. Imagine-o como uma massa de vitalidade, de formato análogo ao do corpo humano. Trata-se de uma cópia do corpo físico, porém, sem os órgãos que este tem, os quais encontram seus pares no psicossoma.

Num dia muito ensolarado, coloque-se de costas para o Sol e fixe uma árvore. Depois, vire-se em direção ao Sol, mire-o por alguns segundos e, então, volte à posição inicial e fite a árvore novamente. Verá um halo esbranquiçado em torno das árvores, que é um lampejo de um duplo etérico rudimentar, próprio dos vegetais. Afinal de contas, os animais e todos os seres na Terra — incluindo os princípios inteligentes em fase primária de desenvolvimento, como no reino mineral — são dotados de uma contraparte etérica, cada qual com determinado nível de complexidade e com finalidade específica.

No ser humano, também se distingue aquele halo; é como se fosse uma aura esbranquiçada a envolvê-lo. Sob certas circunstâncias de ordem atmosférica, de umidade relativa do ar e de iluminação, após dada pessoa se fixar em alguém por poucos instantes, ela olha para um lado, depois para outro, e é capaz de ver aquela coisa vaporosa, que parece acompanhar o indivíduo observado à medida que ele se movimenta. A percepção do duplo não é uma habilidade difícil de desenvolver; pessoalmente, nem lhe atribuo conotação mediúnica. Já tive, em consultório, inúmeros relatos a respeito, geralmente cogitando que o fenômeno revelasse a presença de algum espírito.

Os órgãos do corpo etérico são os chacras — os chamados vórtices de energia —, os quais se ligam, na contraparte física, a plexos nervosos, que são conjunções de nervos. O chacra coronário se liga ao plexo homônimo, situado no topo da cabeça, onde está a maior concentração nervosa no homem. Na sequência, temos o plexo frontal, na região da testa; o plexo da comunicação, associado ao laríngeo; o plexo cardíaco; o plexo solar, logo acima do umbigo; e assim por diante. É possível traçar um paralelo entre esses pontos nas três dimensões, isto é: onde os conjuntos de nervos se enfeixam no corpo físico, enraízam-se os chacras, no duplo etérico; no perispírito, por sua vez, tais locais correspondem aos centros de força.

Geralmente, o duplo etérico tem uma coloração que vai do branco ao acinzentado. Vários fatores entram em jogo para determinar esse aspecto, e não estou bem certo de que se possa associar com clareza a cor do duplo à saúde do indivíduo. Lembro-me, por exemplo, de alguém que o exibia muito alvo, porém, informou estar com profunda anemia.

Seja como for, a camada etérica mais próxima do corpo humano, a cerca de 10cm, é a chamada aura da saúde. E sabemos que o estilo de vida da pessoa tem impacto sobre a vitalidade e a saúde geral da túnica etérica. Certa vez o espírito Joseph Gleber afirmou que, no indivíduo sedentário, ela tende a ser menos viçosa, contudo, não é a atividade física em si a responsável pelo incremento do vigor; é a respiração mais intensa e ritmada, consequência do exercício, que favorece a absorção de nutrientes sutis. A maior oxigenação e o aumento do fluxo sanguíneo no organismo também ampliam a circulação fluídica, chegando mesmo a desobstruir congestões energéticas nas nadis.

Quando menciono o estilo de vida, muitos confundem; acham que, por alguém ser vegetariano, por exemplo, o corpo fluídico seria mais leve. Não! Há vegetarianos de mau caráter e carnívoros admiráveis, e vice-versa. Hitler era vegetariano,[4] já Chi-

4. O vegetarianismo de Adolf Hitler (1889–1945) é alvo de controvérsia e suscita paixões, ao que tudo indica, especialmente em Portugal, ao menos

co Xavier alimentava-se de carne... Assim, podemos afirmar que a aparência e a consistência do duplo estão sujeitas menos à alimentação e mais ao clima psíquico cultivado pelo indivíduo, no qual ele se embebe, vive e se abastece.

Em suma, trata-se de uma conjunção de fatores que tornam esse veículo de manifestação da consciência mais grosseiro e material, ou menos denso e mais sutil. Pode, ainda, ser expandido, nos médiuns de cura, por exemplo, que doam uma quantidade maior de ectoplasma, em quem é mais vibrátil.

Mediante análise mais cautelosa, nota-se que o corpo etérico de todos os seres humanos se apresenta inclinado em cerca de 23 a 30 graus à esquerda, em relação ao físico, acompanhando a inclinação do eixo

no que concerne ao debate em língua portuguesa. Ao passo que a Associação Vegetariana Portuguesa refuta a hipótese numa bela argumentação em 2014, a BBC reporta que, no mínimo, ele evitava carne. Entretanto, artigo publicado em 2018 conclui pela dieta vegetariana, após duas diligências a Moscou para investigar os restos mortais do Führer no ano anterior — as primeiras expedições para análise científica independente autorizadas desde 1945. (Por razões de espaço, listam-se as fontes apenas na bibliografia.)

terrestre, que é de cerca de 23 graus. Segundo os espíritos esclarecem, a tendência é que, com o passar das eras, quando assumirmos nova postura como humanidade, o eixo imaginário se alinhe, e, nessa altura, o mesmo se dê com o duplo de todos os encarnados.

DOAÇÃO DE FLUIDOS

Os médiuns de cura são aqueles dotados de maior quantidade de fluido vital e que, além disso, possuem o duplo etérico mais vibrátil — ou seja, que vibra mais velozmente —, por conseguinte, são capazes de doar mais.

Em qualquer forma de transferência fluídica entre um ser humano e outro, lançamos mão da energia eletromagnética e da vitalidade do duplo etérico. Ele desempenha a função de filtrar as emanações sutis que vêm do espaço, do plano sideral, do Sol, da Lua, das estrelas, do firmamento e da atmosfera. Capta, filtra e canaliza tais recursos para benefício do organismo físico, abastecendo-o, e, em certa medida, ajuda a sustentar até mesmo o corpo espiritual do homem encarnado, segundo observa Joseph Gleber. A modificação e a distribuição energéticas se dão, respectivamente, por meio dos chacras e dos meridianos ou nadis. Quando nos submetemos à acupuntura, por exemplo, ativamos a circulação fluídica, mediante o estímulo dos pontos onde a agulha penetra.

Quanto ao desdobramento do corpo etérico, as pessoas com mais propensão ao fenômeno são aquelas que têm aptidão para servir como bateria viva aos Imortais, fornecendo-lhes combustível a fim de desempenharem suas tarefas. Nos livros da trilogia *Os filhos da luz*,[5] há duas personagens humanas que colaboram com os guardiões, desdobradas: Raul e Irmina. Ambas doam ectoplasma, permitindo que os espíritos cumpram suas missões, além de realizarem outros préstimos. Afinal, o médium sozinho pode muito pouco, e os espíritos, sozinhos, encontram severa limitação — não somente para atuar na dimensão material, mas também nas regiões densas do astral. Juntos, porém, um complementa o outro. O sensitivo conta com a sabedoria, o conhecimento e

5. A trilogia *Os filhos da luz*, de Robson Pinheiro pelo espírito Ângelo Inácio, é composta pelos livros: *Cidade dos espíritos, Os guardiões e Os imortais*, todos citados na bibliografia.

os recursos dos espíritos, os quais dispõem dos fluidos vitais do encarnado, bem como de sua vontade e de sua ação. Em parceria, levam a cabo tarefas ambiciosas, como a limpeza intensa de planos inferiores, entre inúmeras outras.

Enfatizamos que algumas pessoas são capazes de desdobrar tão somente o duplo etérico, o que não deve ser motivo para desapontamento. Isso se dá porque elas são reservatórios vivos de ectoplasma e de fluido vital, elementos de que os espíritos superiores necessitam para empreender tanto modificações no panorama extrafísico umbralino quanto manipulações de cura e cirurgias espirituais. Não lhes seria possível fazer uma intervenção sequer — muito menos uma materialização — sem ectoplasma, o qual está armazenado exclusivamente no corpo etérico.

Como podemos concluir, o duplo assume papel de destaque para todo aquele que pretende desdobrar e ser parceiro dos espíritos representantes da justiça e da misericórdia. Se porventura tivermos consciência da importância de se doar energia, já somos capazes de ajudar com mais do que a maioria faz.

CONTAMINAÇÃO FLUÍDICA

O duplo etérico pode ser compreendido como uma conjunção de forças físicas, químicas, energéticas e até mentais, pois o pensamento, forjado no corpo mental, age sobre o psicossoma, e seu subproduto circula no duplo, estabelecendo campos de força que, em última análise, resultam em nossa aura magnética.[6] Esse corpo vital pode ser influenciado, entre outros meios, pelo magnetismo — passes magnéticos modificam sua estrutura, interferem em enfermidades nele originadas ou que o afetam, por exemplo. Também podemos influenciar outrem e o ambiente

6. "Nas reentrâncias e ligações sutis dessa túnica eletromagnética ['corpo vital ou duplo etéreo'] de que o homem se entraja, *circula o pensamento*, colorindo-a com as vibrações e imagens de que se constitui, aí exibindo, em primeira mão, as solicitações e os quadros que improvisa, antes de irradiá-los no rumo dos objetos e das metas que demanda. Aí temos, *nessa conjugação de forças físico-químicas e mentais, a aura humana, peculiar a cada indivíduo*, interpenetrando-o, ao mesmo tempo que parece emergir dele, à maneira de campo ovoide, não obstante a feição irregular em que se configura" ("Aura humana". In: XAVIER; VIEIRA. Op. cit. Cap. 17, parte 1. Livro eletrônico. Grifos nossos).

empregando esse reservatório de energias, quando as utilizamos de maneira consciente.

Por que meios mais a integridade do duplo etérico pode ser afetada, além dos que vimos anteriormente? Destaca-se a contaminação fluídica. Todo ser humano produz formas-pensamento, e elas passam a circular em torno da aura, compondo determinada atmosfera psíquica.

Vamos considerar, para facilitar a compreensão, que tais formas têm o aspecto de bolhas de sabão. Imaginemos bolhas cuja constituição interna seja de pensamentos eivados de emoção de variado tipo, e a película externa seja repleta de imagens. Essa descrição retrata bem essas forças mentais que emitimos. Ao se propagarem pelo mundo exterior, conservam feições e características em conformidade com a psicosfera de quem as gerou; no entanto, as criações densas se reúnem em certos locais onde são numerosas, resultando nas chamadas egrégoras. *Egrégora* é um conjunto de formas-pensamento, que adquire propriedades de um ser artificial, dotado de vida própria, em que se abriga o produto de diversas modalidades de pensamentos e emoções mais ou menos desequilibrados.

Ao adentrar ambientes onde há essas formas-pensamento densas em alta concentração, ocorre automaticamente uma contaminação em nível fluídico, ou seja, elas passam a circular em torno da aura. Se porventura você é dotado de sensibilidade em algum grau, perceberá certos sintomas, que podem variar da baixa de vitalidade até complicações físicas leves, normalmente atribuídas a causas outras. Quando chega um momento de depressão magnética, a energia parasitária se derrama nos chacras e se distribui pelas nadis. Por conseguinte, afeta a saúde física de maneira menos ou mais intensa, de acordo com a assiduidade àquele ambiente e com a qualidade do fluido absorvido. Sobretudo se sua tela etérica estiver rompida, tais manifestações assumirão caráter bem mais grave.

As egrégoras densas e o parasitismo energético têm prevalência onde não há incidência direta de luz solar, dotada de alto poder saneador. Entre os encarnados, geralmente as formas mentais subsistem, perduram e se cristalizam em lugares que operam somente à noite. Se quem os frequenta alimenta uma mentalidade conturbada, gera-se aquela crosta. Quando se adentra o local, sofre-se o impacto imediatamente, entretanto, alguns estão tão habituados e impregnados dos fluidos nocivos que já não se dão mais conta; sentiram-no apenas nas primeiras vezes em que ali compareceram. Não obstante, a energia densa do ambiente é absorvida por via do duplo etérico, e ele se contamina.

Apesar disso, destaco que o meio mais daninho de contaminação são os produtos e as substâncias consumidos no dia a dia, de maneira regular. Tabaco e outras drogas, incluindo certos medicamentos, são capazes de prejudicar o duplo etérico, como vimos há pouco, na seção "Envenenamento do duplo".

Quando se doa energia — tanto para a cura das pessoas quanto ectoplasma para os espíritos se materializarem ou para os guardiões empreenderem a reurbanização extrafísica —, se essa energia não estiver minimamente equilibrada, eles não conseguem utilizá-la. Até mesmo os espíritos das trevas não usam recursos extraídos de corpos etéricos contaminados, segundo vimos anteriormente, pois os reputam imprestáveis.

DUPLO: ESCUDO E BROQUEL

O duplo etérico forma essa aura extraordinária através da qual somos conhecidos e pressentidos, no plano astral, por espíritos superiores e inferiores. Em qualquer lugar que estejamos, trazemos a identidade energética estampada nesse corpo vital. O espírito André Luiz esclarece:

> "Aí temos [...] a aura humana [...], valendo por *espelho sensível em que todos os estados da alma se estampam com sinais característicos e em que todas as ideias se evidenciam*, plasmando telas vivas, quando perduram em vigor e semelhança como no cinematógrafo comum. Fotosfera psíquica, entretecida em elementos dinâmicos, atende à cromática variada, segundo a onda mental que emitimos, retratando-nos *todos os pensamentos em cores e imagens que nos respondem aos objetivos e escolhas*, enobrecedores ou deprimentes."[7]

O corpo etérico irradia uma luz em torno de nós,

7. Idem. Grifos nossos.

um halo luminoso que tem duas cores marcantes: o vermelho, para a energia positiva; e o azul, para a negativa — referindo-se apenas à polaridade energética, e não juízo de valor. O vermelho corresponde à energia *yang*, ativa, masculina e positiva; o azul, à energia *yin*, negativa, passiva e feminina. São duas polaridades necessárias ao equilíbrio fluídico.

André Luiz descreve o desdobramento de um médium e conta que, no momento em que o duplo etérico vai se expandindo e afastando-se do corpo, ele nota que um lado estava azul e o outro, avermelhado. "Enquanto o equipamento fisiológico descansava, imóvel, Castro, tateante e assombrado, surgia, junto de nós, numa cópia estranha de si mesmo, porquanto, além de maior em sua configuração exterior, apresentava-se azulada à direita e alaranjada à esquerda".[8]

Além disso, o duplo atua também como proteção natural; podemos chamá-lo até de campo de força inato. Projetando-se cerca 1cm além do corpo físico, ele irradia-se com relativa facilidade até uns 3m,

8. XAVIER. *Nos domínios da mediunidade*. Op. cit. Cap. 11. Livro eletrônico.

formando um campo áurico que nos protege regularmente contra investidas de formas-pensamento e de entidades sombrias. Entretanto, se a imunidade do corpo fluídico for corrompida, a defesa do físico também fica comprometida. Como o duplo tem caráter semimaterial, toda vez que sua integridade se rompe, baixa a imunidade do encarnado, que se torna vulnerável a uma série de oscilações de saúde, principalmente na área do plexo gástrico, onde as energias discordantes não filtradas são absorvidas como um raio.

Como se não bastasse, muitas pessoas apresentam característica magnética interessante. Quando seu duplo revela uma brecha, elas funcionam como esponjas, que entram nos ambientes e os limpam sem querer, sugando-lhes os fluidos densos e negativos. Resultado: aqueles com quem interagem melhoram imediatamente, pois a elas transferiram, inadvertidamente, a carga fluídica tóxica. São como esponjas involuntárias, de ordem psíquica, psicológica e energética, pois tal fenômeno só ocorre devido ao prejuízo da estrutura etérica.

PREMISSAS PARA DOAR FLUIDOS

Dando prosseguimento ao tema sobre o funcionamento do duplo etérico, é extraordinariamente importante e necessário compreendê-lo para que possamos saber, na medida exata, se estamos doando energia, como doá-la e a quantidade de que devemos dispor. Afinal, uma coisa é ser sugado, roubado, pois extrapola o que podemos doar; contudo, quando a doamos conscientemente, o fazemos na dose ditada por nossos limites.

Antes mesmo de pretender desdobrar e doar fluidos, é preciso averiguar o que se passa consigo mesmo, a fim de determinar se o duplo não está rompido ou contaminado. Compete fazer uma análise profunda e sem sentimentalismo, visando compreender se cabe recompor as matrizes etéricas. Como doarei algo danificado ou prejudicado? Como administrar magnetismo sobre alguém se minha energia está debilitada ou infectada? Não é prudente nem adequado deixar tudo a cargo dos espíritos; devemos assumir nossa parcela de responsabilidade. O que fazem é isolar a pessoa contra quem são vertidos os fluidos daninhos, para que não os receba.

Por essa e outras razões que tenho procurado explicar, fatalmente é o duplo etérico o mais importante dos corpos para quem trabalha em qualquer tarefa de auxílio, seja desdobrado, seja em vigília. Faço tal afirmativa porque o tempo inteiro doamos e trocamos energias.

Muitas vezes, observamos espíritos conversando entre eles: "De fato, precisamos de um doador consciente". E o que é um doador consciente? É quem sabe o que faz, certo de que auxilia. Querem quem diga, resoluto: "Graças a Deus, fiz a minha parte. Tenho convicção! Posso nem me lembrar de pormenores, mas carrego uma certeza que ninguém tira". Em contrapartida, se alguém inseguro aplica um passe magnético e, ao fim do procedimento, questiona: "Ai, meu Deus! Será que eu ajudei ou atrapalhei?", provavelmente atrapalhou. Afinal, Jesus afirma: "Quem não é comigo é contra mim; e quem comigo não ajunta, espalha".[9] Se você mesmo não é capaz de medir o

9. Lc 11:23. Há outros elogios à disposição resoluta, clara e firme no Evangelho, entre eles o mandamento: "Seja, porém, o vosso falar: 'Sim, sim'; 'Não, não'; porque o que passa disto é de procedência maligna" — Mt 5:37.

teor e aquilatar o valor do seu trabalho, talvez deva estudar um pouco mais antes de fazer.

Outras indagações importantes são: como revitalizar um médium ou outra pessoa com minha energia vital, de maneira consciente? Como me abastecer, também, revigorando meu próprio duplo etérico?

No intuito de responder à última pergunta, pode-se desenvolver a vitalidade através da respiração, de uma técnica que chamamos de *respiração holotrópica*, a qual faz circular os fluidos etéricos, aumentando não só o bem-estar, mas a capacidade de doação de maneira notável. Para os médiuns que doam recursos magnéticos e os animistas que atuam em desdobramento — mesmo que não se lembrem disso —, exercícios como esse contribuem bastante para seu desempenho. Trata-se de procedimento para ser feito preferencialmente em meio à paisagem bucólica, o qual libera fluidos densos no solo e promove reabastecimento, em sequência. Consiste em sete passos que, dada a necessidade de instruções detalhadas, que se fazem acompanhar de ilustrações, vejo-me compelido a remeter a outra obra, na qual esse conteúdo já foi didaticamente exposto, na forma de um apêndice.[10] Faço-o, também, porque lá ensinam-se, com a mesma clareza, alguns passes magnéticos elementares, que resolvem a questão apresentada no início do parágrafo, bem como outros aspectos suscitados neste livro.

DESDOBRAMENTO DO DUPLO

Muitas pessoas, apesar de terem êxito ao projetar o duplo etérico na dimensão extrafísica, sequer sabem que desdobram. Em parte, porque esse fenômeno não cumpre a ansiedade por ver espírito, muito embora não seja o único caso em que isso ocorra. Uma forma de detectá-lo é perceber certos sintomas: leve formigamento percorre o seu corpo, principalmente nas extremidades de pés e mãos, e a boca fica ligeiramente intumescida.

O corpo etérico tem uma característica interessante: toda vez em que é desdobrado, ele projeta-se para a esquerda, acompanhando a inclinação mencionada anteriormente, vinculada à do eixo terrestre.

10. Cf. "Procedimentos terapêuticos da bioenergia". In: PINHEIRO. *Energia*. Op. cit. p. 199-236.

Por isso, geralmente sente-se dormência do lado esquerdo. Alguns chegam a temer e pensam até em acidente vascular cerebral (AVC).

Há um zumbido no ouvido, por vezes, porque, como o duplo começa a vibrar de maneira acelerada para desacoplar, é como se um tampão fosse tirado do ouvido. Também há quem relate sensação semelhante à da labirintite, porém mais tênue; um ligeiro torpor, uma tonteira... mas não passa disso. Assim, você não verá espírito, mas saberá que, naquele momento, pode ceder ectoplasma de maneira intensa.

Magnetizadores do passado faziam este experimento para comprovar se a pessoa estava desdobrada: espetavam uma agulha a cerca de 40cm à esquerda do corpo. Caso estivesse projetada, a pessoa se ressentia e reagia, porque a fincada atingia o duplo em momento de expansão e sensibilidade, e causava repercussão física.

A concretude da realidade etérica ocasiona outro fenômeno interessante. Nas pesquisas de materialização, constatou-se que o duplo é constituído majoritariamente de ectoplasma. Como esse elemento não resiste bem à luz branca convencional, muito menos aos raios solares, utiliza-se a luz vermelha em reuniões, quando muito. Grande parte delas se realiza em completa escuridão, até que o ectoplasma atinja densidade suficiente, e os próprios espíritos acendam a luz vermelha — a de menor frequência no espectro visível. Caso incida luz branca no ambiente, o processo se interrompe imediatamente.

Já testemunhei uma experiência, no Rio de Janeiro, em que o médium se cortou, de cima a baixo, porque alguém abriu uma fresta de modo indevido. Nesse caso, a luz incidiu sobre o médium, e não apenas sobre o ectoplasma, de sorte que se gerou o ferimento no corpo físico — ou seja, a agressão luminosa à vitalidade expelida pelo duplo etérico repercutiu sobre o corpo físico. Como o ectoplasma havia sido adensado com propósito de materialização, explica-se o incidente.

Alguns animistas, no momento em que o duplo etérico se projeta, recebem certo estímulo sexual. Tal fato é previsível, pois o corpo vital descarrega poderosa cota de energia através do chacra básico, e não deve ser motivo para constrangimento. A energia que nele circula é expelida, em grande quantidade, justamente pela região genital, pelo ânus e por outros orifícios, tal como boca e ouvidos.

DESDOBRAMENTO DO CORPO ASTRAL

CAPÍTULO XXI

O psicossoma é também chamado corpo bioplasmático; é aquele que sobrevive à morte e preexiste à formação do veículo físico. O perispírito é uma espécie de portador do corpo mental, como se este — cuja forma não é humanoide, mas ovalada — irradiasse da cabeça extrafísica daquele onde se acomoda, comandando as matrizes do pensamento.

O corpo espiritual é semimaterial, orgânico, ou seja, constituído de elementos recolhidos do plano astral, da atmosfera e de outras fontes. Ele é uma síntese de dois tipos de matéria, tanto extrafísica quanto terrestre, sendo ambas transformações do fluido universal, conforme esclarecem os espíritos.[1]

Nesse contexto, sempre me fez refletir a afirmativa de Kardec a respeito de a mediunidade ser orgânica[2]

1. "De onde tira o Espírito o seu envoltório semimaterial? 'Do fluido universal de cada globo. É por isso que ele não é o mesmo em todos os mundos. Passando de um mundo a outro, o Espírito muda de envoltório, como mudais de roupa'." (KARDEC. *O livro dos espíritos*. Op. cit. p. 126, item 94.) Cf. KARDEC. *O livro dos médiuns*... Op. cit. p. 91-95, itens 54-57.

2. Lê-se, a certa altura: "o que prova que esta faculdade [mediúnica] depen-

— sendo possível, seguramente, extrapolar a constatação para as faculdades anímicas. Por muito tempo, tive dificuldade em compreender esse conceito. Pensava: "Ora, mas não se trata de um atributo psíquico? Como pode ser orgânico, então?". Somente com o transcorrer dos anos, estudando, comecei a entender.

Ora, se faculdade psíquica e corpo espiritual são orgânicos, ao menos em certa medida, implica que podem ser programados de acordo com a natureza da missão que o indivíduo deve desempenhar quando estiver no corpo físico. Se é assim, caso alguém tenha um aprendizado em forma de trabalho a concretizar na Crosta — no papel de médium ou animista, por exemplo — e isso já faça parte do planejamento reencarnatório, o perispírito dele será aprimorado, a fim de que seja mais vibrátil e favoreça o desdobramento e outras capacidades extrafísicas. A esse respeito, a reencarnação do personagem Segismundo, embora fracassada, talvez ainda seja o texto mais abrangente

de de uma predisposição orgânica" (KARDEC. *O livro dos médiuns*... Op. cit. p. 318, item 209).

a demonstrar a interferência realizada sobre as células perispirituais.[3]

Imaginemos alguém que vá atuar como médium consciente ao reencarnar. Logo, será dada certa cota de magnetismo ao psicossoma antes da fecundação, durante o período intermissivo ou erraticidade. Uma quantidade maior de energia será dispensada à cabeça perispiritual — ao paracérebro, mais precisamente. Quando da reencarnação, esse dom eclodirá como uma capacidade orgânica: o cérebro físico, acoplado ao extrafísico, desenvolverá determinadas características, principalmente em setores como a glândula pineal, entre outros, de modo que o exercício da mediunidade possa se dar conforme planejado.

Paulo de Tarso trata das implicações desse assunto de maneira habilidosa, muito relevantes para este método. O apóstolo descreve, com maestria e clareza extraordinária, muitos dilemas da prática mediúnica e enfatiza algo importante: todas as habilidades

3. XAVIER, Francisco Cândido. Pelo espírito André Luiz. *Missionários da luz*. 45. ed. Brasília: FEB, 2013. Caps. 12-15. Livro eletrônico. (A vida no mundo espiritual, v. 3.)

psíquicas, que ele chama de "dons espirituais", convergem para formar o corpo espiritual da igreja ou o corpo de Cristo.

"Porque, assim como o corpo é um, e tem muitos membros, e todos os membros, sendo muitos, são um só corpo, assim é Cristo também. [...] Ora, vós sois o corpo de Cristo."[4]

Prossegue ele: "Se o pé disser: Porque não sou mão, não sou do corpo; não será por isso do corpo? E se a orelha disser: Porque não sou olho não sou do corpo; não será por isso do corpo? Se todo o corpo fosse olho, onde estaria o ouvido? Se todo fosse ouvido, onde estaria o olfato? Mas agora Deus colocou os membros no corpo, cada um deles como quis. E, se todos fossem um só membro, onde estaria o corpo? Assim, pois, há muitos membros, mas um corpo".[5]

E acrescenta: "Ora, há diversidade de dons [...], mas é o mesmo Deus que opera tudo em

4. 1Co 12:1,12,27.

5. 1Co 12:15-20.

todos. Mas a manifestação do Espírito é dada a cada um, para o que for útil".[6]

A recomendação com que o apóstolo encerra a epístola — "procurai com zelo os melhores dons"[7] — impele-nos à consciência de que viemos inclinados à prática desta ou daquela habilidade, voltados a determinada área de atuação. Se um médium consagrado no exercício da incorporação, da psicografia ou da doação de fluidos resolvesse: "Não quero mais trabalhar assim; quero ser clarividente a partir de agora", dificilmente desenvolveria uma faculdade tão produtiva e clara, simplesmente porque não é sua aptidão. Provavelmente ficará insatisfeito com os resultados, pois decidiu nadar contra a correnteza, contra o sentido que o rio da vida lhe apontou.

UM CORPO EMOCIONAL

Projetar-se no plano astral pode ser feito de tal maneira a impressionar a memória cotidiana ou não, como

6. 1Co 12:4,6-7.

7. 1Co 12:31.

já vimos. Certa época, tive vários desdobramentos dos quais minha mãe participava, principalmente logo após seu desencarne, que se deu em 1988. Durante os dois anos seguintes, encontrávamo-nos com relativa frequência. Muito embora não me lembrasse de paisagem nenhuma, quando de volta à vigília, tampouco de trajes que ela vestia ou de outros pormenores, eu despertava com aquela intuição palpável, uma convicção que não deixava margem à dúvida: havia estado com minha mãe! Ao acordar, ainda sentia o toque dela em minha face, do lado direito, como era comum que fizesse comigo desde a infância. Ela se achegava e me acariciava muito levemente, como se fosse uma brisa, e então eu regressava ao corpo com aquele toque, com aquela sensação, reabastecido, satisfeito — nossa, que bênção ter encontrado minha mãe tantas vezes naquele período!

Anos se passaram. Hoje em dia, mesmo quando estou desdobrado, o espírito mais difícil de eu perceber — ou melhor, lembrar que percebi —, entre os que me são familiares, é minha mãe, e acho que é para o meu bem. Por que isso? Minha ligação com ela sempre foi muito grande, durante a vida inteira. E o astral é o plano das emoções — haja vista um dos nomes do psicossoma ser corpo das emoções —, é o lugar onde estas se extravasam e tomam forma facilmente. Se porventura, em meio a um processo de desdobramento, os espíritos me deixarem percebê-la, provavelmente vou querer colo, carinho e atenção, até disparar a chorar... Tudo isso que um filho encarnado saudoso quer receber da mãe desencarnada. Logo, afloraria a emoção, e o trabalho ficaria comprometido.

Frequentemente somos privados da recordação em benefício próprio, porque não a administraríamos bem. No entanto, ao voltarmos à vigília, acordamos com aquela certeza de que estivemos com um ente querido, e isso é o bastante. Até porque, muitas vezes, ao encontrá-lo, podemos sofrer alguma decepção. Suponhamos que a pessoa não esteja tão bem quanto imaginávamos, então, o choque seria grande. Por outro lado, e se porventura você não estiver tão bem-preparado emocionalmente como julga? Qual seria sua reação? Em última análise, o contato poderia até prejudicar o familiar do outro lado da vida, ao invés de ajudar.[8]

8. Embora seja efetuada sobre um desencarnado, no exemplo a seguir, a

Desse modo, caso desdobre e permaneça inconsciente, chegará ao plano extrafísico e fará aquilo que o seu mentor determinar. Com isso, além da satisfação de cumprir a tarefa em pauta, ao regressar trará a sensação de que esteve com quem ama. Ninguém lhe tirará essa certeza, que é indiscutível. Há encontros proveitosos dos quais nos lembramos, com a permissão dos espíritos, porém, podemos ajudar familiares sem guardar recordação, e isso acontece com frequência.

Tudo isso para explicar que, seguidamente, emprestamos às coisas uma feição bastante emotiva. Quando a pessoa relata uma percepção, dificilmente ela narra o que aconteceu, de fato; ela reporta uma interpretação subjetiva: "Eu senti assim e assado; eu

ação de orientadores espirituais para promover o esquecimento com a finalidade de preservação emocional não é incomum. "Tem um pai que a estima com extremos de afeto — esclareceu o diretor —, no entanto, sofria imerecidamente pela filha leviana e grosseira, e tanto padeceu por ela que os seus superiores, em nossa colônia espiritual [Nosso Lar], *submeteram-no a tratamento para olvido temporário da filha querida, até que ele possa se recordar e se aproximar dela sem angústias emotivas.*" (XAVIER. *Missionários da luz.* Op. cit. Cap. 15. Grifo nosso.)

senti que o espírito é bom...". Ora, ao recolher as percepções, a questão em foco não é se o espírito é bom! Primeiro, é preciso apurar *o que* se viu, e não descrições do tipo: "Ah, ele estava todo iluminado, com a luz desse jeito, e eu senti uma vibração tal e qual...". O ponto não é o que foi *sentido* — isso é emoção. Em certa medida, é compreensível tal atitude, pois se trata de uma experiência do corpo emocional, contudo, não podemos deixar de considerar essa limitação, sempre procurando educar nossas faculdades. Deve-se ter em vista a tendência de modificar as coisas ao sabor das crenças também, as quais estão estratificadas na memória astral.

Uma vez que o perispírito carrega as tintas no teor emocional, o fator interpretação representa algo importante, que perdurará por séculos, até desenvolvermos mais os atributos do corpo mental. Logo, convém se portar com toda a cautela: se, por um lado, somos capazes de detectar o estado emocional dos espíritos, por outro, nossa própria emoção pode se exacerbar durante o processo e superar aquilo que captamos do mundo extrafísico, interferindo no julgamento acerca do que apreendemos, efetivamente.

EMOÇÕES COMO EMPECILHO AO DESDOBRAMENTO

Outra observação que convém fazer é que, quando fora do corpo físico, não há como dissimular, enganar os espíritos, porque o perispírito do animista reflete, em si mesmo, todo o conteúdo que vai no íntimo do ser. Ele estampa nas próprias células, de modo nítido à observação dos demais espíritos, todas as impressões, sem que seja necessário dizer nada. Se desdobramos em corpo emocional, convém avaliar se não estamos com as emoções tão desorganizadas a ponto de impedirem que esse corpo se manifeste e se locomova com desenvoltura no Além.

Existem pessoas que são muito desequilibradas ou oscilantes emocionalmente, que carecem de maturidade. Isso significa que não só elas, mas também as células espirituais reclamam reajuste. E o que proporciona a recuperação do equilíbrio psicossomático e, por conseguinte, o desdobramento com mais habilidade e lucidez? Sem dúvida, um dos meios mais eficazes é o tratamento com emprego da bioenergia. Sendo o astral um corpo fluídico, o magnetismo humano tem grande efeito sobre ele.

Para se ter uma ideia do poder das emoções nesse contexto, relato uma experiência da qual me recordo vividamente. O mês era dezembro de 1982 e, tão logo desdobrei, observei minha mão. A impressão que tive era que ela estava se diluindo, como se fosse se liquefazer, mesmo. Examinei meu corpo astral e ele também estava prestes a se dissolver. Olhava para uma coisa e outra e percebi que tudo a meu redor parecia instável. Ficou claro que eu ainda não tinha suficientemente desenvolvida a habilidade para manter a forma, a minha própria forma perispiritual. A partir daí, dediquei-me a estudar melhor as questões relativas ao perispírito e pude descobrir, com o tempo, que o fenômeno insólito decorria das emoções malresolvidas que eu trazia dentro de mim.

Imagine só o contexto em que as faculdades floresciam, tendo em vista minha história pessoal. Recém-expulso da igreja evangélica, na qual era muito ativo, com apenas 18 anos de idade conheci o espiritismo, todavia, numa feição bastante tolhida e castradora, própria das décadas de 1970 e 1980, conforme era ensinado no interior de Minas Gerais. Era uma concepção tão fechada que, nos centros espíritas aonde eu ia, proibia-se o desdobramento porque podia causar a morte. A verdade é que não tinham traquejo nem preparo para lidar com o fenômeno, portanto preferiam cercá-lo em tabu.

De modo que vim da igreja com uma série de conflitos malsolucionados, principalmente quanto a medos e ao sentimento de culpa. Descobri, bem mais tarde, que isso vibrava no psicossoma de uma maneira dissociativa, impedindo a manutenção da compleição astral sem o socorro dos espíritos.

Somente em outubro de 1985, quando tive meu primeiro contato frente a frente com Chico Xavier, é que comecei a me livrar do peso das coisas malresolvidas. Quando Chico me disse que eu tivesse o cuidado de não querer ser aquilo que nem Deus exigia de mim, ele falou:

— Olha, meu filho, tenha cuidado para não querer parecer o que não é. Você não veio para ser santo, mas para ser humano; você veio para viver a experiência humana da melhor maneira possível.

Essas palavras calaram fundo e me marcaram profundamente. Foi então que começou a ruir o peso da culpa. A partir daquele momento, meus desdobramentos passaram a adquirir conotação mais clara. A vidência extrafísica veio à tona com pujança, exatamente à proporção que eu penetrava mais e mais dentro de mim, buscando compreender certos traumas, certas emoções e certas manias. Tal atitude se refletiu imediatamente sobre as faculdades e até a integridade do corpo astral ou das emoções.

BOA SINTONIA: OBSTÁCULOS E ALIADOS

Extrapolando a partir desses aspectos, conclui-se que devemos compreender determinados processos íntimos a fim de evitar que, tentando desdobrar, estabeleçamos sintonia vibratória com espíritos inferiores inadvertidamente e até de maneira inconsciente. Para isso, a imaturidade deve ser combatida tanto quanto possível, a começar da motivação frívola para desdobrar, o que já atacamos. Quem quer apenas ver as coisas no Além, sem propósito claro, não raro depara com aquilo que não é bom. O exemplo mais sintomático disso é o da pessoa que usa narcóticos e outras drogas.

Consideremos que o campo astral é o mundo das emoções, como vimos, repleto de uma miríade de habitantes que desafia a destreza do paranormal, conforme estudamos nos capítulos 15 e 16. As formas-pensamento e toda a realidade são, por definição, densas; além disso, a grande maioria da população padece de emoções conturbadas e violentas, incluindo quem está em tratamento. Quanto mais fantasmas povoam nossa intimidade, maior propensão há de nos conectarmos a espíritos desse jaez.

Quando a pessoa consome alucinógenos e substâncias do gênero, o que ocorre? Ela induz o rompimento da tela etérica, a principal estrutura de proteção natural do ser humano. Com isso, a pessoa submerge, à força, naquele baixo mundo vibracional, se assim podemos denominá-lo; adquire uma visão e uma troca mais intensas com essa dimensão. Quando relata ver monstros, animais bizarros e gente pitoresca ou mesmo malévola, ela não mente. Em grande número de vezes, não se trata de alucinação, mas de clara sintonia com quadros primitivos da natureza astral e com habitantes em franco desequilíbrio, causada pela ruptura da tela etérica.

Assim sendo, ao incentivar o desdobramento — e, caso se dedique, ele tem grandes chances de ocorrer, seja de qualquer um dos três corpos que temos estudado —, quero dar aos exercícios igual destaque à seguinte questão: com quem se relacionará e com qual faixa de vibração se sintonizará ao ingressar na dimensão extrafísica? Para desenvolver uma conexão cada vez mais estreita com espíritos consagrados aos ideais de bem e de fraternidade, você deve se concentrar também no trabalho das próprias emoções, em vez de se alijar delas.

No intuito de incrementar os resultados, recomendo a terapia magnética, também por esse motivo. Tanto quanto possível, submeta-se a sessões de magnetismo visando à reorganização das células sensíveis do perispírito. Volte-se para dentro de si, faça uma análise profunda. Quando julgar necessário, não hesite em fazer alguma espécie de terapia ou acompanhamento emocional com o objetivo de equacionar conflitos psicológicos, o que acarretará grande benefício ao desempenho psíquico e espiritual.

PSICOPATOLOGIA DO CORDÃO DE PRATA

Há pessoas que, quando voltam para o corpo, ou mesmo durante a tentativa de decolarem, são acometidas de tosse, sentem-se sufocadas, como se perdessem a voz ou fossem se engasgar. Por que isso acontece? Há até quem tema a morte e se apavore, a depender do perfil individual.

O cordão de prata, elo que liga o organismo físico ao psicossoma, passando pelo duplo etérico, distende-se, sem muito esforço, até uma distância aproximada de 3 a 6m a partir do corpo humano. Em estado natural, relaxado, apresenta grossura aproximada à do dedo mindinho; no entanto, à medida que se expande por quilômetros e quilômetros, adquire aspecto cada vez mais delgado. Enquanto está próximo do corpo, pode ser que, no processo de desdobramento, ele venha a enroscar-se na cabeça perispiritual, caracterizando o que denominamos psicopatologia do cordão de prata. Aquela sensação de sufocamento, portanto, é real. E a pessoa não consegue uma liberdade, porque ela não sabe nada de magnetismo ainda, não conhece como utilizar o magnetismo em benefício próprio.

Se porventura isso acontecer na hora de desdobrar, é porque o cordão de prata não está devidamente estendido. O que aconselho, caso se tenha desdobrado com o suporte de uma equipe, é aplicar passes magnéticos e acoplar o animista, direcionando o magnetismo diretamente ao cordão. Assim, este se contrai e, depois, distende-se tranquilamente, de modo que o médium consegue decolar sem a sensação desconfortável.

Por outro lado, caso a psicopatologia acometa o animista após o fim de um desdobramento, ao regressar ao corpo, é indicado que promova a decolagem outra vez, de maneira a tentar nova acoplagem após "desembolar" ou desenrolar o cordão de prata. Receber magnetismo durante essa breve projeção da consciência corretora, seja através de passes, seja por meio de pulsos energéticos, também é muito benéfico.

PSEUDODESDOBRAMENTO E INSÔNIA

Muitos se queixam de dificuldades relacionadas à insônia, que os acomete de modo persistente. Entre eles, há quem apenas acredite não dormir, todavia, na verdade, está fora do corpo, ainda que pairando logo acima dele ou, ao menos, tem o perispírito expandido, sem decolar. Isso faz com que o cérebro perceba os pensamentos da mente com tal vivacidade que a pessoa tem a forte impressão de permanecer desperta, embora durma.

Cheguei à seguinte conclusão, não somente a partir das tarefas realizadas em desdobramento, nem mesmo da mediunidade praticada na casa espírita, mas, principalmente, por meio do diagnóstico terapêutico facultado pela bioeletrografia. Muitas dessas queixas decorrem de um quadro de contaminação fluídica que se prolonga no tempo. Como consequência, o acúmulo de fluido mórbido começa a tomar conta da região adjacente ao córtex cerebral, aglutinando-se na cabeça perispiritual ou paracabeça. O peso vibratório ocasionado pela presença da energia densa e dos parasitas, a qual é cultivada pela mente do indivíduo, representa obstáculo ao desprendimento natural, pois agrilhoa o espírito à esfera material e etérica.

Para que se tenha uma noite de sono tranquilo e revigorante, é necessário que haja a emancipação da alma. Quanto mais distante do corpo ela permanecer, mais o cérebro físico obtém a sensação de descanso. Enunciado de modo oposto: quanto mais próximo do corpo o perispírito se conservar, menos renovador será o sono. Como o cérebro é o órgão material que percebe o pensamento, essa proximidade impede que ele repouse, pois capta sem cessar o que transita na mente e no corpo mental do espírito.

Quando a alma não se desprende, ela geralmente se mantém a cerca de 30 ou 40cm do corpo, de sorte que, quando a pessoa acorda, no dia seguinte, sente-se cansada, como se não tivesse dormido, como quem passou a noite inteira pensando. Em muitos casos, tem aquele sono entrecortado, interrompido várias vezes ao longo da noite. Mergulha nas formas-pensamento e nas cenas do próprio dia a dia ou, então, o perispírito se afasta um pouco mais — porém, ainda fica circunscrito ao perímetro doméstico — e assim adentra a atmosfera mental dos familiares ou, até mesmo, daqueles com quem conviveu no trabalho, por atração magnética. Às vezes, a pessoa julga estar desdobrada, propriamente, quando, na verdade, está imersa nas imagens, nas histórias de vida daqueles com quem convive. Desperta, em regra, já com o pensamento excitado e com hiperatividade consciencial. A esse fenômeno denomino pseudodesdobramento.

Na maior parte dos casos, esse quadro é solucionado ao se submeter a um tratamento magnético, ministrando passes longitudinais rápidos e vigorosos, com função dispersiva, seguidos de passes longitudinais lentos, com finalidade calmante e revigorante. O contato com a natureza, como em banhos de mar ou de cachoeira, também costuma ser eficiente, sobretudo se o consulente se concentrar no ato, associando a vontade aos recursos de que usufrui.

DESDOBRA-MENTO DO CORPO MENTAL

CAPÍTULO XXII

O psicossoma tem a propriedade de emancipar-se por meio do desdobramento e, enquanto isso, continuar comandando o corpo carnal, sob os influxos da mente, da consciência. Quando esse fenômeno ocorre, as reações no plano físico costumam ficar mais lentas, no limite se resumindo apenas às funções vitais. Quem está por perto nota que a pessoa conversa mais devagar, fica com o olhar mais distante, como que perdido no tempo, fixo em algum lugar. Trata-se dos sintomas típicos de desprendimento do perispírito. Como são sinais mais nítidos, há mais clareza quanto ao que se passa. Quando é o corpo mental que se liberta do aparato físico, não são tão grosseiras ou perceptíveis as sensações.

O mentalsoma, diferentemente do perispírito, não tem órgãos, tampouco o formato humanoide. Entende-se que todos os centros de força, ao se alçarem à dimensão imediatamente superior à do psicossoma, fundem-se e se acoplam em um único vórtice no corpo mental, que adquire feições de uma luz fulgurante, de aspecto geralmente ovalado.

> “*Sinonímia*: paracorpo, corpo superior, corpo puro, corpo do espírito, corpo sem forma. [...] O corpo mental caracteriza-se por ser disforme, ou seja, não apresenta a forma do corpo humano, como o psicossoma. Geralmente, apresenta-se como um corpo ovalado, nebuloso e extremamente luminoso. Também conhecido como *mentalsoma*, pode revelar variações cromáticas entre o branco, o azul e o dourado.”[1]

Quando estamos acoplados, a cabeça perispiritual justapõe-se à cabeça física, e o mentalsoma, por sua vez, à paracabeça. O corpo mental apresenta todos os chacras convergidos em um único grande chacra, lembrando um sol luminoso, dotado da cor peculiar à qualidade moral, intelectiva e emocional de cada ser. Portanto, quando estiver desdobrado nesse corpo e tentar se perceber, é esse o aspecto esperado.

Quanto à comunicação nesse patamar de realidade, ela se caracteriza pela rapidez, pois a linguagem do corpo mental é a telepatia. As reuniões entre espí-

1. “Corpo mental”. In: PINHEIRO. *Além da matéria*. Op. cit. p. 115, cap. 12.

ritos que acontecem em corpo mental, eventualmente com a participação de encarnados, são muito ágeis. Cruzam-se e deliberam, em segundos, situações que demandariam horas e horas de discussão em outro contexto. Concorre para essa percepção, também, a diferença vibracional, já que a frequência da dimensão mental é muito superior à do plano material.

A ligação do perispírito ao corpo mental é efetuada pelo chamado *cordão de ouro*, alvo de breves comentários do espírito Joseph Gleber:

> "O cordão de prata tem uma atuação física e extrafísica, por participar da parafisiologia do corpo psicossomático e da fisiologia do corpo físico. O elemento mental do cordão de ouro, entretanto, possui dupla atuação extrafísica. Ele representa a conexão mente-perispírito e serve como ligação entre o plano dos sentimentos e o das emoções. Sua atuação, por isso mesmo, escapa às formas convencionais de observação pelos sensitivos e médiuns."[2]

2. "O cordão de ouro: ligação intercorporal psicossoma-mente". In: PINHEI-

Talvez o relato mais célebre de desdobramento em corpo mental, na literatura espírita, esteja em André Luiz. Desencarnado há certo tempo, vivendo na cidade espiritual Nosso Lar, ao que tudo indica, ele finalmente recebe autorização dos órgãos competentes da administração local para encontrar sua mãe, habitante de esferas mais elevadas. Como cidadão da colônia situada no umbral superior, ele evidentemente vibrava e se locomovia em corpo astral. Então, a fim de realizar a visita tão aguardada, era preciso que ele se pusesse em repouso em determinado apartamento. Ali, o psicossoma adormeceu, e ele se projetou em outro plano de existência — por dedução lógica, caracterizando o desdobramento em corpo mental. Se o perispírito fosse indissociável, como insistem alguns ortodoxos, cada vez em menor número, como explicar tal fenômeno, isto é, o desdobramento de um desencarnado? Apenas como uma experiência onírica? A passagem a seguir, bem como o restante da narrativa, desabona tal interpretação.

RO. *Além da matéria*. Op. cit. p. 125-126, cap. 13.

> "O sonho não era propriamente qual se verifica na Terra. Eu sabia, perfeitamente, que *deixara o veículo inferior* no apartamento das Câmaras de Retificação, em Nosso Lar, e tinha absoluta consciência daquela movimentação em plano diverso. Minhas noções de espaço e tempo eram exatas. A riqueza de emoções, por sua vez, afirmava-se cada vez mais intensa."[3]

Portanto, os recursos de Nosso Lar facultam a André Luiz a interação livre em plano mental, ainda que momentânea, valendo-se do veículo por meio do qual os espíritos superiores se manifestam, enquanto a mãe dele adensava o mentalsoma, de sorte que o filho a pudesse perceber. O narrador ainda conta, a fim de afastar qualquer dúvida: "tive a impressão de ser arrebatado".[4]

Outra passagem que atesta o desdobramento do corpo mental, ainda que também entre desencarnados,

3. XAVIER. *Nosso lar*. Op. cit. p. 217, cap. 36. Grifo nosso.

4. Ibidem, p. 216.

está no primeiro livro que o espírito Ângelo Inácio escreveu por meu intermédio. Em certa altura, lê-se:

"Tomando-me pela mão, ele conduziu-me a regiões mais elevadas que a nossa, acompanhando o rastro luminoso do cometa, que agora se apresentava aos nossos olhos espirituais como *uma estrela de intensa luminosidade*. Fomos subindo, subindo, até que eu não podia mais acompanhar meu amigo espiritual rumo a esferas mais sutis, superiores. A estrela ascendia cada vez mais, e agora eu só poderia prosseguir com o impulso mental do meu mentor.

As regiões espirituais que agora eu estava observando eram totalmente diferentes do nosso plano. [...] Não compreendia como um simples cometa ou uma simples estrela poderia atravessar as barreiras das dimensões e se dirigir para as alturas vibracionais.

Agora não podíamos acompanhar mais seu rastro. Paramos nossa volitação em um posto dos planos mais elevados nas regiões espirituais. O mentor apontava-me a direção em que o cometa rasgava o espaço espiritual, dirigindo-se a outras dimensões.

— [...] Já estamos muito distantes vibratoriamente de nossa colônia espiritual e *não detemos ainda possibilidades de escalar outros planos mais sutis*."[5]

Ao fim das contas, o mentor revela que o rastro de luz percebido como um cometa fulgurante era um dos pais-velhos que haviam testemunhado atender em certa tenda umbandista momentos antes. A descrição não deixa dúvida de que o espírito cintilante se apresentava, na verdade, em corpo mental, a tal ponto que Ângelo não o reconhece, sendo socorrido pelas explicações.

Desse modo, assim como podemos dissociar o perispírito do corpo físico, também é possível separar o corpo mental do psicossoma e termos um desdobramento em âmbito puramente mental. Princi-

5. PINHEIRO, Robson. Pelo espírito Ângelo Inácio. *Tambores de Angola*. 3. ed. rev. ampl. Contagem: Casa dos Espíritos, 2015. p. 196-198, cap. 15. Grifos nossos. (Segredos de Aruanda, v. 1.)

palmente em reuniões mediúnicas, trata-se de um fenômeno mais comum do que se imagina; com efeito, ocorre com grande frequência, mas boa parte das pessoas não se apercebe.

Não raro, o sensitivo pondera, após exprimir algum pensamento que lhe assomou à convicção: "Ah, não notei a paisagem em torno do que percebi". Por esse motivo, acaba creditando à inspiração o que lhe adveio por via mediúnica. Deduz não ter desdobrado, muito embora saiba que havia determinado espírito ali; sentiu-o com clareza, mesmo assim reitera: "Não vi nada com meus olhos...". Claro! Afinal, não se projetou em perispírito, mas em corpo mental. Por não conhecer as particularidades de cada tipo de desprendimento, julga que não decolou. Vejamos a respeito dessas particularidades.

CARACTERÍSTICAS DA PROJEÇÃO EM CORPO MENTAL

O grande problema que existe em relação ao desdobramento do corpo mental é que a maior parte das pessoas nem sequer conhece as propriedades do psicossoma razoavelmente. Abordamos anteriormente o duplo etérico ou corpo vital, sobre o qual muitos já ouviram falar, mas com frequência o ignoram em seus pormenores. Acerca do corpo mental, então, uma mínima parcela tem notícias, e soa abstrato demais abordar certos temas a respeito dele.

Apesar disso, é um fato: número expressivo de pessoas detêm a habilidade de desdobrar em corpo mental, e não em astral. Como já vimos, tal fator normalmente independe da vontade individual.

Muitos desdobram o mentalsoma e não sabem. Nesse fenômeno, o sujeito não vê desencarnados em feições perispirituais. Por outro lado, percebe alguns sons, e as ideias, sobretudo, vêm todas mais claras à cabeça; ele tem convicção de que determinada entidade está presente, embora não a enxergue com os próprios olhos. Dificilmente vê forma; no entanto, capta conceitos, apreende pensamentos e informações em bloco, de súbito, a ponto de espantar-se, tamanha a agilidade com que formula — ou lhe ocorrem — certos raciocínios.

Segundo número expressivo de relatos que ouço de estudantes e minhas próprias observações, é bem mais comum acontecer o desdobramento em corpo mental em reuniões mediúnicas do que se imagina. No entanto, as equipes não investem nesse potencial porque ignoram o fenômeno, que sucede de forma espontânea, e, assim, atribuem seu produto à intuição, à inspiração convencional.[6] Todavia, distingue-se dessas faculdades porque o sujeito percebe os mentores, percebe os espíritos, sem vê-los com os olhos — mas com um grau de clareza e de convicção característico.

A bem da verdade, mesmo em corpo astral, não vemos exclusivamente com os órgãos da visão, mas com o psicossoma inteiro. Ocorre que, devido ao condicionamento mental a que estamos sujeitos como encarnados, em desdobramento ainda conservamos, por algum tempo, a ilusão de que enxergamos apenas com os olhos.

> "*Qual é a causa da clarividência sonambúlica?*
>
> 'Já o dissemos: é a alma que vê.'

6. Cf. "Médiuns intuitivos". In: KARDEC. *O livro dos médiuns*... Op. cit. p. 281-282, item 180.

Como o sonâmbulo pode ver através de corpos opacos?

'[...] Com frequência ele vos diz que vê pela fronte, pelo joelho etc., porque vós, inteiramente mergulhados na matéria, não compreendeis que ele possa ver sem o auxílio dos órgãos. Ele mesmo, pelo desejo que manifestais, julga precisar de tais órgãos, mas, *se o deixásseis livre, compreenderia que vê por todas as partes do seu corpo*, ou, melhor dizendo, que vê de fora do seu corpo'."[7]

Quando a percepção se dá por intermédio do corpo mental, que não detém órgãos específicos destinados à visão, aquilo que os espíritos explicam a Kardec toma proporção ainda muito maior. Não vemos submetidos a essa ilusão acerca dos olhos, mas percebemos de maneira clara; não distinguimos a figura do espírito comunicante ou os contornos da paisagem, porém, descrevemos perfeitamente o que se passa.

Dito de outra forma, quando desdobrados em cor-

7. KARDEC. *O livro dos espíritos*. Op. cit. p. 307-308, itens 428-429.

po mental, temos a noção clara de que determinado espírito está perto, embora não o vejamos como quando percebemos com as faculdades do perispírito. Sabemos até que ele veste a roupa tal e qual, que tem olhos azuis ou negros, mas não por meio da visão.

Quem sabe isso já aconteça com você em alguns momentos, de modo que capte em bloco o conjunto de informações sobre situações em exame na reunião mediúnica, acessando enredos completos que esclarecem esse ou aquele caso. Não obstante, talvez pondere: "Poxa, mas eu não estou desdobrado...". De fato, o perispírito permanece acoplado à base física, mas o corpo mental viajou além da fronteira da matéria.

"Quando o pensamento está em alguma parte, a alma também aí está, pois é a alma quem pensa. O pensamento é um atributo", anotam os espíritos.[8] Às vezes, a pessoa capta a história inteira, começa a descrevê-la com todos os detalhes, e diz: "Estou plenamente consciente aqui na reunião, mas tenho certeza do que envolve esse caso...". Quando algo assim ocorre, com tamanha clareza e lucidez, geralmente

8. Ibidem, p. 124, item 89a.

o sensitivo está desdobrado em corpo mental, o que é bastante comum.

Acredito que muitos já tiveram experiências assim sem mensurar adequadamente suas implicações, tão somente porque não estudaram a respeito dos atributos do corpo mental. Mesmo no cotidiano, até determinada magnitude de percepções dessa ordem, nem é fundamental que o mentalsoma esteja projetado; em certos casos, basta que esteja vibrátil naquele momento.

APLICAÇÕES PRÁTICAS

Um dos atributos dos veículos de manifestação da consciência é que podem incorporar ou manifestar-se por intermédio de outro alguém. Isso é prática rotineira em reuniões mediúnicas. Nesse sentido, com o corpo mental, é possível auxiliar bastante os espíritos.

Ângelo Inácio narra um episódio muito interessante e ilustrativo. A personagem Irmina Loyola, uma encarnada em desdobramento, desprende-se novamente, desta vez em corpo mental, e então se transporta até uma região astral onde se reúnem os espíritos ligados a um guardião chamado General, em quem incorpora.

"Concentraram-se ao máximo, e Irmina desdobrou-se mais uma vez. Na verdade, ela estava ali, desdobrada, em corpo espiritual ou perispiritual, conforme preferem alguns. Desta vez, porém, desdobrou-se em corpo mental e deixou o psicossoma ali, segurando a mão de Raul. Elevou-se, sem forma aparente, rumo ao local onde General estava com seus soldados do bem, na cidade remodelada pelos guardiões. [...]

Irmina aproximou-se enquanto os demais ouviam o guardião, que iniciava algumas explicações. Ela envolveu o espírito amigo de General, sondou seus pensamentos e resolveu assumi-lo, numa superincorporação mental. O espírito da agente duplamente desdobrada expandiu-se de tal maneira que envolveu o corpo espiritual do espírito, que se levantou de repente, tomando uma postura visivelmente feminina, o que não combinava de modo algum com seu tipo masculinizado, quase rude. Irmina fez questão de imprimir seu estilo ao espírito, que a recebia num evidente transe mediúnico, em que um espírito encarnado em desdobramento, embora em corpo mental, incorporava-se num desencarnado."[9]

Ainda no que tange à incorporação, o expediente da comunicação espírita entre vivos, isto é, entre pessoas encarnadas, ganha bastante relevo com o conhecimento do corpo mental e o manejo do desdobramento, quer seja natural, quer seja induzido ou magnético. A prática era usual na época do codificador e de seus sucessores. Lamentavelmente, na atualidade, é menos explorada do que deveria ser, embora seja corriqueira nas instituições fundadas por mim, entre tantas outras.

> "No estado de desprendimento em que se acha, o Espírito do sonâmbulo entra mais facilmente em comunicação com os outros Espíritos *encarnados* ou *não encarnados*. [...] O sonâmbulo não tem, portanto, necessidade de que o pensamento seja articulado por meio da palavra: ele o sente e adivinha. É o que o torna emi-

9. PINHEIRO. *Os imortais*. Op. cit. p. 143-147.

nentemente impressionável e acessível às influências da atmosfera moral que o envolve."[10]

Devidamente acomodado sobre uma maca, o consulente é desdobrado, com frequência em corpo mental — que muitas vezes se mostra mais favorável ou permeável aos estímulos de ordem magnética. Enquanto permanece sonolento ali, entre uma realidade e outra, ele incorpora no médium, em sala à parte. Tendo em vista que o encarnado nada mais é que um espírito dotado de corpo carnal, comunicar-se com ele em estado de desprendimento da matéria, por via mediúnica, não deveria provocar celeuma.

Em regra, adotamos semelhante procedimento visando ao tratamento do encarnado. Se as percepções acerca do caso se mostram confusas ou nebulosas, por exemplo, ou se a terapêutica em curso não tem surtido o efeito esperado, desdobrar o indivíduo a fim de acessar o ser integral, e não a personalidade que se apresenta em vigília, costuma ser um método eficaz para aquilatar melhor a situação e para desen-

10. KARDEC. *O livro dos espíritos*. Op. cit. p. 318, item 455.

cadear resoluções decisivas da parte do consulente.

Entre membros da equipe, o procedimento também é bastante útil. Se porventura determinado médium não tem desempenhado suas funções de maneira satisfatória, a investigação em desdobramento é altamente proveitosa. Nessa situação, com seu consentimento, ele incorpora em um colega, o qual está reunido com os demais em outra sala, afastada de onde o corpo repousa. Lá, entabulamos um diálogo com o médium-consulente como espírito: "O que tem se passado com você? Por que não tem conseguido realizar suas atividades a contento? Por que esta enfermidade o tem atrapalhado?".

Com o emprego do magnetismo, somos capazes de induzir o desdobramento dos corpos tanto astral e etérico quanto mental. Então, nos exercícios de desdobramento, você pode encontrar dificuldade na sensibilização do duplo etérico, buscando sentir aquele formigamento que mencionei e denota seu desprendimento; talvez não consiga desdobrar o perispírito e, mais tarde, divisar espíritos, paisagens e imagens com visão perispiritual; contudo, é possível que haja maior incidência de êxito na projeção do mentalsoma.

A julgar a partir da minha experiência, sou da posição de que o desprendimento em corpo mental é a forma de desdobramento que reúne maior número de vantagens. Acima de tudo, porque o animista está longe da emoção visceral do psicossoma, e não se vê absorto naquele mar de conotação estritamente emocional, sensorial, à flor da pele; por conseguinte, é capaz de se desprender e elaborar uma visão mais racional e analítica das questões apresentadas. Embora nem sempre perceba formas, capta os conceitos, as ideias e as informações, que são os elementos mais relevantes.

OCORRE COMIGO, em algumas ocasiões, a projeção do mentalsoma. Nesses momentos, nas vezes em que o espírito Jamar se aproxima, não o percebo visualmente, mas sei que ele me ronda. Então, ele me transmite o pensamento através da telepatia, tal como noto quando gravo certos vídeos, sobretudo para o Colegiado de Guardiões da Humanidade. Sou capaz de dizer, também, onde outros guardiões estão trabalhando, e até mesmo explicar o que eles empreendem.

Curioso é que, enquanto eles atuam, Jamar extrai energia de mim, além de me inspirar. Durante o período em que gravo, ele permanece ao lado, ministrando passes à minha direita, magnetizando-me, mas de forma tal que eu não fique desvitalizado. Nesse caso, creio que o duplo seja parcialmente deslocado, a fim de facilitar a doação de ectoplasma, procedimento que pode ser adotado, ainda, para abastecimento do encarnado, já que a capacidade de absorção também aumenta com o afastamento do duplo, e não apenas a de doação.

Nesse exemplo, o corpo mental ganha protagonismo. Enquanto gravo, ele coordena o físico, no estúdio, por meio das faculdades do perispírito, que permanece acoplado. As ideias que assomam à mente incitam um fluxo tão rico e caudaloso de pensamentos que não sou capaz, na dimensão física, de traduzi-los da maneira como os percebo ou como gostaria de descrevê-los. É que o corpo mental, liberto das amarras da matéria e completamente atuante, recupera muito da sua vibração natural, acelerada em relação à nossa realidade convencional.

Lembro nitidamente de certa circunstância, quando os espíritos atuavam sobre a península da Crimeia durante o episódio que, mais tarde, ficou conhecido como Crise da Crimeia de 2014, quando a Rússia ocupou aquele território ucraniano às margens do Mar Negro. Eu conseguia saber o que se passava na base dos guardiões, situada nos montes Urais, a poucos milhares de quilômetros, sem perder de vista o que acontecia em torno do meu corpo físico — isso tudo durante a gravação, em estúdio, no Brasil.

É lógico que, por mais que estivesse operante, o físico não era capaz de traduzir os pormenores captados em dimensão superior de modo tão vívido, devido a quão mais acelerada é a faixa vibratória do corpo mental. Todavia, a essência do processo foi guardada na memória.

SEGUNDO O RELATO DE leitores, há, ainda, outra vertente do desdobramento em âmbito mental. Podem pegar um livro — por exemplo, do espírito Ângelo Inácio — e começar a lê-lo e estudá-lo. A depender do grau de sensibilidade e de engajamento com o teor da obra, muitos contam que penetram pouco a pouco nas imagens descritas, a tal ponto que, a partir de certo momento, sentem ou pressentem o que se passou em determinada incursão que o autor narra. Mergulham em detalhes e nuances que transcendem as palavras; chegam a se ver como partícipes do combate travado ou de quaisquer outras cenas.

Não é que o leitor esteja necessariamente projetado em corpo mental ao viver essa experiência. É que a sintonia com o teor do texto é tão profunda que ele assimila, não apenas com o intelecto, mas com faculdades psíquicas, o pensamento do autor impregnado ali, magnetizado nas páginas. Ou seja, trata-se de um processo de expansão parcial do mentalsoma, que se deixa penetrar pelas ideias ali veiculadas.

Observa-se mesmo a telepatia, em alguma medida, estabelecendo-se sintonia com o autor espiritual. No limite, o fenômeno pode favorecer o despertamento até da vontade de atuar, futuramente, na companhia dele e dos demais personagens naquelas regiões, permitindo apreender do texto grande riqueza de detalhes.

Enfim, o campo de investigação do corpo mental, que se descortina ao ser humano, é vastíssimo. Aguarda pesquisadores e intelectos comprometidos com o manancial de recursos disponíveis para avançarmos em ciência tão pujante e proveitosa, aliás, até para além do tema desdobramento.

VOO DE CAMINHÃO

CONCLUSÃO

Foi no longínquo 1969, ano em que o primeiro homem pisava na Lua, que um velho caminhão carregado com a mudança da família Santos saía de uma cidadezinha perdida no noroeste de Minas Gerais em direção à metrópole regional, Governador Valadares. Eu viajava na carroceria do veículo, ardendo em febre no colo da Bá — apelido dado por mim, quando bebê, à meia prima-irmã adotada por Everilda Batista, minha mãe, a qual ia na boleia com parte da família.

Caía uma chuva bem fina, uma garoa persistente, e eu tremia mais e mais, sobretudo quando da parada imprevista na primeira metade da viagem, 70km após a partida, ocasionada por uma pane no motor. Envolvido em um cobertor e abrigado pela lona improvisada que cobria os móveis, ali mesmo, em meio ao percurso, meu espírito se emancipava, talvez impulsionado pelo estado febril e pelo balançar da estrada. Enquanto minha mãe buscava um caminhão substituto, com os pertences descarregados em pleno trevo, minha alma, nem tão prisioneira de um corpo ainda jovem, tateava entre uma dimensão e outra da vida. Eu tinha apenas oito anos de idade.

O tempo foi passando, e as experiências aumentaram em intensidade tanto quanto em frequência. Pouco a pouco, passei a divisar paisagens, imagens e personagens daquele mundo oculto, até então invisível — mas, para mim, cada vez mais presente no cotidiano. O vento foi me levando em suas asas, e a prática me ensinava de lição em lição, a partir de erros e de acertos. Enfim, depois de mais de quatro décadas de árduas e abundantes empreitadas, sobrevieram o amadurecimento e o conhecimento, granjeados mediante a dedicação a muitos e muitos estudos. Toda essa busca, dia após dia, fortaleceu em mim o senso de propósito, a clareza acerca do meu chamado e diante das tarefas que tinha pela frente.

Depois de tantos anos, hoje, prestes a completar 60 anos de intensidade — não de idade, mas de intensidade —, vejo este livro eternizar algo que marcou de forma indelével, e desde muito cedo, minha jornada de conhecimento e trabalho. Experimentos psíquicos, investigação do mundo das energias e dos fluidos, além da exploração de percepções extrassensoriais, entre tantas outras habilidades e possibilidades sobre as quais fui convidado, pela Providência, a me debruçar, fizeram parte do meu cotidiano. Curiosamente, mesmo após a publicação de 44 ou 45 livros compostos por meio da psicografia, reconheço-me como projetor consciente antes mesmo que como médium que cede a mão aos espíritos para escreverem, tão profundas são as raízes do fenômeno de desdobramento na minha história pessoal e dentro de mim, desde que me entendo por gente.

Assim, as palavras de encerramento desta obra, na verdade, são um gesto de reconhecimento, e manifestam minha mais sentida gratidão à vida e a todos que acompanharam ou fizeram parte desta trajetória, servindo de apoio e de impulso para os voos da minha alma. Agora, estas letras, organizadas em palavras e frases, deram-me a ocasião de contemplar muito da água que passou debaixo dessa ponte de aprendizado e de aliança com a outra margem do rio da vida. Tudo está registrado, ou quase tudo.

A emoção e a nostalgia que me tomam ao meditar a respeito do passo a passo de uma vida, das escolhas que fiz, dos momentos de aprendizado com que fui sistematicamente agraciado — muito embora também os procurasse — cumprem, nesta conclusão, um papel que me enche de júbilo. Vi-me diante da oportunidade de ofertar a você, caro leitor, toda a minha experiência, por meio de registro que assumiu, para mim, um caráter de quase depoimento, na medida em que atesta muito do que as faculdades psíquicas têm me permitido testemunhar. Ah! Quão imensa é a riqueza do mundo extrafísico...

Faço votos sinceros de que possa por si mesmo, tal como o fiz, desbravar este vasto mundo do psiquismo, das forças mentais e transcendentais, a fim de empreender o mergulho profundo no êxtase espiritual e intelectual que revela sermos alunos da vida. Afinal, depois de tantos anos e de tantos acertos e desacertos, eis que me sinto, simplesmente, um aprendiz da vida, dos guardiões e daqueles que nos dirigem.

R. P.

BELO HORIZONTE, 26 DE MAIO DE 2021

REFERÊNCIAS BIBLIOGRÁFICAS

AZEVEDO, José Lacerda de. *Espírito/matéria*: novos horizontes para a medicina. 9. ed. Porto Alegre: Casa do Jardim, 2007.

BERRY, Rynn. "Porque é que Hitler não era vegetariano". *Associação Vegetariana Portuguesa*, Lisboa, 23 jan. 2014. Disponível em: <www.avp.org.pt/porque-e-que-hitler--nao-era-vegetariano>. Acesso em: 7 maio 2021.

BÍBLIA de estudo Scofield. Versão Almeida Corrigida Fiel. São Paulo: Holy Bible, 2009.

BÍBLIA Leitura Perfeita. Nova Versão Internacional. Rio de Janeiro: Thomas Nelson Brasil, 2018.

CALCUTÁ, Teresa de; KOLODIEJCHUK, Brian (org.). *Venha, seja minha luz*. 4. ed. Rio de Janeiro: Petra, 2016. Livro eletrônico.

CHARLIER, P. et al. "The remains of Adolf Hitler: A biomedical analysis and definitive identification". *European Journal of Internal Medicine*, Filadélfia, 18 maio 2018. Disponível em: <www.ejinme.com/article/S0953-6205(18)30191-2/pdf>. Acesso em: 7 maio 2021.

DELLANNE, Gabriel. *L'évolution animique*: essais de psychologie physiologique suivant le spiritisme. [S.l.: s.n.], 2012. Livro eletrônico.

DENTES de Hitler acabam com teorias da conspiração e provam que era vegetariano. *Jornal de Notícias*, Porto, 21 maio 2018. Disponível em: <www.jn.pt/mundo/dentes-de-hitler-acabam-com-teorias-da-conspiracao-e-provam-que-era-vegetariano-9364008.html>. Acesso em: 7 maio 2021.

DICIONÁRIO Houaiss da Língua Portuguesa. São Paulo: Objetiva, 2009.

KARDEC, Allan. *A gênese, os milagres e as predições segundo o espiritismo*. Tradução de Evandro Noleto Bezerra. Rio de Janeiro: FEB, 2011.

___. *O Evangelho segundo o espiritismo*. Tradução de Evandro Noleto Bezerra. Rio de Janeiro: FEB, 2011.

___. *O livro dos espíritos*. Tradução de Evandro Noleto Bezerra. 2. ed. Rio de Janeiro: FEB, 2011.

___. *O livro dos médiuns* ou guia dos médiuns e dos evocadores. Tradução de Evandro Noleto Bezerra. Rio de Janeiro: FEB, 2011.

KOLODIEJCHUK, Brian. *Madre Teresa: venha, seja minha luz*. Rio de Janeiro: Thomas Nelson Brasil, 2008.

MAIOR, Marcel Souto. *As vidas de Chico Xavier*. 2. ed. São Paulo: Planeta, 2005.

PEREIRA, Yvonne do Amaral. *Devassando o invisível*. 15. ed. Brasília: FEB, 2014.

___. Orientada pelo espírito Adolfo Bezerra de Menezes. *Recordações da mediunidade*. 12. ed. Brasília: FEB, 2013.

___. Pelo espírito Camilo Cândido Botelho. *Memórias de um suicida*. 27. ed. Brasília: FEB, 2012.

PINHEIRO, Robson. Orientado pelos espíritos Joseph Gleber, André Luiz e José Grosso. *Energia*: novas dimensões da bioenergética humana. 2. ed. Contagem: Casa dos Espíritos, 2008.

___. *Os espíritos em minha vida*. Contagem: Casa dos Espíritos, 2008.

___. Pelo espírito Alex Zarthú. *Gestação da Terra*. Contagem: Casa dos Espíritos, 2002.

___. Pelo espírito Alex Zarthú. *Quietude*. Contagem: Casa dos Espíritos, 2014.

___. Pelo espírito Alex Zarthú. *Serenidade:* uma terapia para a alma. 6. ed. rev. ampl. Contagem: Casa dos Espíritos, 2013.

___. Pelo espírito Alex Zarthú. *Superando os desafios íntimos*. 2. ed. rev. Contagem: Casa dos Espíritos, 2006.

___. Pelo espírito Ângelo Inácio. *A marca da besta*. Contagem: Casa dos Espíritos, 2010. (O reino das sombras, v. 3.)

___. Pelo espírito Ângelo Inácio. *Aruanda*: um romance espírita sobre pais-velhos, elementais e caboclos. 2. ed. rev. Contagem: Casa dos Espíritos, 2011. (Segredos de Aruanda, v. 2.)

___. Pelo espírito Ângelo Inácio. *Cidade dos espíritos*. Contagem: Casa dos Espíritos, 2013. (Os filhos da luz, v. 1.)

___. Pelo espírito Ângelo Inácio. *Legião*: um olhar sobre o reino das sombras. 2. ed. rev. Contagem: Casa dos Espíritos, 2011. (O reino das sombras, v. 1.)

___. Pelo espírito Ângelo Inácio. *O fim da escuridão*: reurbanizações extrafísicas. Contagem: Casa dos Espíritos, 2011. (Crônicas da Terra, v. 1.)

___. Pelo espírito Ângelo Inácio. *O próximo minuto*. Contagem: Casa dos Espíritos, 2012.

___. Pelo espírito Ângelo Inácio. *Os guardiões*. Contagem: Casa dos Espíritos, 2013. (Os filhos da luz, v. 2.)

___. Pelo espírito Ângelo Inácio. *Os imortais*. Contagem:

Casa dos Espíritos, 2013. (Os filhos da luz, v. 3.)

___. Pelo espírito Ângelo Inácio. *Os nephilins*: a origem. Contagem: Casa dos Espíritos. (Crônicas da Terra, v. 2.)

___. Pelo espírito Ângelo Inácio. *Os viajores:* agentes dos guardiões. Belo Horizonte: Casa dos Espíritos, 2019.

___. Pelo espírito Ângelo Inácio. *Senhores da escuridão*. 2. ed. Contagem: Casa dos Espíritos, 2008. (O reino das sombras, v. 2.)

___. Pelo espírito Ângelo Inácio. *Tambores de Angola*. 3. ed. rev. ampl. Contagem: Casa dos Espíritos, 2015. (Segredos de Aruanda, v. 1.)

___. Pelo espírito Joseph Gleber. *Além da matéria*: uma ponte entre ciência e espiritualidade. 2. ed. rev. Contagem: Casa dos Espíritos, 2011.

___. Pelo espírito Joseph Gleber. *Consciência:* em mediunidade, você precisa saber o que está fazendo. 2. ed. rev. Contagem: Casa dos Espíritos, 2010.

___. Pelo espírito Joseph Gleber. *Medicina da alma.* 2. ed. rev. ampl. Contagem: Casa dos Espíritos, 2007.

___. Pelo espírito Júlio Verne. *2080*. Belo Horizonte: Casa dos Espíritos, 2017 (v. 1); 2018 (v. 2).

___. Pelo espírito Teresa de Calcutá. *A força eterna do amor*. Contagem: Casa dos Espíritos, 2009.

VIEIRA, Waldo. *Projeciologia:* panorama das experiências da consciência fora do corpo humano. 10. ed. Foz do Iguaçu: Editares, 2008.

___. *Projeções da consciência*: diário de experiências fora do corpo físico. 9. ed. Foz do Iguaçu: Editares, 2013.

WILLIAMS, Holly. "As mulheres que provavam a comida de Hitler". *BBC Culture,* Londres, 27 ago. 2019. Disponível em: <www.bbc.com/portuguese/vert-cul-49476536>. Acesso em: 7 maio 2021.

XAVIER, Francisco Cândido; VIEIRA, Waldo. Pelo espírito André Luiz. *Evolução em dois mundos*. 27. ed. Brasília: FEB, 2013. Livro eletrônico. (A vida no mundo espiritual, v. 10.)

XAVIER, Francisco Cândido. Pelo espírito André Luiz. *Missionários da luz.* 45. ed. Brasília: FEB, 2013. Livro eletrônico. (A vida no mundo espiritual, v. 3.)

___. Pelo espírito André Luiz. *Nos domínios da mediunidade*. 35. ed. Brasília: FEB, 2013. Livro eletrônico. (A vida no mundo espiritual, v. 8.)

___. Pelo espírito André Luiz. *Nosso lar*. 3. ed. esp. Rio de Janeiro: FEB, 2010. (A vida no mundo espiritual, v. 1.)

SOBRE O AUTOR

OBRAS DE

ROBSON PINHEIRO

ROBSON PINHEIRO, autor de 47 livros, começou a estabelecer contato com os espíritos ainda na infância, no interior de Minas Gerais. Aos 17 anos, fiel dedicado da igreja evangélica, sonhava em pregar a palavra de Deus. Na tarde em que prestava exame perante um colegiado de pastores, para sua admissão na carreira ministerial, os espíritos lhe aparecem. "Pastor, o demônio está aqui!", brada o médium. Tomado pelo transe, após opor alguma resistência, dá a primeira comunicação mediúnica, ali mesmo, dentro da igreja. Proscrito, recebe dos espíritos a proposta de exercer a mediunidade segundo os princípios de Allan Kardec. Desde 1979 dedicado à causa espírita, fundou e dirige a Universidade do Espírito de Minas Gerais desde 1992 — hoje com três instituições beneficentes —, além do Colegiado de Guardiões da Humanidade, iniciado em 2011. Profissionalmente, também atua como terapeuta. Em 2008, tornou-se Cidadão Honorário de Belo Horizonte.

PELO ESPÍRITO JÚLIO VERNE

2080 [obra em 2 volumes]

PELO ESPÍRITO ÂNGELO INÁCIO

Encontro com a vida

Crepúsculo dos deuses

O próximo minuto

Os viajores: agentes dos guardiões

COLEÇÃO SEGREDOS DE ARUANDA

Tambores de Angola

Aruanda

Antes que os tambores toquem

SÉRIE CRÔNICAS DA TERRA

O fim da escuridão

Os nephilins: a origem

O agênere

Os abduzidos

TRILOGIA O REINO DAS SOMBRAS

Legião: um olhar sobre o reino das sombras

Senhores da escuridão

A marca da besta

TRILOGIA OS FILHOS DA LUZ

Cidade dos espíritos

Os guardiões

Os imortais

SÉRIE A POLÍTICA DAS SOMBRAS

O partido: projeto criminoso de poder

A quadrilha: o Foro de São Paulo

O golpe

ORIENTADO PELO ESPÍRITO ÂNGELO INÁCIO

Faz parte do meu show

COLEÇÃO SEGREDOS DE ARUANDA

Corpo fechado (pelo espírito W. Voltz)

PELO ESPÍRITO TERESA DE CALCUTÁ

A força eterna do amor

Pelas ruas de Calcutá

PELO ESPÍRITO FRANKLIM

Canção da esperança

PELO ESPÍRITO PAI JOÃO DE ARUANDA

Sabedoria de preto-velho

Pai João

Negro

Magos negros

PELO ESPÍRITO ALEX ZARTHÚ

Gestação da Terra

Serenidade: uma terapia para a alma

Superando os desafios íntimos

Quietude

PELO ESPÍRITO ESTÊVÃO

Apocalipse: uma interpretação espírita das profecias

Mulheres do Evangelho

PELO ESPÍRITO EVERILDA BATISTA

Sob a luz do luar

Os dois lados do espelho

PELO ESPÍRITO JOSEPH GLEBER

Medicina da alma

Além da matéria

Consciência: em mediunidade, você precisa saber o que está fazendo

A alma da medicina

ORIENTADO PELOS ESPÍRITOS
JOSEPH GLEBER, ANDRÉ LUIZ E JOSÉ GROSSO

Energia: novas dimensões da bioenergética humana

COM LEONARDO MÖLLER

Os espíritos em minha vida: memórias

Desdobramento astral: teoria e prática

PREFACIANDO
MARCOS LEÃO PELO ESPÍRITO CALUNGA

Você com você

CITAÇÕES

100 frases escolhidas por Robson Pinheiro

QUEM ENFRENTARÁ O MAL
A FIM DE QUE A JUSTIÇA PREVALEÇA?
Os guardiões superiores estão recrutando agentes.

Fundado pelo médium, terapeuta e escritor espírita ROBSON PINHEIRO no ano de 2011, o Colegiado de Guardiões da Humanidade é uma iniciativa do espírito Jamar, guardião planetário.

Com grupos atuantes em mais de 17 países, o Colegiado é uma instituição sem fins lucrativos, de caráter humanitário e sem vínculo político ou religioso, cujo objetivo é formar agentes capazes de colaborar com os espíritos que zelam pela justiça em nível planetário, tendo em vista a reurbanização extrafísica por que passa a Terra.

Conheça o Colegiado de Guardiões da Humanidade.
Se quer servir mais e melhor à justiça, venha estudar e se preparar conosco.

PAZ, JUSTIÇA E FRATERNIDADE
GUARDIOESDAHUMANIDADE.ORG